D1173215

Bernard Tirtiaux

Le passeur de lumière

Nivard de Chassepierre
maître verrier

Denoël

Bernard Tirtiaux est né à Fleurus en 1951. Homme de théâtre, il est aussi maître verrier depuis l'âge de dix-huit ans.

Merci à Pascale, Henri Géry Hers,
Geneviève Mertens
pour leur aide précieuse et appréciée.

«Nous sommes des nains montés sur
les épaules des géants. »

BERNARD,
MAÎTRE À L'ÉCOLE DE CHARTRES
XIIe SIÈCLE

Prologue

Vieille mémoire me revient des pays infidèles.

J'ai en moi des lambeaux de souvenance faits d'enfants de misère, de coups d'épée, de chemins ne menant nulle part. Il y a des os poudreux essaimés sur ma route. À la pointe de mon rêve, on fourbit les armes et les étalons sauvages frappent des sabots.

Je me retourne dans mon sommeil et je t'effleure femme aimée et le songe m'enveloppe comme une soierie filée dans les écheveaux de la nuit. Un ondoiement d'ébène frôle mon corps. Elle est trop belle pour être charnelle. Subtile, elle glisse entre mes mains. Luisante, elle me tenaille le ventre. Versera-t-elle un jour une caresse d'eau sur mon visage durci comme une terre aride ? Trop belle, elle me tenaille le ventre. J'embrasse en vain son ombre diffuse. À tâtons, mes bras enlacent ses fantômes. Mes bras sont bleus d'avoir cueilli du bleu pour mes arbres de lumière. Et je dérive dans un fleuve d'or, de sable et de natron. Çà et là, entachant l'onde, surnagent les cadavres boursouflés des hommes que j'ai tués. Ils dé-

rivent hideusement avant de se démembrer dans les brumes tour à tour épaisses ou légères.

Il est un animal sur l'autre rivage. Je l'épie, il m'épie. J'avance d'un pas, il fait de même. Il suit le cours d'eau à mon rythme mais quand je suis trop près, il se dérobe. J'ai beau ruser, m'engager loin sur un gué, il se dérobe encore. Un jour il sort du flou, ce peut être un poulain car j'entrevois une crinière folle en bannière sur une très longue tête. Je devine sa croupe mais rien de ses pattes ni de son sexe. A-t-il balzanes ? Est-ce un étalon, une jument ? Fugace, il se dérobe. Patiemment, je l'apprivoise. Promènera-t-il son museau aux confins de mon haleine ? Imperceptiblement, il sort du vague, il se campe devant moi tout en raideur et frémissement. Sa tête m'apparaît familière avec ses yeux morts et vitreux de méduse.

Je m'enfonce dans ces yeux-là jusqu'à la source abîmée des larmes, jusqu'à la source des cécités qui gangrènent nos éblouissements...

Chapitre 1

En l'an de grâce onze cent treize, dans le mien pays de Meuse, le lieu dit de la « tour de Modave » fut le théâtre d'un duel à mort entre Nivard de Chassepierre, alors adolescent, et le redouté seigneur de Barvaux, un croisé de la première heure. Au terme de l'assaut final, il n'émergea longtemps des hautes herbes de la clairière que le pommeau d'une épée plantée telle une croix dans les chairs terreuses et ensanglantées du chevalier. Le colosse était maté.

Étendu sur le dos à côté de l'homme qu'il a tué, Nivard se laisse regagner par la vie : un insecte sur la peau, une brise fraîche dans ses vêtements trempés de sueur, une senteur d'humus et de jeunes pousses. Puis, d'un sursaut, le voilà qui tourne sur le flanc, ramasse sa dague et se hisse sur les genoux pour apprécier son œuvre. Son regard est sombre, reflétant le ciel gris comme flaque en novembre, de fluides mèches blondes irriguent un visage maculé de boue. Son corps, charpenté de bois vert, ramasse des épaules carrées comme joug.

– Dieu a jugé ! marmonne l'ange guerrier en se relevant.

Mais la victoire est amère et quand il s'avance pour se ressaisir de l'outil de mort, l'épée à deux tranchants héritée de Thibaut, son père, le justicier de seize ans lutte contre un sanglot intérieur qu'il se force à contenir.

– Il fallait qu'il meure ! rumine-t-il dans un souffle étranglé. Il le fallait.

Sans égard pour le gisant, le garçon dégage son épée. Il la nettoie au bliaud du mort avec une application lente d'artisan consciencieux et la remet au fourreau. La lame est profondément émoussée par endroits. Il lui faudra la rebattre, la repasser au feu dès son retour.

Loin de fuir le lieu du combat, Nivard s'absorbe longuement dans d'inutiles manipulations, offre sa sollicitude aux chevaux comme si ce vain cérémonial pouvait l'aider à ravaler le chagrin qui s'épaissit en lui, tourmente ses traits, appelle dans ses turbulences une profonde souffrance accrochée bec et ongles au ventre de sa jeune vie, une intarissable peine d'enfance.

– Qu'il pourrisse là où je l'ai frappé, dit-il enfin en se détournant brusquement et, tout le long du chemin le ramenant à Huy, reviennent ces mêmes mots sans cesse remâchés : « Il le fallait... il le fallait... »

En butte au désarroi, le cavalier s'engouffre dans l'opacité naissante d'une nuit sans astres.

14

À Huy, dans le quartier des orfèvres, l'atelier de maître François est le dernier qui s'obstine à entretenir à cette heure tardive la lumière chancelante d'une lampe à huile. Le vieil orfèvre attend avec anxiété le retour de son apprenti parti en début de semaine au moutier de Stavelot pour livrer à l'abbé Wibald sa précieuse commande. Que n'a-t-il forcé l'intrépide garçon à s'entourer d'une escorte pour traverser les ténébreuses forêts d'Ardennes !

Attablé près d'une meurtrière, ses maigres mains jointes à hauteur des lèvres, maître François écoute, les yeux clos, la respiration calme de la nuit dans l'espoir de surprendre le pas familier de cet être aimé que le hasard de l'existence a greffé à son cœur comme un sarment neuf sur un cep rabougri et tors.

— Nivard, reviens-moi, semble murmurer le brave homme, sous la broussaille serrée d'une barbe grise comblant généreusement des joues trop creuses et adoucissant de ses touffes frisées un visage enchevêtré de rides.

Dans cet antre d'orfèvre, encombré et silencieux, les outils en savent long sur les fugues, les prodiges et les facéties de Nivard. Leurs ombres difformes et vacillantes taquinent la mémoire du vieil artisan et l'entraînent dans les méandres de ses souvenirs.

— Quatre ans déjà, marmonne maître François en décomptant les saisons sur le bout de ses phalanges.

Le temps a charrié ses alluvions d'heures et de tourments depuis ce jour du mois de mai 1109 où Blanche de Chassepierre se présenta à l'atelier, accompagnée de ses deux garçons. Elle était jeune et

gracieuse. Elle avait une démarche souple d'une exquise légèreté. Un châle ombrait son visage et mas-
quait ses traits. L'artisan la reconnut lorsque l'étoffe
de laine, en glissant, dévoila des cheveux d'une lumineuse blondeur.

Beauté lointaine, intimidante, Blanche de Chassepierre avait le charme de ces êtres fragiles que l'on
regarde à la dérobée de peur de briser les fils de glace
qui les relient au monde des anges. Irréelle, dia-
phane, délicate comme une aile de papillon, on ne
distinguait pas chez elle ce qui était douceur ou douleur, ce qui était tendresse ou détresse. Elle parlait
d'une voix minuscule, d'une voix blanche.

— Ce sont vos qualités d'orfèvre qui m'amènent
ici, dit-elle. Je voudrais vous confier mon fils aîné...
Je paierai ce qu'il faudra pour son apprentissage...

La requête de la dame provoqua chez maître François un soupir d'impuissance, presque un rire

— Regardez-moi, madame, j'ai mil ans. Mes mains
tremblent, mes yeux sont fatigués. Si vous me trou-
vez encore à l'ouvrage aujourd'hui, c'est qu'il me
faut boucler mes dernières commandes. À l'automne, c'est décidé, je ferme boutique.

— Nivard pourrait vous aider à terminer vos travaux en cours, il est très adroit. Même s'il ne reste
que quelques semaines à vos côtés, ce sera autant
qu'il découvrira.

La châtelaine insistait, et en présence de cette voix
retenue, ajustée au pavillon de sa seule oreille, le vieil
artisan se sentit captif d'un chant de sirène.

— Mon atelier en vaut un autre, madame. Il y a

16

d'excellents artisans à Huy, votre fils apprendra le métier aussi bien ailleurs.

Blanche de Chassepierre dégagea alors son poignet, exhibant un bracelet d'argent ensemencé de saphirs.

– Je m'obstine à cause de ce bijou. Vous l'avez monté pour moi à la demande de mon mari il y a quelques années. Vous le reconnaissez ?

– Je serais incapable aujourd'hui de rechausser une seule de ces pierres, dit-il et, arborant un sourire désenchanté, il poursuivit : Je suis juste bon à lustrer des patènes.

– Alors il me faudra revenir ? Un jour n'est pas l'autre, n'est-ce pas ? risqua la châtelaine avec une timidité navrante.

S'entourant de ses fils comme d'un bouclier, elle remonta son châle et quitta l'atelier.

Pauvre châtelaine ! Dans cette petite ville où tout le monde connaissait tout le monde et mettait son point d'honneur à être informé de tout, la déchéance de Blanche de Chassepierre était notoire et abreuvait les ragoteurs hutois d'un délectable et néanmoins tragique sujet de conversation.

Elle n'était plus fière, la femme de Thibaut de Chassepierre. À jouer les redresseurs, le malheureux chevalier devait mourir comme un chien du côté de la Palestine, laissant sa famille à la merci de toutes les convoitises. Pas fière, la femme du croisé, voilà ce que disait le petit peuple.

Mystère que l'abandon du château de Chasse-pierre par la maîtresse du lieu. Autre sujet de commérages que son établissement inopiné à Huy avec ses deux fils. Personne ne sut jamais ce qui s'était réellement passé. Certains racontèrent que la châtelaine fut chassée de son fief par les demi-frères de Thibaut, montés contre elle par une marâtre cupide qui briguait le domaine et les immenses forêts avoisinantes. D'autres, moins tendres, prétendirent que la jeune femme céda à un amour coupable, salissant la mémoire et l'honneur de son preux époux, et qu'elle fut honnie pour avoir, par sa conduite, traîné dans la boue le nom prestigieux des Chassepierre. Allez savoir le vrai !

Rendue à Huy, dont elle connaissait la charte et où son oncle était prébendier de l'église Notre-Dame, la châtelaine en disgrâce eut recours à l'hospitalité des béguines. Plus tard, elle s'établit avec ses enfants dans une modeste maison de bois du quartier des foulons. Elle était alors bien décidée à reprendre le dessus, à surmonter cette épreuve en mettant à profit ses talents. Hélas, ses bonnes résolutions chancelèrent une à une lorsqu'elle se rendit compte que le chant, la fine broderie, le dessin et autres divertissements auxquels elle s'adonnait depuis l'enfance n'étaient pas de nature à lui porter secours et qu'il lui fallait chercher ailleurs ses moyens de subsistance. Elle passa alors de petits métiers en humbles besognes sans jamais s'y astreindre véritablement, à se demander par quel stratagème elle parvint toujours à nouer les deux bouts et par quel tour de passe-passe elle put rémunérer les services des meilleurs précepteurs de la ville pour assurer à ses fils une formation solide et une bonne connaissance du latin. Pour élucider ce point trouble, les mauvaises langues eurent vite fait de répandre le bruit que la châtelaine Blanche entachait sans vergogne sa vertu de veuve pour ne pas faillir à ses devoirs de mère. Il se trouva même une pécore mi-accoucheuse, mi-faiseuse d'anges qui, pour pimenter la rumeur, clama un jour à la cantonade que « l'oie Blanche » avait eu recours à ses services...

Maître François frissonne : le bâtiment est humide. D'un revers de manche il chasse la goutte qui lui pend au nez comme il se débarrasse d'un ragot écœurant. Dehors, la nuit doit être fraîche pour le voyageur. Dans le flou de l'atelier, le vieil homme se rappelle les deux frères. Étrangement, c'est Guillaume qu'il revoit d'abord : poil châtain en broussaille, bonne petite tête tout en finesse et en féminité, des yeux marron presque noirs et un sourire ravageur taillé pour aguicher son monde. L'apparition du garçon est fugace, elle s'efface aussitôt au profit d'une autre image cernant l'aîné, le taiseux, le petit bonhomme buté de treize ans si cher à son cœur, qui resta en retrait tout le temps de la visite, probablement intimidé par cet endroit de métamorphose de la matière et peut-être aussi par l'orfèvre-magicien du lieu.

Quel enfant déconcertant ! Il dévorait les établis des yeux comme s'ils étaient recouverts de mets succulents. Il savourait l'or et l'argent dans la pénombre, il engloutissait des pupilles les outils aux manches luisants, les réchauds sur les tables, les potiquets en pagaille. Il jouissait d'une secrète délectation du toucher, d'une gourmandise du voir et du saisir.

Maître François fut d'abord accroché par sa chevelure, parce qu'elle était du même blond que Blanche de Chassepierre, à croire que les cheveux de sa mère avaient débordé sur lui comme une caresse. Il s'attacha ensuite à ses traits, qui ne rappelaient que lointainement les traits harmonieux et fins de la dame. Le garçon était taillé de bois brut, son visage large exhalait force et détermination, et malgré son jeune âge se devinait l'être indomptable et fier qu'il promettait d'être. Son regard fascinait, il était d'une intensité rare, d'une fixité inaccoutumée. Il incendiait ses orbites, transperçait les choses et les gens comme un glaive de feu. On aurait dit qu'une âme ancienne l'habitait, une âme éprouvée par le temps, comme sont les âmes des arbres centenaires sous lesquels les princes rendent justice.

Après le départ des Chassepierre, maître François avait ressenti un malaise, voire un vide. Il s'en voulait d'avoir opposé à la veuve un refus autant qu'il appréhendait une nouvelle offensive. Nuits sans sommeil et journées moroses l'accablèrent un temps puis son activité l'aida à reprendre le dessus.

Deux semaines plus tard, alors qu'il se croyait quitte de ses visiteurs, on frappa à la porte. Ce fut vieux Louis, un ancien ouvrier à la dévotion de l'orfèvre, qui s'acquitta du rôle de portier. Une expédition en soi. Le temps d'aller jusqu'au verrou, n'importe qui aurait fait plusieurs fois le tour de la pièce, voire même du pâté de maisons. Sur le seuil, l'enfant blond l'aborda sans détour.

– Maître François est-il là ?

Acquiescement surpris du vieillard :

– Il est au bout, près de la forge.

Nivard n'attendit pas la fin traînaillante de la réponse pour plonger dans la pénombre de l'atelier. Sans comprendre ce qui lui arrivait, maître François se trouva lesté d'un morceau de bois travaillé. Il regarda l'objet. Intrigué, il gagna une meurtrière toute proche pour y mieux voir. Il tenait en main un cheval taillé dans un morceau de poirier et incrusté de tout petits éclats de pierre. L'artisan, impressionné par la finesse du travail, inspecta la figurine sous tous ses angles

– Pas mal, pas mal ! s'exclama-t-il.

Dans la lumière, le regard de l'enfant triomphait, tandis que vieux Louis arrivait péniblement, essoufflé par sa course.

– Qu'est-ce que tu en penses ? lança l'orfèvre à son compagnon.

Entre deux respirations et une toux, l'interpellé laissa échapper quelque chose comme « Bel ouvrage ! ». S'ensuivit un silence. Maître François se tourna alors vers Nivard.

– Demain, je t'attends demain.

Une fois la porte refermée sur l'enfant, l'artisan s'affala sur son banc. Qu'est-ce qui lui avait pris d'engager ce gamin de treize ans à l'heure où il n'aspirait qu'à terminer les commandes en cours et à remettre son atelier ? Le vieil homme était fatigué, il avait perdu jusqu'au goût de vivre depuis que sa famille s'était démantelée, le laissant seul dans l'existence et sans but.

– Je suis un imbécile, marmonna-t-il.

Et son comparse de le tranquilliser à grand renfort d'arguments en alléguant que le métier était ardu et en avait découragé plus d'un, qu'il s'agissait là d'un garnement n'ayant aucun antécédent dans cette discipline et dont la flamme serait passagère.

– Une famille de têtes brûlées, juste bonnes à fourbir des armes, ajouta-t-il pour clore le chapitre.

Vieux Louis avait manqué une occasion de se taire. Nivard fut là le lendemain et les jours qui suivirent. C'était un acharné, un de ces chiens à sanglier qui, lorsqu'ils mordent, ne lâchent plus prise. Il se confiait plus à la matière qu'aux personnes vis-à-vis desquelles il manifestait une indécrottable méfiance. Maître François mit longtemps à l'apprivoiser et plus longtemps encore à le déchiffrer, si tant est qu'il ait vu clair un jour dans la nature secrète de son apprenti.

Avec le temps, l'orfèvre devait se retrouver en Nivard, comme s'ils avaient été liés l'un à l'autre depuis toujours par la filiation du regard, comme si la source pure dont ils avaient été abreuvés tous les deux était l'incandescente lumière qui donne naissance aux choses. Avec le temps, il se mit à aimer comme un fils cet enfant ombrageux, imprévisible et sauvage, d'un autre sang que le sien. À l'automne, l'atelier moribond renaissait de ses cendres et maître François avait dix ans de moins. Nivard était devenu toute sa vie. L'enfant était inventif, infatigable, tellement turbulent que, dans les années qui suivirent son arrivée, le vieil homme n'eut plus le loisir de s'apitoyer sur son sort ni de préparer ses vieux jours. Un matin, il retrouvait le garçon endormi à même la terre entre deux établis, le lendemain quelque part sous un pont avec les gamins de rue. Quand flambaient les fours pour la fonte des cloches de Saint-Jacques-au-Tilleul, Nivard était dans le coup. Quand Renier de Huy embauchait du monde pour alimenter ses feux d'enfer, le jeune apprenti disparaissait de l'atelier comme par enchantement.

— Il n'est pas un feu du comté où il n'aille se roussir la carne, se lamentait maître François... Je ne ferai pas un sou vaillant de ce garçon... Je vais rendre ce garnement à sa mère.

Et lorsque Nivard réapparaissait, crasseux comme le péché, le sourcil et le poil ravagés par les flammes, couvert de méchantes brûlures aux bras et au visage, le vieil orfèvre était bouleversé, sanglotant, et c'est dans la panique qu'il bousculait le monde des macrales et des rebouteux pour qu'on lui rapporte pommades et compresses.

Un hennissement arrache maître François à ses souvenirs. Dans une écurie toute proche, un piétinement de sabots aiguillonne sa vigilance. Des chevaux, dérangés par une présence importune, renâclent et donnent de la croupe sur les cloisons de bois. À peine audibles, des pieds emmitouflés s'éliment sur la terre damée de la ruelle. Deux coups mats et espacés sur la lourde porte puis, dans un jeu d'ombre et de lumière, l'apparition dans l'atelier de vieux Louis, appelé familièrement Têtard en raison de ses yeux globuleux et de son regard glauque. Son attachement à l'orfèvre dépasse le demi-siècle. Indissociable du paysage quotidien de maître François, il est aussi implanté dans l'édifice que la pierre du seuil. Vieux Louis est en quelque sorte la mémoire du lieu, celle des bons et des mauvais jours, celle des joies et des déchirements.

— Tu devrais te coucher, François, il est tard. Nivard ne rentrera plus à cette heure.

La voix est sans timbre et s'écoule épaisse comme glu. Sans attendre la réponse de son compagnon, Têtard se laisse happer par un tabouret, histoire de reprendre son souffle avant de regagner son gîte et sa couche tiède.

La flamme suffocante de la lampe retrouve sa fluidité douce entre les deux veilleurs rongés d'inquiétude.

Vieux Louis croule de fatigue : un amoncellement indistinct de chairs apathiques agité de chaotiques ronflements. Maître François soupire. Que de veilles et d'angoisses il a endurées depuis l'arrivée de Ni-

vard dans son univers finissant d'orfèvre. Quel enfant terrible s'est imposé sur sa route à l'heure où il se
préparait à couler des jours heureux.

Le vieil orfèvre devient morose avec l'âge, alors
que peu d'artisans de son métier peuvent se glorifier
d'avoir eu aussi éblouissante carrière. Il n'est pas une
église à vingt lieues à la ronde qui ne compte dans ses
trésors un calice ou encore quelque burette de sa fabrication. Jusqu'il y a peu de temps encore, les ab-
bayes se l'arrachaient, les hautes personnalités ne ju-
raient que par lui.

Si maître François tient sa réputation de son savoir-faire, son prestige lui vient du long séjour qu'il
passa en Orient dans sa jeunesse. Il rapporta de ce
voyage quelques précieux raffinements de métier,
qu'il eut toujours la détestable habitude d'enrober
d'un halo de mystère quand ce n'était pas de petits
mensonges. Ainsi préféra-t-il toujours associer ces
happelourdes achetées à la douzaine sur le marché
de Macquenoise à quelque princesse sultane ou encore à quelque pirate des mers d'Afrique, plutôt que
d'en avouer la banale provenance. Maître François
chérissait plus que tout les pierres et les verroteries.
Il les sertissait avec art et amour dans ses ouvrages
aux fins de leur donner davantage de rutilance et
d'éclat. Quand il sortait de sa cachette son trésor de
pâtes de verre et de joyaux de pacotille, il prenait
mille précautions, adoptait le ton de la confidence et
regardait de tous côtés pour s'assurer qu'aucune présence indiscrète ne surprît sa manœuvre.

Ce trésor de maître François fascinait Nivard.

25

Pour le petit homme, chaque cabochon avait une histoire fabuleuse et des vertus magiques. Certains éveillaient le printemps, d'autres portaient la fête, la moisson, la rivière. Au premier mois de son apprentissage, l'enfant avala un verre grossissant qui devait le faire grandir. L'effet fut miraculeux. Fort de cette expérience, il demanda à l'orfèvre la permission d'emporter chez lui une perle bleue pour sa mère, qui avait besoin d'être consolée...

— Les gens ont été odieux avec elle, rabâche maître François à son compagnon.
— De qui parles-tu ? demande Têtard.
— De la châtelaine !
— C'est la vie ! grommelle vieux Louis laconiquement, soucieux de ne pas mettre en péril l'état de somnolence qui l'emmitonne de sa volupté.

Il ajoute néanmoins dans un sursaut de conscience :
— Mais toi, François, tu n'as rien à te reprocher, tu as été bon jusqu'au bout.

Maître François sourit dans son for intérieur. Ce baume lui réchauffe le cœur et l'invite à s'assoupir d'un sommeil de juste.

— Qui va là ?
Quelque part sur la rive endormie de la Meuse, du côté des quais, des chalands et des barges, à quelques jets de pierre du quartier des orfèvres, une ombre

gratte la porte d'une maison étroite et basse dont le toit de schiste s'enfonce comme un fer de houe dans les herbes grasses d'un talus.

– Ouvre, c'est moi, Nivard !

Amaury de Flémalle, ensommeillé, rassemble ses esprits vagabonds, enfile son bliaud en bâillant, enflamme une chandelle de suif à une braise mourante et, hirsute au-dehors comme au-dedans, fait pénétrer Nivard dans son logis. La pièce obscure recèle une odeur complexe de fumée, de sueur et de femelle nourricière, de viande séchée et de lait sur.

– Qu'est-ce qui t'est arrivé ? Tu es blessé ? s'exclame Amaury en parcourant de sa flamme le visage et les hardes souillées de son visiteur.

La voix d'une femme fait écho à sa surprise. Le temps de passer un vêtement, Aude accourt.

– Dieu du ciel, je vais chercher de l'eau.

Grand branle-bas dans la cahute. Un bébé pousse quelques geignements protestataires. On ranime le feu. Aude saisit un baquet et descend jusqu'au fleuve tandis que les deux hommes s'installent devant l'âtre.

Amaury de Flémalle est orfèvre comme Nivard. De deux ans son aîné, il travaille dans l'atelier de maître Renier. Les deux artisans sont tressés d'amitié.

– Raconte, dit Amaury, qui t'a attaqué ?

– Personne ! Je me suis battu en duel... J'ai tué un homme ! Ne m'en demande pas plus.

Amaury de Flémalle glisse ses doigts dans sa toison épaisse et noire. Son œil limpide et tendre s'attarde sur Nivard.

– Qu'attends-tu de moi ?

– Ne me rejette jamais pour ce qui s'est fait.

Sans trop saisir le sens de cette réplique, Amaury répond sans réfléchir :

– Tu as ma parole. On n'est pas ami pour rien.

Aude pousse la porte d'un coup de hanche, défonçant un silence pesant comme une trappe. C'est une petite femme robuste et active qui se coupe en dix pour son monde, une bonne fille. Nivard ne partira pas de son foyer avant d'avoir reçu soins, pitance et maternance. Tandis qu'il se lave, elle ne peut s'empêcher de lorgner en sa direction. Une longue marque noire zèbre son flanc, une gifle d'épée, une indésirable tavelure maculant la sensuelle luisance d'un fruit de paradis.

– Pourquoi ne restes-tu pas quelques jours avec nous ? lance soudain Amaury. Je cacherai ton cheval. Personne ne viendra te chercher ici.

– Qui veux-tu qui m'inquiète, fait Nivard en se rhabillant, j'ai mené un combat loyal.

– Je tremble pour toi, Nivard. Si l'homme que tu as frappé est celui auquel je pense, son clan te pourchassera.

– Ça ne me fait pas peur. Le jugement de Dieu est pour moi !

– Je redoute ces gens ! Ils te prendront en traître. Ils fondront sur toi quand tu ne t'y attendras pas. Il faut que tu partes loin d'ici. Au nom de notre amitié, écoute mon conseil.

– Au nom de notre amitié, laisse-moi continuer ma route comme si rien ne s'était passé. À la grâce de Dieu !

28

Lorsque Aude se relève au petit matin pour donner le sein à sa petite, Amaury est assis sur sa couche, les yeux grands ouverts. Leur hôte nocturne les a quittés pour aller Dieu sait où.

Perdu dans ses pensées, le jeune homme ne parvient pas à se défaire d'une sinistre appréhension. Norbert de Barvaux serait-il tombé sous l'épée vengeresse du fils de la châtelaine Blanche ? A-t-il payé de son sang le déshonneur des Chassepierre ? Nivard est batailleur et, dans ces lieux où on apprend le maniement des armes, il porte des coups imparables à ses adversaires. Mais de là à triompher de Barvaux, il y a un pas. Le chevalier est un fier-à-bras, une force de la nature, capable de tuer une mule d'un seul coup de poing.

— Il devient bel homme, laisse échapper Aude, rêveuse.

Amaury ne réagit pas.

— Tu es soucieux ? tente la jeune femme.

— Depuis la mort de Blanche à la fin de l'hiver, Nivard a changé, il cicatrise mal. Sa révolte est permanente. La moindre contrariété engendre chez lui des colères terribles. Contrairement à Guillaume, il combat sa peine dans la violence.

— Ça t'étonne ! Aussi loin que l'on remonte, les Chassepierre ont toujours été des batailleurs !

Amaury hausse les épaules. Il se damnerait pour cet ami singulier, aussi profondément torturé qu'il est prodigieusement talentueux.

– Nivard est différent. Il ne bataille pas pour le plaisir, rétorque-t-il. Et puis c'est le plus doué d'entre nous. J'ai entendu dire que le clergé hutois veut lui commander la châsse qui doit abriter les reliques de saint Materne. Ses projets auraient conquis les commanditaires.

– Ce ne sont encore que des on-dit !

– N'empêche qu'on peut rêver ! Nivard, à dix-sept ans, préféré aux orfèvres du cru. J'en connais qui crèveraient de jalousie.

Et Aude de conclure avant de se recoucher :

– Belle revanche ! Mais ce n'est pas cela qui apaisera la faim du loup.

Nivard s'est retiré sur les hauteurs de Huy. Replié dans un nid de verdure sous la muraille du château, il regarde poindre le jour. Il partirait vers le Levant s'il le pouvait. Il rejoindrait les chemins de lumière et d'aventure empruntés jadis par son père.

De son promontoire, la ville blottie dans ses douillettes fortifications et cramponnée à son placide fleuve gris lui semble dérisoire et timorée. Elle lui fait pitié avec ses petits clochers arrogants, ridiculement agressifs comme des crêtes de coq, et ses enfilades de bâtisses de pierre, avares d'ouvertures, exhibant portes closes cuirassées de ferrailles défensives et muselées de judas suspicieux. Un monde fermé et suffisant, à l'image de ses gens.

Nivard a froid au cœur en ce petit matin du mois de mai 1113 et, lorsque le cimetière jouxtant Notre-

Dame sort de son léger cocon de brume, il est envahi par une immense lame de tristesse. C'est là qu'est inhumée sa mère. Malgré les démarches insistantes de Nivard auprès du clergé, Blanche de Chassepierre, ultime humiliation, ne fut pas jugée digne de reposer dans la nécropole familiale des Chassepierre, une chapelle de pierre grise. Pénible résurgence que cet enterrement déserté et misérable sous une neige pourrie de février : une messe basse pour une âme perdue. Guillaume pleurait son saoul et lui, Nivard, le révolté, ruminait de sanguinaires vengeances. Entre ses dents, il blasphémait contre cette religion répressive, exempte de miséricorde et dépourvue d'humanité. Il vomissait les censeurs ecclésiastiques bien-pensants qui bafouaient l'Évangile et spoliaient les pauvres et les opprimés de leur droit à l'espérance et à la tendresse du Père.

C'est dans cette église hostile, au pied de l'autel, que le garçon fit avec la morte le pacte qu'il n'accepterait plus l'hostie des mains des prêtres et qu'il ne partagerait plus leurs prières. Il atteindrait Dieu par un autre chemin, il défricherait sa propre voie vers la Lumière.

Au soir du jour le plus éprouvant de sa jeune existence, Nivard traça à l'encre noire sur le revers de sa ceinture cette phrase amère qui allait diriger la marche de sa vie : *Quaere Dei lumem post materiam, non gentes.* Cherche la lumière de Dieu à travers la matière au mépris des humains.

Sortant du carcan accablant de la nuit, la cité de Huy s'étire avec ses notes d'enclume, ses fumées grasses, ses allées et venues joyeuses et sonores, sa rivière peignant des algues vertes. Ici on tire une barge, là deux hommes rafistolent un toit, ailleurs une basse-cour se déchaîne autour d'une imposante matrone, les cloches de Saint-Étienne tintinnabulent, une paire de chevaux de trait ébranle un chariot, un paysan bat la lame d'une faux.

Un jour nouveau ouvre ses gerbes de lumière tandis que, dans les hautes herbes de la colline surplombant Notre-Dame, un enfant qui se croyait homme se replie sur la grande épée de son père et, vaincu par la douce sérénité matinale, ne contient plus ses larmes.

Chapitre 2

Trois années se sont écoulées et personne n'a payé pour le meurtre du sire de Barvaux. Nous sommes en 1116 à la sortie de l'hiver, un de ces hivers pluvieux qui vous laissent dans tous les membres une désagréable sensation d'étoffe mouillée, une de ces saisons dégouttantes qui transforment les chemins en bourbiers, les façades en pleurnichements, les toitures en passoires. Vieux Louis est cloué chez lui. Le temps pourri ne lui laisse plus assez d'air entre les gouttes pour respirer. Par contre, à l'atelier d'orfèvrerie de la rue Saint-Martin, maître François et Nivard sont à leur poste.

Courbé sur son banc, Nivard parfait le portillon frontal de la châsse de saint Materne à l'aide d'un racloir. Sous les doigts de l'artisan, le métal laisse éclater ses brillances et l'élégance de ses reliefs. Ce panneau représente quatre anges entourant la Vierge, une belle Vierge au visage triste et au regard lointain. À deux pas de lui, maître François est installé dans l'ajourement de l'établi demi-circulaire où s'inscrivent les orfèvres lorsqu'ils sont amenés à faire des

33

travaux délicats dans lesquels chaque copeau, chaque limaille de métal doit être retrouvé et mis de côté par souci d'économie. C'est sur ce plan de travail que le vieil artisan s'adonne depuis quarante années aux opérations fines. Il en connaît les moindres anfractuosités. Il y voyage comme un navigateur promène sa nostalgie sur une carte de géographie. Il pourrait raconter toutes les taches, tous les renfoncements, toutes les écorchures du bois, comme un livre. Ce jour-là, il va verser devant lui les « trésors » de pierres et de verroteries qu'il recèle dans ses boîtes.

Comme un enfant absorbé par l'onde qui roule sur les galets d'une rivière, maître François flotte dans un rêve de lumière. Les cabochons et les pierres dites précieuses, ce sont les yeux des anges, ce sont les sourires que la vie a bien voulu prodiguer aux hommes.

Un bruit sec casse la rêverie du vieillard. Enveloppant son ouvrage de sa large carrure, Nivard éprouve le mécanisme de blocage du portillon frontal de la châsse : une seule pression suffit à verrouiller simultanément les six pênes du panneau. L'artisan fatigue la serrure dans un concert de claquements. Respiration lourde, un rien de nervosité, le jeune homme travaille toujours dans la fièvre, comme s'il ne pouvait aborder la matière autrement que dans un corps à corps. Après trois années de travail acharné, Nivard arrive sans y croire vraiment au terme de ce que beaucoup d'orfèvres hutois considèrent déjà comme une œuvre de maîtrise.

Lorsqu'on sort d'un travail de longue haleine, on n'en finit pas d'y apporter dernière main sur dernière main, comme si la mémoire des doigts refusait de défaire les nœuds qui les relient aux choses. Les heures que l'on passe à observer un objet accompli, à le peaufiner sans efficacité, sont parmi les plus belles ; maître François connaît cette sensation. Cent fois Nivard a dressé le panneau sur son banc pour prendre trois pas de recul, cent fois il est allé faire une infime retouche. Le vieil artisan se fait aussi discret que possible, il attend ce moment magique où la porte va se fondre dans la châsse qui se trouve à quelques pas de lui, sous une couverture. Dehors on entend le tintement d'une cloche, une cloche claire, mélodieuse.

Relâchant la tension du moment, Nivard se dirige vers une meurtrière d'où l'on peut apercevoir la place et l'église. Rien n'accroche son regard ! Il se redresse dans la lumière, il est grand, osseux, carré, il remplit l'espace. Sa chevelure d'un blond clair éclabousse un instant la pénombre de l'atelier. Son visage s'est affirmé : une belle tête d'homme, de celles qu'on rencontre sur les tympans sculptés des cathédrales.

Nivard allonge le bras vers deux pommes ratatinées logées au fond d'un panier. Il en présente une à son compagnon tout en lustrant la seconde sur le revers de son bliaud. Revenant à son ouvrage pour un ultime examen, il plante ses dents blanches dans le fruit et le broie sous la meule de ses mâchoires de carnassier tandis que de son côté maître François entreprend un interminable mâchonnement ponctué de petits hochements de tête.

Nivard s'approche enfin de la masse sombre, il la découvre, replie soigneusement la couverture. La châsse éclate de lumière. Elle est couleur d'or et d'argent, incrustée de pierres de toute part. C'est une église miniature admirable. Sous l'arrondi des arcades sont représentées des scènes de la vie du saint : le coup de rame fatal, les bœufs grimpant les flancs de Meuse en tirant la dépouille. En écoinçons, des anges portent des inscriptions latines finement ciselées. Nivard empoigne le portillon frontal sur le banc, engage soigneusement les deux pênes fixes dans les gâches, rabat le panneau. Un bruit sec et la châsse est verrouillée. La Vierge centrale ressort dans toute sa majesté. Elle est mise en valeur par un décor fleuri rehaussé de nielle. Elle présente un trou à hauteur de poitrine, un trou béant de la grosseur d'une cerise. C'est en glissant le doigt à cet endroit que l'on peut accéder au déverrouillage du portillon.

Nivard rêve d'un solitaire pour parer cet orifice, une pierre taillée, brillant de mille feux, celle-là même que maître François acheta un jour sur le port de Constantinople pour tout l'or qu'il possédait.

Cette histoire, les murs de l'atelier en ont les oreilles rebattues. Elle appartient à la période lointaine où l'artisan hutois quitta le pays mosan avec quelques compagnons pour aller à la rencontre de ses confrères byzantins. Un voyage qu'il n'était pas près d'oublier. Constantinople entrecroisait les chemins du monde. On trouvait là une profusion de races et de langues, un trafic hallucinant de denrées et de gens, une fertilité de l'art et de l'esprit.

Dans cette ville riche, rien n'était assez beau ni assez cher pour parer les jolies femmes. Délaissant l'orfèvrerie sacrée au profit du bijou d'apparat, maître François se fit embaucher par un joaillier du cru. Il connut des années fastes qui lui permirent de racheter une boutique et de prospérer davantage. Il aurait passé le reste de son existence dans ce monde raffiné si son goût pour les objets précieux n'avait crû avec sa fortune et ne l'avait focalisé sur un diamant extraordinaire. Les tractations avec son propriétaire, un marchand grec, durèrent des mois. Le jour où la pierre passa dans ses mains, alors qu'il regagnait sa boutique tout frémissant de bonheur, il eut l'impression d'être pris en chasse par des voleurs. Il s'enfonça dans les souks pour semer ses poursuivants. Rentré dans ses quartiers, il tremblait de tous ses membres. Cette panique ne le quitta plus. Il se mit à voir des bandits partout. Le moindre coup de vent dans une tenture ravissait son souffle et le laissait blême comme un mort. Sa suspicion finit par s'étendre aux gens qu'il côtoyait alors même que personne dans son entourage n'était au courant de son acquisition. Craignant pour sa pierre et pour sa vie, il vécut des heures terribles, n'osant plus franchir le pas de sa porte, sursautant au moindre craquement, ne sachant où dissimuler ce joyau d'un éclat trop vif, allant même jusqu'à l'ingurgiter à la hâte un jour où quelqu'un fit irruption à l'improviste dans la pièce où il ébauchait une monture destinée à recevoir la pierre. Pour ne pas revivre pareil désagrément et pour détourner les questions, maître François réalisa avec le plus grand soin dans un morceau d'albâtre une réplique fidèle du diamant de façon à ne sortir l'objet précieux que pour les essayages ultimes. Puis arriva ce qui devait arriver. Intrigué par le manège bizarre de l'orfèvre, quelqu'un pénétra son secret. Le pauvre homme fut intercepté, dépouillé et il serait mort si une équipée de croisés picards et flamands en route pour la Palestine ne l'avait ramassé sur la Corne d'Or dans un piteux état. Le chef de ces hommes, un chevalier nommé Rosal de Sainte-Croix, prit l'orfèvre en pitié et commanda à sa suite de passer au peigne fin les quais et le quartier où se trouvait la boutique. Ce fut peine perdue, le solitaire s'était envolé et, dans ce port de Constantinople grouillant de monde, il eût fallu un miracle pour retrouver quoi que ce fût.

– Imagine, Nivard, au cœur de ta châsse, notre pierre plus transparente qu'une eau de source, chaque facette polie comme un miroir et dans le soleil des faisceaux bleus, rouges, verts, jaunes dardant la robe d'argent de la Vierge.

– C'est bien comme cela que je la vois, enceinte d'un arc-en-ciel !

Et les deux hommes de rêvasser devant le reliquaire verrouillé à ce noyau de lumière perdu vingt ans plus tôt. Voix jeune, voix vieille se mêlent. Dans les mains tremblotantes de l'orfèvre, la réplique d'albâtre demeure le témoin muet de son récit.

– Si j'avais encore la force... j'irais la reprendre.

Nivard esquisse un sourire. Il a peine à se figurer maître François jouant les foudres de guerre. L'homme est tellement menu et racorni qu'une cotte de mailles posée sur ses épaules suffirait à le clouer au sol. Le vieillard sourit à son tour de cette hardiesse gratuite. Ses yeux pétillent. Nivard recherche quelque chose qui ressemble à ces yeux-là pour terminer sa chapelle de lumière. Ils sont très clairs, un peu bleus, rendus à leur primitive transparence. C'est à croire qu'ils se sont nettoyés à force d'écumer les impuretés sur le métal en fusion, ou qu'ils se sont embellis d'avoir glané la poussière précieuse sur les bancs de l'atelier. Les artisans qui affinent la matière finissent par s'affiner eux-mêmes.

– C'est à moi de partir ! Sans cette pierre, ma châsse ne sera jamais achevée.

Loin de contrecarrer son apprenti, maître François enchaîne :

– Tu as peut-être raison. Il est temps pour toi de respirer d'autres cieux que les nôtres, de te mettre en mouvement. Ici, il n'y a plus rien à apprendre pour un homme comme toi.

Nivard étreint de ses mains les épaules du vieillard.

– Ma peine sera de te savoir seul, dit-il avec tendresse.

– Laisse le vieil arbre où il est et écoute-moi bien. J'ai un conseil à te donner. Tu te souviens de Rosal de Sainte-Croix ?

– Bien sûr ! Il venait souvent à Chassepierre. Il aimait mon père ! Des années de chevauchées à travers l'Orient les avaient soudés l'un à l'autre. Il fallait les entendre parler de leurs voyages. Ils s'attablaient des heures autour de parchemins rapportés de là-bas.

— Rosal de Sainte-Croix est devenu architecte depuis ce temps. J'ai pour lui la plus haute estime. C'est un prince, une torchère dans la nuit, un bâtisseur de génie toujours à l'affût du bel ouvrage et des bons artisans. Que ce soit à Stavelot, à Liège ou à Nivelles, Rosal a toujours employé des gens de qualité et il a toujours su se faire apprécier d'eux. Je voudrais que tu te rendes à Malen où il demeure et que tu le rencontres. J'ai eu vent qu'il prépare avec quelques pairs un nouveau voyage vers les lieux saints.

— D'où tiens-tu cette information ? interrompt Nivard.

— De l'abbé de Neufmoustier. Il a vu Rosal peu avant la mort de Pierre l'Ermite.

Maître François se signe puis ajoute :

— Dieu fasse qu'il ne soit pas déjà en route.

Nivard demeure pensif. Peut-être pourrait-il s'associer au voyage et partir sur les traces de son père à la découverte des pays de lumière et de brillance qui ensorcellent son imaginaire ? Il y perfectionnerait son métier parmi les orfèvres byzantins. Ensuite, il descendrait plus loin vers le Levant. Il en reviendrait avec la pierre de la châsse.

Le projet prend corps dans la tête des deux hommes. Une belle complicité se trame entre l'innocence quasi enfantine du vieil orfèvre et la fougue de son jeune apprenti. Ensemble, ils échafaudent, ensemble, ils parlent de harnachement, d'un maquignon de Noville qui a de bons chevaux, de la réplique en albâtre qu'il ne faut pas oublier et de la clémence de Dieu qui rendra à César ce qui est à César... Rien n'est moins sûr !

Soudain, l'attention de Nivard s'échappe. Il ébauche un geste de la main pour signifier à son compagnon qu'il se passe quelque chose d'insolite. Dans l'atelier, plus rien ne bouge, on entendrait une mouche voler. Par l'échancrure d'une meurtrière, deux petits yeux tirés comme des amandes contemplent la châsse, émerveillés. Ils disparaissent pour resurgir plus près dans une autre meurtrière. Un doigt sur la bouche en direction de maître François, Nivard s'esquive, se glisse dans l'ombre, gravit sans bruit une échelle donnant accès aux volets sous la toiture. La petite fille dégage sa truffe soudainement, quelque chose a changé. Un rai de lumière inonde brusquement le local, mais c'est trop tard. Les choses vont très vite. Maître François entend un bruit de chute dans la ruelle, le cri étouffé de l'enfant, la porte qui s'ouvre toute grande sur un rire. Nivard tient sa proie. Il assied la gamine sur un haut tabouret dans le creux de la table-lune, s'accroupit, ferme l'arrondi en posant ses coudes sur les extrémités de l'établi.

— Cette fois on te tient ! Tu es notre prisonnière ! Pas vrai, maître François ?

Bras croisés et tête basse, la petite fait sa moue et jette des éclairs de côté au grand escogriffe blond. Elle est irrésistible !

41

– Puisque tu es prisonnière, tu nous donnes ton nom.

Silence de la fillette.

– Alors on va le chercher. Tu t'appelles Furette ?

Elle fait non de la tête.

– Fouine ?

Même mouvement de tête. Cette fois un sourire se dessine sur son visage mutin, elle bat des pieds dans le vide et ose à son tour :

– C'est toi qui as fait la maison ? dit-elle en direction de la châsse.

– Elle te plaît ?

L'enfant acquiesce de la tête.

Un temps.

– Elle est belle dehors mais trop noire dedans.

Cette réflexion laisse Nivard interdit comme s'il avait été frappé d'un coup de couteau.

– Je dois rentrer, dit-elle.

– Déjà ? reprend l'orfèvre.

– Laisse-moi partir sinon je serai grondée.

– Par qui ?

– Par mon grand frère. Je dois rester près du pont avec lui.

– Tu reviendras nous voir ?

Elle fait signe de la tête. Il se relève et ajoute :

– Par la grande porte ?

L'enfant s'échappe, gagne le seuil de l'atelier. Quand elle est sous l'arche, elle lance à l'adresse de Nivard :

– Je m'appelle pas Furette, je m'appelle Coline.

Intimidée par sa propre audace, elle s'éclipse en

un tour de main. Les deux hommes ont pu saisir au passage tout le charme de l'enfant, sa longue chevelure brune, ses yeux frais, ses promesses de femme et cette odeur sauvageonne si particulière qui n'appartient qu'aux petites filles.

À son tour, Nivard va se caler dans l'ébrasement de la porte. Il soupire. Dans cette ville humide et glacée, ce rayon de soleil était fugace. Dehors le ciel reste grisâtre et pesant à vous écraser le front sur les paupières, il est étonnant qu'il ne pleuve pas.

De la porte de l'atelier, l'orfèvre peut voir les remparts de la ville et les gardes transis sur le chemin de ronde. Passe un lent convoi de chariots chargés de moellons. Ils traversent la place du marché en cahotant au gré des flaques et des ornières. Le bruit des attelages et les remontrances des charretiers agacent le jeune homme. Il revient sur maître François qui range méticuleusement ses verroteries dans leurs boîtes, s'arrête un instant devant sa chapelle « trop noire en dedans » puis tourne les talons et part subitement en direction de la rivière.

Le Hoyoux est en crue. L'eau déferle, blonde, gorgée de limon. Nivard se retrouve en cette rivière trouble et prête à tout emporter dans sa colère. « Elle est belle dehors mais trop noire dedans. » Il se sent stupide de réagir de la sorte à un mot d'enfant. Quel aurait été son bonheur s'il avait pu introduire un mor-

43

ceau de ciel dans sa châsse. Il aurait alors évidé le métal derrière chacune des pierres pour qu'elles étincellent toutes, comme des étoiles.

À quelques pas de lui, en contrebas, il y a un chêne énorme en travers du pont. Emporté par le courant, il a descellé la lourde herse de fer qui ferme la rivière au niveau des remparts. Dans le tumulte du cours d'eau, un groupe d'hommes s'affaire avec haches et scies autour du mastodonte. Ils l'ont élagué de ses grosses branches et tentent à présent de le sectionner en deux pour le faire passer sous l'arche du pont. Les blessures de l'arbre sont larges et dorées sous les coups des bûcherons. Brusquement un concert de voix humaines couvre le brouhaha général, le géant est en train de se rompre. Racines et tronc se dissocient.

Comme des insectes délogés d'un coup de queue de la croupe d'une génisse, les hommes regagnent la berge à toute allure. Dans ce remue-ménage, la tête de l'arbre passe sous l'arche tandis que l'autre partie hésite un moment. Un bûcheron perd l'équilibre, il tombe dans l'eau glaciale. S'agrippant aux aspérités de l'écorce, il tente de se rétablir. Nivard pressent le drame lorsqu'il voit le fût de l'arbre se rabattre sur la maçonnerie du pont. Sur la rive, on crie tandis qu'il se jette à l'eau. L'intérieur de la voûte est frappé de toute la longueur du tronc et le malheureux expire un râle effrayant entre mordaches de pierre et de bois. Il étouffe. Son torse, prisonnier de cet étau, se broie quand Nivard arrive à sa hauteur. Rassemblant toutes ses forces, l'orfèvre cale son dos contre l'empiètement de la voûte et, avec ses jambes, il maintient le tronc plus au large. La tension est terrible, les pierres meurtrissent ses épaules. Il hurle de douleur et de rage contre les hommes qui arrivent à sa rescousse en se tenant craintivement aux saillances du pont. Happé de justesse au moment où il perd prise, le bûcheron est dégagé et ramené avec précaution sur la rive tandis que Nivard relâche son effort. Étrangement léger et apaisé, il flotte dans l'espace. Ses vêtements glacés lui collent à la peau mais il n'a pas froid. Sur la berge, un cercle s'est formé autour du blessé, un garçon de vingt ans, dépenaillé, secouant sa poitrine brisée en geignant.

– Une chance qu'il soit tombé sur un fort gaillard comme toi, lance un badaud tandis qu'un autre abat familièrement une paume vigoureuse sur son épaule endolorie.

Pendant qu'on le complimente, les yeux de l'orfèvre reviennent sans cesse sur le visage contracté du jeune bûcheron. Il y retrouve le masque de terreur qu'eut Norbert de Barvaux quand il le passa au fil de son épée trois ans plus tôt. L'image reste obsédante et le secret devient lourd à porter. Trois années d'isolement, de réclusion volontaire autour de sa châsse n'ont pas réussi à prescrire son forfait ; ni pour Dieu, ni pour les hommes, ni pour lui-même. Il aspire à partir au plus vite le plus loin possible.

Le sang de la vengeance vous entache jusqu'à la fibre des os et il vous suit comme une ombre jusqu'à l'heure où les comptes sont à rendre au Souverain Juge.

– Il faut ramener la petite chez elle, chuchote à Nivard maître François avec la voix contractée d'un homme qui redoute le malheur pour en avoir eu sa part.

La petite, c'est Coline ! Nivard suit le regard du vieil homme et aperçoit l'enfant prostrée devant le corps démantelé du bûcheron.

– J'ai bien peur que ce ne soit son frère, ajoute-t-il.

L'enfant fixe le blessé, stupéfiée, anéantie, absente. Lorsqu'elle aperçoit l'orfèvre, elle se jette dans ses bras toute en peur, en fièvre et en grelottement. Elle pleure dans son bliaud trempé et froid. Englué dans cette effusion désespérée d'enfant, encombré comme un porteur de fagots ramenant chez lui ses outils en plus de son bois, apataudi par cette maladresse timide propre aux jeunes hommes, Nivard préfère se taire et rester immobile pour ne pas se perdre en bredouillements. À deux pas, on couche le garçon sur un brancard. Les témoins du drame ainsi que les curieux se mettent en branle, la petite fille entraîne l'orfèvre avec elle. Elle a blotti sa menotte dans la grande main calleuse de l'artisan. Elle est secouée d'un sanglot qui n'en finit pas.

De ruelle en ruelle, on traverse la ville. Un peu partout, des gens apparaissent aux seuils et aux fenêtres des maisons. Nombreux sont ceux qui se signent. Dans le chef de Nivard, l'impression est étrange, faite de compassion et de bien-être mélangés. Quand il découvre la maison de Coline, il n'est pas comme les autres capté par la lourde table qu'on débarrasse pour y étendre le grand frère, il ne perçoit qu'imperceptiblement les pleurs rétrospectifs de la mère de la fillette, les injonctions du père, l'empressement des familiers de la maison. Adossé au montant tiède de la cheminée, le jeune homme vagabonde en pensée : il a quelques années de plus et se surprend épiant par les meurtrières de la maison de Coline la jeune fille qui aurait grandi.

En mal de sensations fortes, une mégère rousse, hutoise par sa dernière conquête, a crevé l'attroupement à coups de coude, de proue ravageuse et de croupe incendiaire.

Indifférente elle aussi au blessé, elle scrute les traits de Nivard à la recherche d'une lointaine rémanence enfourbichonnée dans sa mémoire. Cet homme, elle le connaît...

Chapitre 3

Nivard s'est fait accompagner par Ambroise, une grande perche de palefrenier, pour choisir avec lui une monture au marché aux bestiaux de Huy. Les deux hommes font leur tour, examinent les mors, apprécient les aplombs. L'un promène son œil exercé de valet d'écurie, l'autre son œil d'esthète. L'examen est sévère. Tel hongre est trop bas du devant, telle jument baie a l'encolure mal sortie.

— Que penses-tu de cet alezan ? glisse Nivard à son compagnon.

— À première vue, il pourrait convenir. Je t'en dirai plus quand je l'aurai vu trotter.

Un garçon saisit la longe de la bête, un étalon rouge et or avec liste buvant dans son vin. Il court à ses côtés d'un bout à l'autre de la place.

— « Balzanes trois, cheval de roi », souligne Ambroise en montrant les paturons blancs de l'animal. Il a de la race, des attaches souples, la croupe bien mise, des appuis francs. Pour moi, il ne lui manque rien.

Là-dessus Nivard s'approche du maquignon :

– Quel est ton prix ?

– Cent écus et c'est un cadeau, répond l'homme.

Ambroise sursaute :

– Laisse tomber, Nivard !

Et tirant l'orfèvre par la manche, il l'entraîne en disant :

– Si le gaillard vend ce champion à un prix aussi bas, c'est qu'il veut se débarrasser d'une rosse.

L'orfèvre ne dit rien. Il semble hésiter. L'animal le fascine.

– La bête est vicieuse, ne la prends pas. Un cheval comme celui-là vaut trois fois le prix qu'il te demande ou alors il ne vaut pas un clou.

– Quatre-vingts écus ni plus ni moins, insiste le maquignon, quatre-vingts écus et il est à vous.

– Je prends cet étalon, tranche Nivard, et il tope avec l'éleveur.

– À tes risques et périls ! envoie le palefrenier. Je sais de quoi je parle. Je t'aurai prévenu.

Son cheval remisé, Nivard regagne la rue Saint-Martin avec un poids sur le cœur. La réaction d'Ambroise le contrarie. Arrivé à hauteur de l'atelier, il s'étonne de voir la porte entrouverte. Quand il pénètre dans le local, quelle n'est pas sa surprise d'y découvrir une délégation de chanoines et de prélats qui s'agglutinent autour de la châsse de saint Materne, dont ils sont les très munificents donateurs. Ajoutée aux propos alarmistes du palefrenier, cette visite inattendue lui fait l'effet d'une agression. Pareils à une armée de pieds boueux dans un semis neuf, ces ecclésiastiques empruntés et pédants s'impatronisent dans son domaine. Ils se rengorgent devant l'objet brillant comme s'il était leur propre miroir.

— Ces gens me dégoûtent, dit-il à maître François. Ils avilissent tout sur leur passage.

— Que tu es dur, Nivard. Ils veulent voir. C'est tout !

— Je me retire, c'est trop pour moi !

Il bouillonne. De quel droit ces intrus ingurgitent-ils l'œuvre, l'espace, l'artisan, pour s'instituer eux-mêmes possesseurs, apanagistes, légataires de la châsse ? Doit-on accepter qu'ils se félicitent, se congratulent, s'entre-flattent pour une entreprise dont ils ne sont que des pions ? Non contents d'être déjà promus au grade très élevé d'instigateurs éclairés, ces personnages fadasses semblent rêver d'être nantis pour la postérité du titre culminant d'éblouissants génies.

Fuyant ces réjouissances étrangères à sa sensibilité, Nivard a laissé les importuns à maître François. Il préfère la rivière et le fleuve à leurs politesses factices. Les cours d'eau sont des invitations au voyage, ce sont les routes nomades de l'imaginaire, les radeaux désamarrés de nos espérances. Aujourd'hui, l'envie de partir est plus forte que jamais, comme si l'étroitesse de ce pays étouffé d'arbres, le resserrement des murs et des enceintes de pierre, le rétrécissement de tout son être autour de la châsse durant ces trois dernières années, mettaient en péril les élans de sa jeunesse et intensifiaient les abîmes de son âme.

Quand Nivard regagne l'atelier désinfecté de ses visiteurs, il demande à maître François la réplique d'albâtre, s'installe à sa table et la perce d'un fin trou pour y passer un lacet de cuir et la suspendre à son cou. Il remet ensuite ses outils en place avec l'application d'un apothicaire comptant ses gouttes, puis il boucle son bagage. Sur l'établi défriché et nu comme une terre hersée, Nivard pose son sac, sa selle et son harnais, son ceinturon alourdi d'une pesante épée, son javelot, sa pèlerine de grosse laine grège et grasse, au tissage si serré qu'il n'est pas une pluie capable d'en voir les deux côtés.

— Cette fois, tout est en ordre. Je pars demain à l'aube. J'ai ce qu'il me faut.

— Laisse-moi ajouter ceci, dit le vieil orfèvre.

Et, avec l'embarras d'un homme à qui répugne la question d'argent, il joint à l'attirail de Nivard une bourse de peau, un peu comme on se défait d'une carcasse de rat mort. Le geste est maladroit, le verbe l'est autant. Nivard résiste :

— Je ne veux pas te priver, je n'ai besoin de rien !

Maître François tient bon. Il a l'expérience, met en garde, fait œuvre de prévoyance, accumule les recommandations, se perd en marmottements. Manifestement, l'inquiétude le gagne malgré les efforts qu'il fait pour afficher sa bonne mine.

Ce jour-là, le sourire un peu fané de l'artisan et ses yeux givrés de blanc laissent filtrer cette fragilité désarmée et attendrissante qui nous fait dire d'une vieille personne que c'est un « petit vieux ».

51

Le lendemain, les deux hommes se quittent à la porte de la Cloche aux premières lueurs du jour. Maître François est tendu. Il semble dire : « Pars vite avant que je te rappelle. »

Les mots d'adieu s'étouffent dans une chaleureuse accolade.

Lorsque le cavalier s'enfonce dans les brumes mosanes, le vieil orfèvre grimpe aussi vite qu'il le peut sur la muraille en soufflant, se signant, bredouillant des plaintes et des prières, confiant à chacune des marches une empreinte de son angoisse. Quand il arrive sur le chemin de ronde, la terre et le ciel ne sont plus qu'un vaste nuage dans lequel disparaît une vague masse noire. En direction de cette tache lointaine, le vieil homme trace, d'une main tremblante, un semblant de croix, une croix timide volée à Thibaut de Chassepierre, ce croisé défunt dont la bénédiction était paternelle. Un mauvais pressentiment le taraude.

Nivard chevauche dans un brouillard aussi léger que des cheveux de nymphe. Charpie de brume démantelée par son sillage. L'homme voyage dans son rêve diffus et irréel. Il est empli de force et de jeunesse. Sur les berges de la Meuse, il aime la puissance du courant, les eaux noyant par endroits le chemin de halage. Happé par les sources innombrables qui déferlent et s'entremêlent, il remonte le fleuve. La vallée devient lumineuse lorsque le brouillard déserte peu à peu ses flancs boisés et ses roches sail-

lantes. S'il arrive à l'artisan de croiser quelques mati-
neux en route vers leur ouvrage, rien ne lui semble
plus vivant que ces pierres en surplomb aux formes
presque humaines. Évitant villes et bourgades au
profit de sentiers détournés et bourgeonnants, le cavalier chevauche quasi sans but tant il y prend plaisir.

À la tombée du jour, Nivard a recours à l'hospitalité des carriers, attachante communauté d'hommes
aux mains rudes et rêches comme des mailloches de
bois. Ce sont des journées entières que la plupart
d'entre eux restent blottis dans les failles de la carrière à équarrir caillou après caillou dans un duvet
d'éclats de pierre et dans un picotage d'outils poin-
tus. Le soir, lorsqu'ils se désempierrent et qu'ils se retrouvent, tout de gris, près des feux et des femmes,
des marmites chaudes et des enfants, ils conservent
dans leur maintien l'immobilité des statues et dans
leur voix les accents de rocaille dont sont dotés ceux
qui travaillent dehors par tous les temps. Ils partagent leur pitance avec l'étranger. Les hommes
questionnent le voyageur, louangent son cheval, dé-
plorent l'hiver pourri qui embourbe les chariots. Les
mains et les visages sont beaux à la lueur du feu. Une
femme ressert Nivard en disant :

– Mangez à votre faim, vous avez une longue
route à faire.

Les dos endoloris s'étirent, il est tard. Un à un, les
hommes gagnent leur couche, laissant aux braises du
foyer le soin de grignoter le silence.

Le lendemain matin, il fait soleil. Les pierres sont cendre claire dans le petit jour. Le cheval de Nivard jette l'éclat de sa robe sur les parois bleutées de la carrière. Les carriers ont repris le travail quand Nivard quitte le site. Quelques lieues, voilà la monture qui se rebiffe. Vissée sur ses quatre sabots, immobile, elle tient tête à son cavalier.

— Avance, gronde le voyageur.

Coups de talon dans les flancs de la bête, une gifle du plat de la main sur la croupe, rien n'y fait. Il met pied à terre, l'animal repart. Il remonte en selle, l'animal se fige de plus belle.

— Tu vas bouger, foutue bourrique !

De la gifle il passe au poing fermé et jure un bon coup sans résultat. À l'obstination du cheval s'oppose la fureur croissante du maître qui, en l'absence de trique, jette son dévolu sur une branche de noisetier.

— À nous deux, sale rosse.

Il frappe. La bête fait trois foulées, pas une de plus. Les coups pleuvent aussi dru que les injures quand soudain, d'un revers de tête, l'animal attrape Nivard par la manche avec ses dents et, d'un mouvement circulaire, l'arrache de sa selle. La chute est lourde. Le cheval le reprend par l'étoffe de sa pèlerine, tente de le jeter en l'air, le passe au crible de ses fers, l'agrippe de nouveau à pleines mâchoires et le tire en bas du chemin comme un sac. Lorsqu'il lâche prise, Nivard se ressaisit : en un éclair, il empoigne son couteau.

— Cette fois, tu vas payer ! s'exclame-t-il.

Défiant les sabots qui s'acharnent sur lui, il tranche d'un coup sec un jarret arrière du cheval puis le second. L'animal bascule dans un hennissement. Il se redresse en vaincu majestueux, puis retombe frappé à mort sous la ganache, comme un vulgaire gibier. Le coup de grâce. L'homme est pantelant, dépité et chagrin. Il marche pesamment jusqu'à la rivière toute proche. Sur son visage, de la sueur maculée de poussière et de sang, peut-être des larmes. Mauvaise journée pour Nivard, bonne journée pour ces miséreux de passage ravis d'améliorer leur ordinaire avec un peu de viande fraîche.

Lesté de son harnachement, ses armes et son bagage, le cavalier repart à pied en guerre contre lui-même.

Au bout de huit jours, il est à Bruges d'où il se rend au château de Malen. La bâtisse est massive, inquiétante, flanquée dans la plaine flamande comme un poing d'acier. Emprisonnée dans un entrelacs de canaux, elle a la sévérité d'un grand oiseau noir.

Le pont-levis est baissé. Nivard pénètre dans l'enceinte. Il est crotté comme un soldat qui reviendrait de campagne ou, plus justement, comme un voyageur rançonné par les brigands. La cour est vaste et tranche avec l'austérité extérieure de la bâtisse. On y découvre des arbustes à fleurs et quelques coquetteries d'architecture assez inattendues. Parmi les hommes en faction, il en est un qui se détache du lot pour venir à sa rencontre. Rien d'hospitalier dans ce visage de molosse, plus enclin à aboyer qu'à prodiguer un mot de bienvenue.

– Qui que t'es ? Quoi tu veux ?

– Je m'appelle Nivard de Chassepierre. J'arrive de Huy. Je viens voir ton maître.

L'œil est suspicieux et inquisiteur. La moue peu engageante.

– M'étonnerait qu'il te reçoive, grommelle le cerbère en le parcourant de haut en bas. Il a d'autres chats à fouetter pour le moment.

– Contente-toi de faire la commission, gros lard, je ne te demande rien de plus.

Là-dessus, Nivard emporte son bagage près de la fontaine. Il passe de l'eau fraîche sur son visage, estompe la boue séchée qui entache ses vêtements de voyage, gratte du sang caillé avec la lame de son couteau puis s'assied contre un muret. Un soleil timide lui réchauffe la peau. La cour du château est animée. On se croirait sur la grand-place de Huy un jour de marché. De temps en temps, le cerbère fait une martiale traversée de l'enceinte en feignant de ne pas le voir.

En fin d'après-midi, un grognement lointain arrache Nivard à sa quiétude : c'est le signal ! Le voyageur se redresse, réajuste son bliaud avant de s'inscrire derrière le dos massif de l'homme. On passe des couloirs, on gravit des marches jusqu'à ce que soudain la carrure disparaisse, laissant place à une grande pièce aux murs recouverts d'étoffes. Par terre, des tapis somptueusement travaillés se mêlent à une débauche de peaux de bêtes. Deux grands feux disposés en vis-à-vis rivalisent d'arabesques et de clarté. Entre les deux foyers, trois petits vitraux de teinte claire à dominante dorée agrémentent cet endroit d'une douce lumière, à croire qu'il fait plein soleil d'août. Quelques grands livres alourdissent des meubles en bois brut.

Rosal de Sainte-Croix, accoudé sur un large et robuste lutrin, dessine un détail d'architecture. Il prend le temps de tirer son trait, de poser sa plume de corbeau sur l'encrier, de souffler sur la ligne fraîche, d'essuyer ses mains maculées d'encre à l'aide d'un chiffon de lin, il va même jusqu'à y joindre un peu de salive pour diluer une tache plus tenace collée à son index avant de s'occuper de ce visiteur qui le regarde faire à travers le cadre de la porte. Le chevalier se retourne enfin.

— Pas besoin de me dire qui tu es ! s'exclame-t-il. C'est écrit sur ta bonne tête.

Il s'avance vers Nivard en disant :

— Mêmes épaules carrées, même dégaine, même masque. Ton père et moi on était... les deux yeux d'un même regard.

Un voile d'émotion passe dans cette voix rugueuse et grasseyante.

— Je suis content de ta visite, mon garçon. J'ai bien des choses à me faire pardonner.

— Je ne vois pas ce que vous voulez dire.

— Je n'ai pas été un ami très présent après la mort de ton père, j'aurais pu vous éviter bien des difficultés.

— C'est que la vie en avait décidé ainsi, messire.

– J'ai appris pour ta mère, dit-il en se signant. Comme on m'a rapporté que tu es orfèvre, et talentueux de surcroît ! Je m'étais juré de passer te voir. Avec mes chantiers en cours aux quatre coins du pays, je n'ai pas trouvé le temps.

Rosal a le visage rude des hommes qui ont une histoire. Il est trapu et vigoureux, une gueule façonnée à coups de poing, des yeux qui ne se dérobent pas. Le manque de finesse de ses traits n'altère pas la grâce de son visage. Il a le poil châtain-roux et sa barbe accuse un peu d'argent à hauteur des tempes. D'emblée, les deux hommes se plaisent. Un banc de chêne hiératique surplombé de deux figurines un peu frustes recueille leurs confidences : Chassepierre, l'évocation du père mêlée à celle du croisé, Blanche d'avant la déchirure, Blanche d'après. On parle à cœur ouvert, même s'il est des ombres dans lesquelles le souvenir ne s'aventure pas. Les blessures restent vives. Vient ensuite le moment où Nivard dégage la réplique d'albâtre qui pend sur sa poitrine. Elle est tiède dans la paume de Rosal de Sainte-Croix. Un silence méditatif s'ensuit. Le chevalier tourne et retourne la pierre dans ses mains.

– Tu es un homme bien singulier ! N'importe qui serait parti du diamant pour réaliser sa châsse et non l'inverse.

Derrière son front, aussi accidenté que sa vie, la mémoire est tortueuse. Un léger sourire gagne son visage.

Surgit presque par enchantement un petit homme tout rond, à la peau très sombre. Il a toqué du bout des phalanges sur la porte entrebâillée et, comme personne ne répondait, il s'est glissé dans la pièce sans bruit. Un brin de toux pour extraire le châtelain de ses pensées, puis un chapelet timoré d'excuses et de courbettes donnent à penser qu'il tient plus du lièvre que du lion. Rosal de Sainte-Croix présente Mamouk à Nivard. À l'attitude du chevalier, on devine la profonde estime qu'il porte à ce petit bonhomme ramassé et sans âge que d'aucuns prendraient pour le plus insignifiant des domestiques.

— Mamouk est un joyau rare de ce domaine. Il compte pour moi comme un frère. C'est lui qui te fera les honneurs de la maison, qui te conduira au bain, veillera à ce que tu ne manques de rien.

Là-dessus, le chevalier se réattelle à son ouvrage, non sans avoir invité Nivard à séjourner quelques jours à Malen en sa compagnie. Il a gardé la réplique d'albâtre.

Le voyageur suit Mamouk. Par la porte entrouverte d'une pièce voisine, il adresse un salut de politesse à une dame assise près de la cheminée, en compagnie de ses servantes. Absorbée à relever de fils d'or la broderie d'une étole, elle le gratifie d'un sourire. C'est une créature d'apparence chétive, le visage long, le cheveu de jais. Sa peau est aussi blanche que le cuir de Rosal de Sainte-Croix est tanné.

— C'est notre châtelaine, chuchote Mamouk.

Dans cet univers qu'il découvre, Nivard se sent quelque peu désorienté : cette femme délicate et son homme massif, l'élégance de certains objets face à la grossièreté d'autres, la lumière blonde, sensible des vitraux et l'éclat sauvage des feux de bois, enfin, cet étranger insolite qui s'agite autour de lui et qui parle en détachant ses syllabes comme si la langue allait lui tomber de la bouche ; on ne peut rien imaginer de plus disparate, de plus mal assorti. Il y a dans tout cela lutte ou alliance entre deux mondes. Nivard se souvient de l'attrait qu'exerçait l'Orient sur son père. Qui sait si le plus secret de ses vœux n'avait pas été de mourir là-bas !

Mamouk se dévoile un peu tandis qu'il installe Nivard dans sa chambre. Le personnage est affable, empressé, instruit. Il est originaire de Perse, il y était médecin et astronome. Les deux hommes se quittent à hauteur de la salle d'eau.

L'endroit est fantastique. Lorsque Nivard y pénètre, il est saisi par son enchantement. D'abord, la lueur des foyers, ensuite, une épaisse buée d'où émergent de grands bacs en bois sortant du flou comme des barques à l'amarre d'un ponton. L'orfèvre est fasciné, il n'a jamais rien vu de semblable. Dans cette féerie, il choisit son esquif, se déshabille, puis glisse dans l'eau délicieusement tempérée. Étrange sensation sur son corps meurtri, martelé de sabots. Les foyers attisent son visage et s'amusent de ses traits. L'homme salue l'astuce du concepteur de cet endroit.

Au-dessus de la pièce trônent les réserves de pluie avec leur trop-plein. De là, des déversoirs permettent d'acheminer l'eau directement dans les cuves ou dans de grandes marmites disposées sur les brasiers. Ces marmites libèrent l'eau chaude dans les bassins par le truchement de goulottes en bois.

Un peu plus loin, dans la pièce en contrebas, il y a un lavoir. C'est un rectangle en maçonnerie, beaucoup plus large et moins profond que les bacs. Dans la chaleur moite de la salle d'eau, des femmes se sont mises à l'aise pour nettoyer le linge. Les bras luisent. On voit des nuques claires perlant de sueur sous les cheveux noués. Parmi celles-ci, il en est une, cuivrée, presque noire, aux attaches fines et à l'élégance nègre. Elle ondoie comme le courant d'un ruisseau de montagne. Où il se trouve, Nivard ne peut être vu des lavandières dont les voix aiguës s'accordent mal avec les tissus fouettant la pierre et les braises crépitantes des foyers. Il somnole dans son bien-être tiède.

Quelqu'un gravit les marches de bois qui mènent aux bassins. On apporte le bliaud frais que Mamouk a fait apprêter à l'intention du voyageur. Le frottement d'un pied nu sur le plancher mouillé sort Nivard de sa torpeur. Devant lui, la femme noire pose un vêtement, replie l'autre avec grâce pour l'emporter. Elle le regardait du coin de l'œil avant qu'il n'ouvre ses paupières closes. Ses gestes sont lents, dansants, harmonieux. Nivard l'effleure du regard à son tour. La gorge de la femme se soulève de confusion. Elle est jeune, flexible, sauvage. Sur le fond rougeoyant des brasiers, elle éclate comme une fleur

61

noire entre les mains d'un magicien alchimiste. Nivard sent battre ses tempes plus fort que le linge frappé, plus fort que le rire des lavandières. La négresse s'est relevée, superbe. Tout en elle est ensorcellement.

L'homme cueille à la hâte une cascade de dents blanches et des yeux magnifiques. Puis le mirage reprend discrètement sa place au lavoir, près des autres travailleuses, tandis que Nivard revêt son bliaud et quitte à la hâte ce lieu exquisement dangereux.

Chapitre 4

Le soir venu, dans la grande salle à manger où il est convié au souper, Nivard de Chassepierre est invité à s'asseoir à côté d'Adeline de Sainte-Croix. La châtelaine est plus menue qu'il ne l'avait imaginé. Sa voix, ses traits, son cou veiné de bleu trahissent une santé précaire. Mais l'expression de son visage est radieuse et la hardiesse de son regard échappe à toute fragilité.

Près de Nivard siège un moine à la figure mafflue et à la panse rebondie. Il porte la coule sombre des bénédictins et brille de sa bonne mine autant que des feux de sa croix pectorale. Il exhibe trois grosses bagues prisonnières dans les bourrelets de ses doigts potelés. La place de Rosal reste inoccupée, le chevalier est absent. Les autres convives attablés pour le repas sont apparemment attachés à la maison. Cela se devine à la façon dont ils dévisagent du coin de l'œil les étrangers de passage avant de reprendre dans le tumulte le fil de leur conversation complice. Parmi eux, Nivard reconnaît le cerbère du porche d'entrée et, en bout de table, Mamouk, qui lui a fait un signe

courtois de la tête en entrant. Quant à l'ecclésias-
tique, il se révèle bien vite glouton et bavard et submerge littéralement l'assemblée de ses débordements. Planté comme une digue entre océan et
rivage, Nivard encaisse le ressac d'une discussion
animée entre le gros moine et la frêle châtelaine.
Dans ce déferlement verbal, il fait office de tampon.
La conversation tourne autour d'un certain Bernard
de Fontaines, cistercien de son état. L'évocation de
ce religieux met le bénédictin hors de lui, ce qui est
fâcheux pour le voisinage et particulièrement pour
l'orfèvre qui est dans son champ. « L'Église a besoin
de magnificence pour se faire respecter. » Ou encore : « Les cisterciens portent atteinte à la gloire du
Très-Haut. »

Nivard respire chaque fois que le bonhomme en-
gloutit mets et boissons avec force malaxements et
rotements ou qu'il s'essuie la bouche du revers de la
manche. Hélas, les trêves sont de courte durée.
Après rapide ingurgitation, voilà la marée qui revient
à grosses lames avec pour vagues de fond « le fanatisme de l'individu » et « l'ascèse outrancière à laquelle il contraint ses malheureux frères cisterciens
qui viennent d'ériger à Clairvaux en Champagne un
monastère d'un dépouillement frisant la misère ».

– Et ce n'est pas tout ! tonitrue l'homme d'Église
comme s'il se trouvait en chaire de vérité. Vous pourriez penser que cet illuminé a choisi pour s'établir un
endroit sain, bien exposé, agréable ? Eh bien, non ! Il
a préféré s'implanter dans un marécage putride pour
que ses moines chroniquement malades aient

constamment la mort devant les yeux. Ce sont là dis-
positions de forcené. Oui, madame, je pèse mes
mots : de forcené ! conclut-il en passant son indigna-
tion sur un malheureux pilon de poulet qu'il bâfre en
deux tours de dents.

Adeline de Sainte-Croix, qui jusqu'à présent s'est
exprimée le moins possible, dans le souci charitable
de ne pas faire juter davantage l'abondant personnage et l'exposer, sait-on jamais, à un éventuel coup
de sang, ne résiste néamoins pas à l'envie de pimenter
le propos en y mettant de sa sauce. Elle connaît la
question. Rosal, son mari, est un ami intime d'André
de Montbard, l'oncle de Bernard de Fontaines par sa
mère. Les femmes aiment établir des filiations. André de Montbard ne considère pas son neveu comme
un dément mais comme un être d'exception. Là-
dessus, le gros moine n'est évidemment pas d'accord.

— Un tribun d'exception, vous voulez dire, un fo-
menteur de troubles, un déstabilisateur de l'ordre !

Dans la montée, un gobelet se couche sur la table
et, comme si les postillons mêlés aux vociférations du
bonhomme ne suffisaient pas, déverse son contenu
sur le bliaud de Nivard. En d'autres circonstances,
l'artisan eût été moins patient.

— Et vous, jeune homme, que pensez-vous de tout
cela ? sonde le gros abbé soudain soucieux de trouver
parmi l'assistance l'approbation qui lui fait défaut.

Le garçon est peu enclin aux conversations oi-
seuses. Dans le silence qui s'installe, sa voix sourde
entame une course lente comme une charrue ouvre
un sillon.

– Pauvreté n'est pas vice ! formule-t-il. Dans les Saintes Écritures, le Seigneur n'avait pas de bagues aux doigts ni de gras collé au ventre.

La réaction est immédiate : l'assemblée éclate de rire, tandis que l'abbé se lève d'un bond, reste un instant en suspension entre l'embolie et l'éclatement des temporales avant de riposter :

– Si vous étiez moine en mon moutier, je vous ferais passer devant le chapitre.

Le gros homme clame cela comme il aurait dit : « ... Je vous ferais passer par les armes. » Adeline de Sainte-Croix est du côté des rieurs.

L'abbé, fustigé au vif de son amour-propre, quitte la table en fulminant. En fauteur de troubles, Nivard se dispose à se retirer à son tour, mais un léger mouvement de main l'invite à se rasseoir. Après un rien d'hésitation, il cède à l'autorité douce d'Adeline de Sainte-Croix. C'est une femme de caractère qui ne s'embarrasse pas pour si peu. Pour elle, l'incident est bénin.

Dehors, le moine rassemble son monde, franchit le pont-levis en proférant force menaces à l'adresse de l'insolent, tandis qu'en la salle à manger le repas s'achève dans la bonne humeur. L'assemblée est déridée. Seul Nivard éprouve une certaine gêne, mais elle n'a rien à voir avec l'événement. L'orfèvre sent peser sur lui l'insistance d'un regard, celui très blanc d'une femme à peau noire qui, dans un coin d'ombre de la pièce voisine, le dévisage avec feu.

Rentré à la nuit noire, Rosal de Sainte-Croix s'amuse de la scène rapportée par son épouse dans ses détails les plus émoustillants.

— Il a quelque chose, ce garçon. Il me plaît ! s'exclame-t-il. Il a, comme Thibaut, une belle franchise.

— Et l'abbé ? interroge Adeline.

— Qu'il aille au diable, l'abbé ! Vous ne voyez pas qu'il tournoie autour de nous comme un rapace. Il vise nos biens. Il a eu vent de nos projets, vous pouvez en être sûre.

Rosal fait quelques pas en direction de la cheminée et tisonne le feu. La chaleur est bienfaisante au cavalier engourdi par la froideur de la nuit. Il revient à Nivard :

— Ce garçon, lui aussi, a éventé notre départ.

— Vous croyez ?

— Je le soupçonne de vouloir nous accompagner.

— Vous le prendriez avec vous ?

— Pourquoi pas ? Cela dépendra des autres. Quand arrivent-ils ? Avez-vous eu des nouvelles ?

— Robert est passé dans la soirée pour annoncer la venue d'Archambaud de Saint-Amand ce jeudi. Payen de Montdidier et Godefroid de Saint-Omer arriveront l'autre semaine avec le chariot. Geoffroy Bisol vous rejoindra en Champagne en temps voulu. Pour Blaise de Roux-Miroir, les nouvelles sont mauvaises. Il ne sera pas de l'expédition. Il est mourant.

Rosal de Sainte-Croix s'en va remettre du bois sur le feu, il accuse le coup. Accroupi, guettant les flammes qui se raniment sous les bûches, il murmure comme en lui-même :

– Il nous faut ce garçon !

Adeline a entendu.

– Prenez garde ! dit-elle. Son but n'est probablement pas le même que le vôtre. Et si je puis vous faire part d'une intuition...

Elle hésite un moment.

– Faites ! insiste Rosal.

Et la châtelaine d'enchaîner :

– Il fait partie de cette trempe d'homme qu'on ne dévie pas.

– Et vous ? questionne-t-il.

– Si l'expédition se monte, je me retire définitivement au couvent de Gistelles.

Le chevalier poursuit sur le même ton neutre :

– Vous non plus, Adeline, on ne vous dévie pas.

Est-ce dépit ou piété, l'épouse du seigneur de Malen a interprété comme un signe divin la mort en couches de ses enfants. La trentaine consommée, elle envisage de se retirer à l'écart du monde dans le dénuement, la prière et la contemplation. Ce choix est le fruit d'un lent mûrissement du couple, d'une décision longuement pesée par les deux parties. Rosal est lui aussi attiré par un idéal religieux, mais d'un autre ordre. Il le veut taillé à la mesure de son tempérament. Le chevalier est un homme de terrain, un débroussailleur d'idées, un aventurier. Il lui faut des montagnes à franchir, des pierres à mettre en équilibre les unes au-dessus des autres. Jamais il ne tiendrait en place dans les limites d'une clôture de monastère. C'est pourquoi il tente avec d'autres compagnons de s'inventer un espace suffisamment vaste pour que sa soif de connaître et d'innover puisse se confondre avec ses aspirations spirituelles et sa quête de l'absolu.

Dans le silence de la nuit, l'architecte reste seul à méditer sur ses rêves de pierres, de voûtes éclatées sur le ciel, de clochers vertigineux fichés dans les nuages.

Dans une autre aile du château de Malen, un orfèvre s'endort ce soir-là sur une prière d'orfèvre, un songe de caillou habité de lumière.

— Le maître m'envoie près de vous.

La voix effacée, mal assurée, déférente, est celle de Mamouk. Mamouk fait partie de la famille des discrets maladifs qui s'excusent cent fois d'être là, de respirer, de renifler, d'encombrer l'espace, qui reculent de deux pas pour un pas qu'ils font, qui, lorsqu'on les interpelle, tentent désespérément de se transmuter en une substance volatile. Il lui a fallu rassembler ce matin-là une pleine brassée de courage pour oser frapper à la porte de Nivard.

— Le maître m'a dit...

Ce que le maître lui a dit, faut-il qu'il le dise à son tour ? Le petit homme est ennuyé. Rosal de Sainte-Croix est parti précipitamment pour Huy et l'a chargé de veiller à occuper l'orfèvre le temps qu'il revienne. Dans une improvisation frénétique, Mamouk s'encombre de livres et de rouleaux jusqu'au menton et s'en va trouver Nivard. Ce dernier lui fait bon accueil. Avec prévenance, le jeune homme l'aide à disposer les écrits sur la table. Tous sont relatifs aux pierres et minéraux. Il est un très bel ouvrage latin soigneusement illustré de petits croquis qui, sous le titre *De lapidibus paramentis*, traite de bijoux. Il y a aussi un traité de Théophraste sur les pierres et l'emploi du charbon de terre, un livre d'Avicenne, traduit par les bénédictins de l'école de Salerne, quelques rouleaux provenant d'Orient. Mamouk s'éclipse à reculons pour revenir peu après avec tablettes et styles. Lorsque, sur la pointe des pieds, Mamouk franchit le pas de la porte, l'orfèvre est déjà plongé dans la lecture. Il lui demandera encres, pinceaux, plumes et une double feuille de parchemin. Dans la tiédeur de sa pèlerine, il dessine et prend des notes serrées. Il est soucieux et cela se lit sur son visage. Il se sent comme un assoiffé qui voudrait boire la fontaine. Il mesure amèrement son ignorance dans un domaine où il se croyait nanti d'un certain savoir.

Sa curiosité l'amène à solliciter l'aide de Mamouk pour la traduction de rouleaux relatifs à l'orfèvrerie byzantine. Les deux hommes se retrouvent à la même table, l'un décrivant dans le détail la finesse du travail des Orientaux, passés maîtres dans la taille des pierres, la ciselure et les arts du feu, l'autre promenant sa plume dans les espaces restés vierges d'une page bourrée d'annotations.

D'heure en heure Mamouk se dégauchit, se débarrasse de ses manières d'homme timide, se dévoile. Lors d'une promenade équestre à travers la plaine flamande, il évoque même sa vie passée, en marge d'une communauté de verriers sur le fleuve Rebelle, au nord de la Palestine. Il en a les larmes aux yeux. En revanche, lorsque Nivard l'interroge sur le remue-ménage qui agite le château, par exemple l'exode à pleines charretées du mobilier de la maison, le débarquement intempestif d'un chevalier et de son équipage ou encore l'absence prolongée de Rosal de Sainte-Croix, il esquive promptement la question, histoire de ne pas s'enferrer dans des explications mensongères qui ne franchiraient pas le cap de sa confusion.

Dès son retour à Malen, Rosal de Sainte-Croix s'engouffre dans une des tours carrées du château, où l'attend Archambaud de Saint-Amand. Arrivé durant l'absence de son compagnon, l'homme s'est mis à l'ouvrage. Il faut trier les documents avant la venue du chariot. L'architecte raconte son escapade. Il est aux anges.

— J'ai pu admirer à Huy la plus belle châsse jamais réalisée par un orfèvre des bords de Meuse. Elle est l'œuvre d'un prodige de vingt ans, Nivard de Chassepierre.

— Le fils de Thibaut ? On m'a dit qu'il était à Malen ?

Sourd à la question d'Archambaud, Rosal exulte :

— Je n'ai jamais vu autant de ferveur dans une

pièce d'orfèvrerie. De ferveur et de savoir-faire !
Ronde-bosse, sertissage, niellage, sont éblouissants.
Cet homme est sourcier de lumière, je dois le rallier à
notre cause.

— J'ai confiance en ton jugement mais n'oublie pas
qu'il y a les autres. Tu as déjà parlé de notre projet à
ce garçon ?

— Non ! Cela viendra en son heure. Pour l'instant,
je vais tout faire pour qu'il parte avec nous.

— Il ne t'a rien demandé ?

— Rien dans ce sens, dit Rosal avec un brin d'hésitation.

— Tu as des craintes ?

— Je préfère ne rien brusquer, il est rétif !

En temps opportun, Nivard est orienté par Mamouk jusqu'au repaire des deux hommes, une pièce
haut perchée au bout d'un escalier circulaire. Elle est
encombrée de gros livres et de parchemins à ne plus
savoir où mettre les pieds. On se croirait dans un labour. Plantés comme des épouvantails parmi les mot-
tes à tranches dorées de volumes sens dessus dessous,
Rosal et son compagnon parcourent une grande
feuille rebelle au déploiement, une carte. Sur la table
où ils travaillent et dans les niches s'ouvrant sur le
jour, il y a toute une panoplie d'instruments de mesure, compas, équerres, lattes graduées. L'accueil
des chevaliers est amical. Rosal de Sainte-Croix est
d'humeur enjouée. En moins de deux, il empile quelques livres, congédie avec tous les honneurs un petit

rongeur attaché au lieu, et dans le même mouvement invite Nivard et Archambaud à s'asseoir sur ces sièges improvisés dont il souligne avec verdeur qu'ils sont aussi propices à élever l'esprit qu'à soulager le fessier. Une fois installé, le châtelain clame non sans fierté à l'adresse de son compagnon :

– Voilà le gaillard dont je t'ai parlé !

Dans cette bonhomie, Nivard retrouve le familier, l'ami proche de la maison, une pierre chaude de son enfance. Cette chaleur-là, il ne l'avait pas autant ressentie lors de leur première entrevue dans la pénombre de la grande pièce. Aujourd'hui, elle lui fait redécouvrir par fragments des souvenirs remontant à un passé lointain et, dans le regard malicieux et tendre de Rosal de Sainte-Croix, une très ancienne complicité. Sur un lent balancement de tête, Archambaud de Saint-Amand dévisage le jeune homme, en quête d'une subtile concordance avec feu Thibaut de Chassepierre.

– Il a connu ton père en Galilée, glisse Rosal de Sainte-Croix à Nivard indisposé par un tel examen.

Archambaud de Saint-Amand est un grand homme sec avec de grandes mains, de grands pieds, le visage de corne allongé, légèrement prognathe, des cheveux noirs implantés très bas, des yeux noirs engloutis dans leurs orbites comme s'ils avaient été gobés par l'intérieur. Il a le geste monacal, le verbe pontifical. Il ne lui manque vraiment que l'habit.

– Comme tu peux en juger, ceci est en quelque sorte notre atelier, dit Rosal avec une fausse humi-

73

lité, ou plutôt notre chantier. Il y a ici des ouvrages venant de partout. Quelques-uns doivent nous accompagner dans notre voyage et notre rôle consiste à choisir les plus significatifs : d'où ce branle-bas indigne du glaneur de connaissances que je suis. En fait, je suis aujourd'hui comme un maçon qui déconstruit ses vieux murs pour rebâtir avec les plus belles pierres un nouvel édifice.

Le regard de l'orfèvre se rive sur un superbe manuscrit émergeant de l'ensemble et bouclé par une étonnante cadenasserie de serrurier prodige. Pour satisfaire la curiosité de Nivard, Rosal enchaîne :

– Ce livre est trop volumineux, il nous faut le transcrire.

Là-dessus, il entrebâille la porte de la pièce voisine, sorte de cagibi où un moine copiste noircit des pages à grand renfort d'encre, le dos cassé sur son lutrin de bois. On l'entend par intermittence baragouiner quelques phrases latines quand ce n'est pas quelques jurons à peine pieux provoqués par une plume d'oie pissant son encre lamentablement.

Reprenant sa place sur son trône de cuir et de parchemin, Rosal de Sainte-Croix plonge la main dans le gousset qui lui pèse à la taille comme une perdrix pantelante au lacet d'un chasseur. Il en sort la réplique d'albâtre.

– Parle-moi de ta pierre ! lance-t-il enfin.

Nivard ne répond pas de suite. Il se trouve un peu ridicule. Il doit admettre à cette heure, après longs mûrissements et lectures studieuses, qu'il n'est nulle part, qu'il a péché par ignorance, qu'il

croyait stupidement que les pierres précieuses pous-
saient sur des arbres à pierres précieuses et qu'il
suffisait d'un peu d'adresse pour en planer les facettes. Il sait maintenant que pour tailler et polir le
solitaire de ses rêves, il faut autant de temps que
pour amener un nouveau-né à l'âge adulte. Il a lu
que pour arriver à façonner un joyau semblable à
celui qu'il cherche pour sa châsse, certains artisans
s'astreignent pendant des années et des années à ro-
der face après face leur pierre sur un touret de métal. La matière abrasive ? De la poussière de diamant suspendue dans un peu d'huile. Et le plateau
tourne, tourne à en perdre le nord. Et il faut des semaines pour enlever un cheveu de matière. Parfois
l'artisan doute, il voudrait bien jeter son caillou au
fond d'un précipice. Il se demande pourquoi il a
placé sa jeunesse dans une gourmandise de lumière,
un caillot de soleil, une semence magique d'étoile,
un récipient fabuleux où l'essence du jour serait
captive. Et pourtant, il ne peut éteindre son rêve de
lumière parce qu'il n'en existe pas de plus élevé. La
lumière est la première œuvre du Créateur sur une
terre informe et vide. La lumière est une part de
Dieu comme le regard est une part de l'homme.
L'orfèvre est plus que jamais déterminé à partir, à
pousser jusqu'au bout une quête qui, au-delà d'une
fraction de clarté de la taille d'un œuf de grive,
l'appelle ailleurs, sur les traces de son père et à la
rencontre de lui-même.

Nivard reprend la réplique d'albâtre que lui tend
Rosal, la serre dans son poing comme un talisman

et, éludant la question du chevalier relative au diamant, se borne à demander aux deux hommes :

– J'ai appris par un proche de l'abbé de Neufmoustier votre départ pour l'Orient. Je souhaiterais me joindre au convoi jusqu'à Constantinople.

Chapitre 5

— Personne n'a vu l'orfèvre depuis ce matin ? questionne Rosal, la mine aussi renfrognée que si le plancher de son scriptorium s'était effondré sous le poids de ses livres.

Sur la bégayante réponse d'un palefrenier, il traverse d'un pas rapide la cour jusqu'aux écuries. Il y trouve Nivard et Mamouk bridant leurs chevaux.

— Il fait mauvais à Huy, dit-il à l'orfèvre en lui tendant une missive encore tout humide des soutes d'un courrier mieux entraîné à tenir sa bride qu'à tenir sa langue.

Nerveusement, Nivard tourne et retourne la lettre entre ses doigts avant d'en briser le cachet, de la déplier et de la parcourir. Elle vient de maître François :

Cher enfant, des hommes malintentionnés sont venus à l'atelier pour te faire du mal. Ils prétendent que c'est toi qui as tué le sire de Barvaux en combat singulier. C'est une chose que je ne peux pas imaginer. Je t'ai défendu bec et ongles. J'ai tenu tête à une méchante rousse qui jurait ses grands dieux t'avoir

77

vu perpétrer ce crime. Ils m'ont interrogé longtemps pour savoir où tu t'étais rendu. Je n'ai rien dit ! Prends garde à toi, mon petit, reste où tu es, le temps qu'ils trouvent le vrai coupable. Je pose sur toi mes mains d'orfèvre et je prie le ciel qu'on ne te fasse aucun mal. Franscescus Aurifaber.

Le coup atteint Nivard comme la mouche d'un fouet. Il est blême, terrifiant. Il s'attaque sans biaiser au regard de Rosal de Sainte-Croix arrêté sur lui. Pour l'orfèvre, pas l'envie de mentir, pas l'envie de se risquer à ce jeu périlleux de l'esquive.

– Oui, j'ai tué Barvaux ! dégorge-t-il. Je lui ai enfoncé le fer de mon épée jusqu'à la garde, je me suis délecté de sa mort, j'ai craché sur son visage sans vie.

Les mots se cognent, des mots de haine, de déchirement, des mots épais qui s'écoulent mal comme une blessure infectée de pus.

Rosal de Sainte-Croix reste planté devant lui comme un mur, indéchiffrable. Qu'importe à Nivard qu'on le juge, qu'on le plaigne ou encore qu'on le condamne, il a fait justice, sa justice, et pourtant Barvaux reste accroché à lui comme une mâchoire de molosse. Barvaux, même cadavre, violente le fils de Blanche de Chassepierre, ravive sa soif de vengeance comme si la mort ne suffisait pas. La respiration de Nivard déferle, puissante et forcenée : une respiration de terrassier en bataille contre une cyclopéenne fondation de pierre.

– Tu n'as aucun compte à me rendre, lance Rosal avec dureté. La justice que tu t'es choisie est divine. À toi d'en payer le prix !

Renvoyé à lui-même, l'artisan reste coi, prisonnier de son silence. Il regarde le chevalier se retirer sans pouvoir émettre un son. Le langage lui est rebelle et il le sait. Fuyant cette faille de lui-même, il noue les rênes des deux chevaux, le gris et le noir, et part sans harnachement étourdir l'horizon de son cri. Montant tantôt l'un, tantôt l'autre, passant du cheval gris au cheval noir, du cheval noir au cheval gris, excitant les deux bêtes du tonnerre de sa voix, il galope aveuglément en direction de la mer dont les eaux refluent, gagnant une à une les dunes étales à une allure vertigineuse.

Ayant rejoint Archambaud de Saint-Amand au sommet de la tour, Rosal suit par une barbacane la course folle, effrénée, éperdue de cet homme désemparé, qui avait un instant plus tôt dans le regard la même expression de douleur que Blanche de Chassepierre le jour où, avec Godefroid de Saint-Omer, il lui ramena les armes de Thibaut ainsi que sa monture.

Nivard contourne le bras de mer qui cherche à l'encercler, il essaie de faire surface dans ce passé qui le submerge. Il revoit Norbert de Barvaux au temps où ils sont à Huy sans ressources, sa mère, Guillaume et lui-même. C'est un personnage considéré, riche, bien en vue, il a femme et enfants. Dès son intrusion dans leur vie, Nivard le déteste. Il lui paraît trop attentionné à leur égard pour être honnête. Blanche de Chassepierre, au départ sans méfiance, prendra cet homme en horreur avant d'avoir peur de lui et d'être finalement à sa merci. Petit garçon, Nivard aura son enfance gangrenée par cette capitulation maternelle et les brocards des gamins de la ville. Il se revoit à bout de souffle suivant sa mère de loin pour ne pas se faire voir jusqu'à cette tour perdue du bois de Modave où elle se rend à cheval. C'est là que Norbert de Barvaux reçoit ses maîtresses dans la plus parfaite clandestinité. L'enfant fera ce manège des dizaines de fois. Il se sent désarmé et malheureux devant ce rapport d'adultes auquel il ne comprend rien. Sous les buissons, à proximité de la tour, souvent, il pleure.

Dans la grande plaine gagnée par la mer, les chevaux enfoncent dans le sable et leur foulée se fait lourde. Parfois l'eau montante éclabousse leurs poitrails. Les paysages se métamorphosent. Des oiseaux blancs s'envolent par milliers dans d'interminables froissements d'ailes. Une bruine se met à tomber. Le vent est violent et glacé comme la mort, comme ce jour de décembre où le cheval de Blanche de Chassepierre rentre seul, sans son écuyère. Une tempête faite de neige et de pluie gifle maisons et forêts. Nivard a couru depuis l'atelier de maître François jusque chez eux. Malgré sa cape, il est trempé. Quand il voit la monture de sa mère traînant la bride dans la rue en cherchant refuge sous les encorbellements des maisons, il s'affole. Il part au triple galop et refait le chemin inverse dans la nuit d'encre. Il ira jusqu'à la tour, s'égosillant dans l'orage, criant comme un possédé. Quand il retrouve Blanche de Chassepierre, elle grelotte d'un froid si profond qu'il n'est plus aucune chaleur capable de lui rendre vie. Elle meurt quelques jours plus tard.

Le cheval gris est tombé, Nivard enfourche le cheval noir, il ruisselle, il dégouline, les cheveux lui collent au visage. Les animaux ont le mufle blanchi d'écume. Cravachés par les hautes herbes, ils sont fourbus.

La mer étend son manteau, inflexible.

Blanche de Chassepierre est belle dans son linceul. Son visage est apaisé, presque souriant. Est-il un Dieu miséricordieux pour accueillir ceux qui, comme elle, sont morts dans l'abandon d'eux-mêmes ? La peine de la mère s'en est allée trouver refuge dans le plus tourmenté de ses fils, le plus impétueux, le plus excessif. Chaque fois qu'il remonte sur Liège, il fait le détour par la forêt de Modave dans le but de surprendre Barvaux. Un soir, en revenant de Stavelot et passant par le bois, il aperçoit près de la bâtisse la jument rouanne du chevalier attachée par la bride. Nivard sort son épée, il attend que la porte s'ouvre. Bientôt, Norbert de Barvaux apparaît sur le seuil accompagné d'un tendron, une rouquine délurée, presque une enfant, il plaisante. Quand la petite lui montre du doigt le gaillard blond à quelques pas de lui, il cesse de rire. La voix de l'adolescent ébranle la clairière comme la sentence d'un juge souverain :

– Norbert de Barvaux, je viens te tuer.

La gamine s'enfuit tandis que le colosse tire son épée. Il se jette sur Nivard avec un déchaînement aveugle. Il veut corriger le faquin. Les lames s'entre-croisent, les coups se parent, les tranchants s'émous-sent. Nivard résiste, esquive, épuise son adversaire. Le chevalier bat en retraite. Il affronte une hydre. Soudain la faille, une garde qui se découvre, des yeux qui se figent, atterrés. Estoqué des deux mains, Nor-bert de Barvaux reste en suspens dans le vide avant de tomber sur les genoux, il est mortellement touché.

Le cheval noir perd l'équilibre. Nivard tombe pe-samment sur le sol, il gît sans connaissance.

Quand il retrouve ses esprits, tout s'est adouci, le vent est tombé, les nuages se dispersent, le soleil se couche sur la plaine inondée. Un peu plus loin, les chevaux broutent tranquillement dans les brumes naissantes. La lumière est dorée. Elle se ravive dans de grandes nappes d'eau criblées d'étincelles et de re-flets rosissants. Au loin, très loin, une tache sombre est posée sur l'horizon comme un petit insecte. Ni-vard frictionne longuement les chevaux à pleines poi-gnées d'herbe sèche, le noir et le gris, le gris et le noir, puis, les prenant par les rênes, il poursuit la tache sombre.

Lorsque la nuit s'installe, la tache devient lumi-neuse, éclairée par le dedans. Longtemps, il marche entre les deux chevaux. Il verra les faibles lueurs du fort s'effacer une à une jusqu'à la dernière. Quand il se trouve à proximité du lugubre massif, la lune a pris le relais pour l'aider à retrouver le chemin du grand porche. Les veilleurs ne bronchent pas quand il pénètre dans l'enceinte, les chiens non plus n'aboient pas. Étrangement, la herse se baisse après son passage. Lorsqu'il ramène les bêtes à l'écurie, il ne croise pas âme qui veille, les valets qui dorment sur les claies ne l'entendent pas. Il se déplace comme un loup, se glisse dans la maison de maître par la porte des cuisines. Les feux y sont mourants. Précautionneusement, il passe dans la salle à manger, puis dans la salle des hôtes. De là, il arrive dans le corridor. Tout est silencieux, on entend juste l'eau qui frémit dans la baignerie. Nivard en pousse la porte, se glisse dans la pièce, se dirige vers les foyers. Il reste de l'eau bouillante dans un des récipients. Nivard la bascule dans un des grands bacs remplis d'eau fraîche. La cuvelle fume légèrement, délicieuse et tiède comme la volupté. Avec lenteur, il se laisse glisser tout habillé dans le bassin, s'y couche de tout son long. En apesanteur, son corps se défait des nœuds serrés qui le contraignent, sa tête se vide de ses tourments, faisant place à des imaginations exquises et à des sensations douces.

Devant lui, il croit percevoir la femme noire, à moins qu'il ne s'agisse d'une esquisse de lueurs et d'ombres ébauchée par les feux farceurs de la baignerie. Elle semble se tenir debout en surplomb sur le plancher mouillé. Dans la semi-pénombre, ses vêtements la quittent et elle s'en défait en tournant, ondoyant, en animant ses seins, son cou, ses longues

cuisses, sa croupe, comme dans une parade, puis lentement, avec la souplesse d'une loutre, elle se fond
dans le bassin, y disparaît complètement pour en rejaillir encore plus belle et ruisselante, accrochant la
lumière comme le mieux poli des métaux noirs. Avec
la même grâce, elle ôte lentement les hardes de Nivard et les couche une à une sur le rebord de la
cuvelle. Quand elle lui défait son ceinturon, sa chevelure lui frôle le visage ; quand elle lui retire son
bliaud, Nivard est pris dans un vertige magique. Et
lui de se laisser porter, et elle de s'agenouiller sur lui,
de le caresser, de conduire les mains de l'homme
dans des régions troubles de son corps où elle sait sa
féminité envoûtante. Puis elle se laisse prendre, par
le dehors et par le dedans, marquetage du ventre
d'ébène et du ventre de cerisier, et ils respirent ensemble, poitrine nocturne contre poitrine d'aurore, et
les mains de l'homme l'enveloppent, et les mains de
la femme l'embrassent, et les bouches se happent, les
corps se cambrent, se redressent puis se rejettent en
arrière, danse de vie, danse de mort, des cris étouffés,
la souffrance. Le temps se cabre une fraction de
temps, la semence chaude se donne au ciel comme
une poignée d'or, et puis la paix, et puis les larmes.
Un peu de rêve teinté d'un peu de sang. Elle était
vierge et noire, lui ne savait même pas son nom.

Chapitre 6

Quand Nivard se réveille ce matin-là, il est cour-
batu de partout, son corps est raide, ses muscles le ti-
rent, son sexe lui fait mal. Ses habits de la veille jetés
sur un banc de bois comme gibier mort dégouttent
encore sur les dalles de pierre recouvertes de joncs.
C'est la première vraie journée de printemps. Il sent
bon le vert tendre et la brise marine. Le soleil est déjà
haut dans le ciel. Des voix sonores et souriantes montent de la cour du château de Malen.

Soudain, des piétinements sur le pont-levis cou-
vrent la rumeur. Nivard se rend jusqu'à la fenêtre
d'où il a vue sur le grand porche d'entrée. Un groupe
d'hommes accompagnant deux chevaliers débouche
dans l'enceinte du château. Un chariot énorme, véritable maison ambulante, fermé sur ses quatre faces
et tiré par quatre chevaux brabançons, fait son apparition. Des cavaliers bouclent le cortège.

Rosal de Sainte-Croix et Archambaud de Saint-
Amand s'empressent à la rencontre des nouveaux arrivés. Ce sont les accolades, les retrouvailles de vieux
amis. Les hommes passent en revue l'imposant véhi-

cule et discutent entre eux pendant qu'on dételle les chevaux.

Nivard a sorti une tunique de toile grège de son bagage, il la revêt sans hâte, boucle sa lourde ceinture dont le cuir est détrempé. Il a le geste indolent d'un homme qui n'a pas de projet immédiat et qui ne sait plus très bien où il en est. Il arpente la pièce de long en large, essayant de retrouver ses marques dans le brouillon de sa tête. Il sent une menace peser sur ses épaules et sur ses proches. Il est pris au piège des violences qui s'engendrent l'une l'autre dans une chaîne sans fin. Maître François est en danger, pense-t-il. Il faut l'écarter de tout cela. Quant à lui, il devra se battre contre les justiciers du chevalier de Barvaux. Qui sont-ils ? Combien sont-ils ? Quelles sont ses chances d'en venir à bout ? Un moment, il veut regagner Huy, prendre les devants. L'instant qui suit, il hésite. Ne vaut-il pas mieux arrêter cet épanchement, disparaître, au risque de passer pour un pleutre ?

Lentement, l'idée de rentrer à Huy fait son chemin.

Nivard est sorti de ses pensées par une galopade dans le couloir. Voilà qu'on tambourine à sa porte à coups de poing. Il n'a pas le temps de s'y rendre que celle-ci s'ouvre brutalement. Mamouk apparaît devant lui, il est hors d'haleine. Il cherche des mots en-

86

tre deux souffles et gesticule dans tous les sens en in-
diquant confusément l'endroit d'où il vient.

– C'est Awen... Elles sont folles... Dans la réserve...

Nivard se précipite. Il est suivi du petit homme qui
court de toutes les forces de ses courtes jambes.

– Awen, murmure Nivard.

Sans connaître son nom, il sait que c'est d'elle qu'il
s'agit.

Du côté de la cuisine, on crie, on s'esclaffe, on se
bat, on renverse des objets. Le tumulte provient
d'une pièce basse où est remisée la nourriture. Tout
est sens dessus dessous. Nivard a juste le temps
d'apercevoir Awen que des femmes maintiennent
tandis que l'une d'entre elles lui entaille la chevelure
avec de larges ciseaux qui ressemblent à ceux qu'on
emploie pour tondre les moutons.

– Voilà qui t'apprendra à jouer les charmeuses !
hurle la mégère.

Tel est le dérisoire objet du délit. Les griffes de la
négresse ont labouré de rouge les joues couleur d'ai-
relle de la harpie. Un voyageur de passage, deux gardes, un cuistot et un marmiton se trouvent là en spec-
tateurs et prennent un plaisir évident à exciter la
macrale. Celle-ci n'hésite pas, dans sa hargne, à dévier quelques coups en direction de son mari, un joli
cœur ravagé par les ans, aussi taquin avec les femmes
qu'inoffensif. Sottises que tout cela. Le sang de Nivard ne fait qu'un tour. Il se jette tête baissée dans
cette masse en furie, donne de la paume, bouscule,
canarde en tous sens avec ce qui lui tombe sous la

main. Les femelles ramassent leurs jupes en hurlant et se pressent vers l'issue en boulant les unes sur les autres et en vociférant de plus belle. Le mari se défile plus ou moins dignement, le marmiton s'esquive derrière le cuistot, un des gardes va son chemin, tandis que l'autre tente un brin de résistance qui lui coûte une chute risible au milieu des pains et des poules. C'est la débandade... ou presque : une épée a été tirée de son fourreau dans le dos de Nivard et, sans un cri de la femme noire, elle s'abattait sur lui.

La bagarre prend une autre tournure. Sans détacher les yeux de la lame, Nivard bat en retraite du côté de la cuisine. Il esquive de justesse un second coup qui entaille le manteau de la cheminée. Vif comme l'éclair, l'orfèvre happe au passage la lourde broche posée sur les landiers de l'âtre. Il croise la barre de fer avec l'arme de son adversaire. L'espace d'un instant, Nivard reconnaît le fils de Norbert de Barvaux à sa lippe, son poil, son masque de brute. Par quel sortilège se trouve-t-il ici ? Quels sévices a-t-il infligés à maître François pour le faire parler ? Sa colère décuple sa force, au point qu'il fait reculer son agresseur.

— Honte sur votre sang, honte sur ceux qui frappent par traîtrise ! hurle Nivard.

Avec la lourde manivelle, il déséquilibre son adversaire. L'homme n'a pas le temps de reprendre son aplomb que la broche, dans un moulinet d'une terrible violence, l'atteint en pleine tête. On entend un craquement d'os effrayant comme le bruit de l'arbre qui se rompt au dernier coup de cognée. La chute qui suit est mate, presque silencieuse. Barvaux saigne du nez et des oreilles. Il est mort.

La cuisine se remplit de monde au point que Rosal de Sainte-Croix doit donner de la voix pour qu'on le laisse passer. Il est accompagné de ses trois hôtes et de ses gardes. Le jeune homme pose la barre de fer, s'approche du chevalier et lui lance comme une injure suprême :

— Il a fallu que je vienne dans votre maison pour y croiser mes ennemis.

Rosal de Sainte-Croix perd pied devant l'orfèvre en colère. Ne sachant que répondre, il frappe le jeune homme au visage, du revers de la main, à toute force. Nivard accuse le coup presque sans bouger et, sans hésiter, ramassant ses deux poings, il projette le chevalier sur le sol dans les pieds des badauds. Interdit, Rosal se relève, la main sur la mâchoire et, brusquement, laisse éclater son rire énorme :

— T'es un lion ! Mais sache une chose. Dans cette maison, c'est moi le maître et c'est moi qui rends justice. C'est donc moi qui aurai le dernier mot.

Et aux gardes qui l'entourent, il ordonne d'écrouer son hôte.

Nivard ne proteste pas et se laisse conduire dans les oubliettes du château de Malen, tandis que, dans l'ombre de la réserve, Mamouk, rejoint par Rosal, relève la femme noire qui s'est mise en boule pour cacher son visage roué de coups et sa magnifique chevelure abîmée par la folle.

— Je n'ai rien fait de mal ! dit Awen en ravalant un sanglot. J'étais heureuse, c'est tout !

Puis se laissant prendre comme un enfant par le chevalier, elle lui confie :

— Il me l'aurait tué !

L'obscurité gagne Nivard. Que de haine il faut surmonter pour apaiser son âme. Que de violence il faut déployer pour combattre son désarroi. Il est désemparé. Ses débordements lui font peur et le renvoient à sa solitude. Pour la première fois depuis longtemps, il hèle Dieu dont l'absence est absolue dans la peine des hommes. Il l'appelle rudement, pour lui montrer le poing ; il l'appelle aussi pour qu'il l'aide à combattre les vents de tempête qui l'agitent. Dans la pénombre de la cellule, il se met à genoux et, les bras en croix, se fige durant des heures. La douleur est intense, insupportable, moins insupportable toutefois que le mutisme du Grand Déserteur divin. Il enrage d'être un ver sur cette terre, un rampant aveugle et sourd, alors qu'il y a des anges. Il voudrait transiger avec le ciel, pactiser avec son destin, sectionner les fils invisibles qui l'écartèlent pour trouver la grâce d'accomplir par son art la lente escalade de l'arbre de lumière jusqu'à ses branches les plus fines, cet endroit de vertige d'où l'on peut espérer entrevoir le fuyant regard de Dieu.

À la nuit tombée, la porte de la cellule s'ouvre pour laisser passer Rosal de Sainte-Croix. Il tient une torche de résine. Au bas des marches du cachot, il aperçoit Nivard dans la posture d'un crucifié, le visage contracté, en nage. L'architecte surpris se demande comment aborder son prisonnier. Il rompt maladroitement le silence en parlant d'abord de l'imminence du départ. Nivard n'entend rien ou fait mine de ne rien entendre. Le chevalier tourne la torche dans ses mains, histoire d'en raviver la flamme, puis, après un long silence, il enchaîne d'une traite :

– Je suis venu te dire aussi que tu es libre. Mais avant de me retirer, je veux que tu saches ceci : je déplore ce qui s'est passé tout à l'heure. Jehan de Barvaux est arrivé hier dans la soirée réclamer contre toi l'ordalie pour le meurtre de son père. Il était accompagné de ses témoins. Avec le voyage qui se prépare, je n'avais pas le temps de l'entendre. Je lui ai demandé une trêve de deux jours. Je lui ai offert l'hospitalité non sans lui avoir fait promettre de ne pas faire usage de ses armes avant d'avoir eu une entrevue avec toi. J'espérais naïvement éviter cette inutile effusion de sang. J'ai échoué.

Cela dit, Rosal de Sainte-Croix fait volte-face, gravit prestement l'escalier de la geôle, lorsqu'il entend Nivard ramener du tréfonds de son ventre ces mots hachés, lapidaires, pesants comme ses bras, pesants comme le serment qui engage une vie :

– Donnez-moi Awen !

À cette requête inattendue, Rosal répond, indigné :

– Sais-tu au moins qui elle est ?

91

– C'est une captive !

– Non ! Elle est l'obsidienne orpheline du plus prestigieux verrier d'Orient, une princesse ! Je l'ai élevée comme une enfant de ma chair. Elle part avec nous. Elle rentre chez elle !

– Alors donnez-moi votre enfant ! insiste Nivard.

– Pourquoi te la donnerais-je, puisque tu l'as prise ? rétorque crûment Rosal.

Surpris tout autant par sa réaction que par la demande du jeune homme, il hésite un moment avant de disparaître.

Nivard s'effondre sur le flanc puis bascule sur le dos. Il n'a plus de corps, plus de consistance. Il est comme un souffle d'oiseau porté par le néant. Sa conscience l'abandonne et le dépose en bout de vagues sur le sable, tel un naufragé.

Rêve ou délire ? La porte entrouverte de la cellule miaule sur ses gonds. Nivard tente de se mettre debout mais une de ses jambes s'est muée en pierre. Il s'assied un moment puis, lentement, dénoue son corps en prenant appui sur le mur. Rien ne ranime son membre de statue. Il hisse son pied pétrifié de marche en marche jusqu'à la porte bardée de fer de l'oubliette. Elle est si basse qu'il doit se mettre à quatre pattes pour la franchir. Le couloir voûté est éclairé faiblement par deux flambeaux. De part et d'autre, il y a au moins vingt portes comme la sienne. Alors qu'il avance par à-coups en se cramponnant aux saillances de la galerie, le geôlier arrive à contresens. Il passe les cellules en revue. Des jacassements, des rires hystériques, des borborygmes, des mots décousus injurieux ou suppliants saluent sa progression. Des mains passent par les judas, grimaçantes. Que font tous ces gens dans ces remisoirs ? Qu'ont-ils fait d'assez abominable pour être enterrés vivants dans ces trous immondes, infestés de vermine ? Quand il arrive à mi-chemin, Nivard jette en passant un coup d'œil en contrebas d'une cellule où le geôlier s'est introduit.

— Vous pourriez m'aider, au lieu d'encombrer le passage ! fait une voix sortant de l'ombre.

Le gardien tire à reculons une longue masse sombre et inerte enveloppée dans un sac.

— Je ne peux pas ! Je me déplace à peine !

L'homme amorce un curieux rire qu'il interrompt à la seconde pour dire :

— Il est bigrement lourd, je vais chercher de l'aide !

Il part sans précipitation et, lorsqu'il disparaît, le rire revient de partout, assourdissant et grotesque.

Poussé par la curiosité, Nivard saisit une torche et se traîne jusqu'au cadavre. Il approche la flamme, dévoile la tête et, horreur, reconnaît son propre visage, à cela près que les orbites sont vidées de ses yeux.

Quand Nivard revient à lui, un courant d'air lui fouette le sang. Il fait froid. L'eau suinte du mur entre les moellons, on entend des gouttes qui tombent

93

çà et là. L'obscurité est complète, si complète qu'il porte immédiatement ses mains à ses yeux.

– J'ai rêvé ! articule-t-il pour lui-même. La sonorité de sa voix le surprend. Il se ranime, grimpe à tâtons les marches de pierre, franchit la porte basse, parcourt le couloir faiblement éclairé jusqu'aux escaliers qui mènent à l'air libre. Quand il débouche à la surface, le vent frais paraît tiède sur sa peau glacée.

Dans la cour, l'impressionnant chariot arrivé le matin laisse filtrer des cheveux de lumière à la jointure de ses planches. Nivard le contourne. Une petite porte est ouverte à l'arrière du mastodonte. Quelqu'un parle à l'intérieur. Discrètement, le jeune homme passe son chemin et regagne sa chambre d'un pas engourdi. Plus loin, il aperçoit Archambaud de Saint-Amand chargé de trois gros livres ; l'orfèvre se glisse dans un coin d'ombre. Le chevalier ne l'a pas vu, occupé qu'il est à tenir en équilibre précaire son volumineux fardeau. Sans se poser davantage de questions, Nivard retrouve sa couche et s'y jette tout habillé.

Le lendemain, il part à l'aube pour Huy. Un voyage rapide, sans étape, anxieux. Rendu à l'atelier, il trouve porte de bois. Au logis de maître François, il n'y a personne non plus. C'est finalement chez Louis que Nivard retrouve son maître. À la vue de son protégé, le pauvre homme a les larmes aux yeux.

– Tu n'aurais pas dû venir ! À quoi bon ? reproche tendrement le vieillard en camouflant, comme un enfant pris en faute, ses deux mains bandées sous sa pèlerine.

Il a honte, honte de son état, honte d'avoir eu si peu de courage.

Tirant à l'écart vieux Louis, Nivard demande :

— Qu'est-ce qu'ils lui ont fait ?

— Ses doigts ! Ils les ont brisés les uns après les autres comme du bois sec. J'étais là ! Il a fallu que je parle.

Songeant à cette pauvre résistance des deux compagnons, le jeune orfèvre se mord les lèvres. Il pleurerait bien à son tour lorsque maître François, minimisant ses maux, lui dit avec un sourire :

— De toute façon, cela fait des mois que je ne fais plus rien de bon avec ces mains-là.

Chapitre 7

Lundi, jour du départ.

Sur l'esplanade du château, l'évêque de Bruges est venu en personne célébrer la messe et mettre les aventuriers sous la protection de Dieu et de saint Georges. Il s'est déplacé tout exprès pour la circonstance. La cour est noire de monde.

À l'avant de la scène, le convoi proprement dit avec son imposant chariot, ses charrettes bâchées, ses chevaux harnachés, les serviteurs et les servantes en habit de voyage, les hommes d'armes et les chevaliers. À l'arrière, la foule des familiers et des gens de maison.

Adeline de Sainte-Croix assiste à la cérémonie au côté de la mère prieure du couvent de Gistelles, où elle a décidé de se retirer après le départ de son mari une fois réglée la mise en mort-gage du domaine.

Les quatre chevaliers renouvellent publiquement leurs vœux entre les mains de l'évêque. C'est la fin du mois d'avril, le temps est serein, presque beau. Le recueillement serait total si les mouettes ne fêtaient à grand renfort de piaillements les faveurs du printemps recommencé.

En bas des marches, dans l'endroit le plus discret de la grande cour, quelque part où son vêtement se confond avec un haut mur d'enceinte estompé d'ombre, se tient Awen. Elle est du voyage. Coiffée d'un châle, retenue, elle n'a éveillé l'attention de personne en se plaçant là. Elle a posé à ses pieds un tout petit bagage, un petit sac fait d'un bout de drap noué, à peine plus grand qu'un pain. Elle se penche lentement, sa main s'étend, se ramène sous l'étoffe, juste le temps pour Nivard de voir briller le bracelet d'or qui garrotte son poignet. Mariage d'alliages précieux, celui du métal et de la peau foncée de la femme. C'est assez pour distraire l'orfèvre et l'emmener dans une autre forme de recueillement.

Awen fait partie de ces humains qui n'ont pas été façonnés au départ d'une terre glaise informe, comme la plupart d'entre nous. Il entre dans sa composition du feu, de l'étain et du cuivre poli. Il s'y trouve aussi un métal noir, seul connu des alchimistes, fluide comme une couleuvre, qui fait que cette race-là ne bouge pas, elle danse.

Sous la brise latine des prières où l'assemblée se confie à la clémence du Très-Haut, deux regards s'épient. Celui d'Awen est aussi inquiet que celui de Nivard est vibrant. Corps de pierre. Il a fallu au Créateur de bons outils pour sortir de son bloc cet homme rude à la charpente carrée, tellement différent d'elle.

Aujourd'hui, elle aime, elle se demande même

comment il lui a été possible de grandir et de rire sans lui, de ne pas avoir eu peur sans lui, d'avoir survécu sans lui ? Qui mieux qu'un orfèvre détient le secret de ce rivetage fortuit qui peut attirer subitement et imbriquer le métal et la pierre ? Les lèvres d'Awen ont bougé imperceptiblement en même temps qu'elle le regardait. Un mot muet est resté sur sa langue, mot d'excuse, mot de plénitude, mot de vertige, prière à l'adresse de son Dieu ? Elle n'en sait rien elle-même. Dans cet éblouissement, elle ne s'appartient plus. Avec une grâce lente, elle resserre son châle autour de son cou. Elle a froid d'une étreinte d'homme. Elle aime.

Sur la vaste esplanade, la pieuse assemblée se signe. L'évêque pose aussi sa bénédiction sur le mystérieux chariot dont les chevaux massifs trépignent comme s'ils sentaient déjà la route poudrer sous leurs épais paturons. Le brouhaha succède au ronronnement. Bruits de ferraille et de roues de bois sur les pavés de la cour, bribes de voix à l'adresse des chevaux et des gens, le cortège s'ébranle et, chevaliers en tête, la foule traverse en masse le pont-levis. Tout le monde est là pour le grand départ. Depuis le gâte-sauce jusqu'à l'aspirant palefrenier, tous escortent Rosal de Sainte-Croix et son convoi jusqu'à la grand-route, comme jadis, en l'an mil nonante-six.

Dans la cohue, Nivard s'est approché d'Awen alors qu'elle étend le bras pour reprendre son balluchon. Prestement, il lui happe le poignet des deux mains comme on saisit une truite dans l'eau claire d'un ruisseau. Il la tient prisonnière avec émoi, elle est étourdie de ces yeux limpides et francs qui la contemplent, de cet étau de chair sur sa peau. Avec tendresse, Nivard attire sa prise jusqu'à ses lèvres, ses cheveux dorés caressent les doigts captifs.

— Je sens dans mes mains battre votre cœur, ose-t-il.

— Il ne bat plus que pour vous, dit-elle en tremblant.

— Alors, confiez-le-moi... Je vous aime !

À l'autre bout du chemin, à hauteur de la chaussée, Rosal de Sainte-Croix, après avoir salué ses gens, prend sa femme à l'écart pour lui faire ses adieux. Ici s'interrompt sur un chaste baiser une complicité de vingt ans. Le cœur est lourd de part et d'autre. Adeline rompt le silence :

— Prenez garde à vous ! À toute heure de ma vie, je souffrirais s'il vous arrivait malheur.

— J'ai vos prières pour bouclier ! réplique le chevalier avec un entrain quelque peu forcé. Et, en guise d'adieu, il lui adresse ces mots : Que le Seigneur veille sur ma mie.

La foule lentement se disloque, les uns regagnent leurs occupations, les autres se laissent emporter dans l'inconnu d'un voyage aventureux d'où ils n'ont pas la certitude de revenir.

Jusqu'à Bruges et au-delà, des femmes avec leurs enfants accompagnent la colonne en agitant la main. Certaines pleurent, d'autres se forcent à sourire. Une à une, elles abandonnent le cortège pour regagner la solitude de leur maison sans homme. Du côté des voyageurs, la tension du départ peu à peu se desserre, le silence doucement se lézarde, la part d'eux-mêmes laissée au pays se défile comme un troupeau échevelé de nuages libère un ciel d'azur.

La première grande étape du voyage sera Clairvaux en Champagne et son abbaye en cours d'édification que viennent d'investir Bernard de Fontaines et ses frères cisterciens. La colonne progresse à un rythme de charrue dans un pays pauvre, telle une interminable procession à laquelle se raccrochent par moments mendiants et miséreux, infirmes et enfants tenaillés par la faim. Que ce soit à Tournai, à Saint-Amand, chez les bénédictins de Liessies, de Maroilles ou de Saint-Michel-en-Thiérache, à Reims, à Châlons, le cortège reçoit bombant accueil à l'écart de la pègre famélique criant famine aux portes des villes et des enceintes de châteaux. Deux années de récoltes maigres ont mis les greniers à sec et les gens à bout. Voilà dans quelle saumure humaine marinent les voyageurs, traînant leur chariot comme des rescapés fuyant la peste. La grosse bête de ferraille et de chêne est teigneuse et poussive malgré les deux percherons qu'on a ajoutés à l'attelage pour le soulager. En cause, le temps détestablement pourri. En cette année de fortes pluies, les fleuves et les rivières sont les points noirs du voyage. Quand, faute de pont, il faut trouver un gué, c'est la calamité. Il arrive que l'on passe des heures et des heures à désembourber le chariot. Lorsqu'il pleut, les hommes marchent plus souvent en grappes autour des roues qu'ils ne sont sur leur selle. On enrage, on maudit le monstre, on est boueux de la tête au pieds, on dégoise contre le ciel et les chevaliers.

Dans le convoi, il est au moins deux personnes que la très lente et pénible progression n'indispose pas, comme si chaque tour de roue devait leur imprimer une marque au cœur. Il est une femme heureuse qui se révèle rameau après rameau à un homme qui se désécorce. Ils sont sous le charme l'un de l'autre et n'existent plus que l'un pour l'autre. Ils croquent le fruit à pleine bouche, avec gourmandise, insatiablement. C'est l'heure du partage, de l'alliance entre le creuset et les pépites d'or, entre les mains et l'eau de la source, entre le creux d'une épaule et la rondeur d'une tête, c'est l'heure où les blessures s'ouvrent et où les sangs se mêlent, c'est l'heure du dédoublement et de la fusion des êtres. Awen est belle jusqu'au vertige. Elle est magique avec ses plaines de sable, ses oasis, son soleil vertical, son rire de perle. Nivard est magnifique avec ses clochers qui sonnent, ses blés mûrs, ses fontaines de pierre bleue, sa voix de caillou. Courant les retraites clandestines, les branches basses des sous-bois, les abris de fortune, devançant se-

101

crètement et rattrapant tout aussi secrètement le convoi, ils se donnent l'un à l'autre sans réserve, buvant goulûment leur amour tout neuf jusqu'à l'ivresse.

À la fin du mois de mai, du haut d'une colline verdoyante et ensoleillée, les voyageurs découvrent Clairvaux la cistercienne émergeant d'une nature souveraine. Il s'agit d'un ensemble de bâtisses toutes simples formant un carré, construites en pierres sèches du pays, avec de rares fenêtres, exception faite de la chapelle plus ajourée. Aucune fioriture, aucun effet de style. Ici la fonction a délibérément pris le pas sur l'esthétique, n'en déplaise à certains bénédictins de bonne mine et autres clunisiens de bon ton. Sur le coteau, derrière l'abbaye, des moines à l'ouvrage, le scapulaire dans la ceinture, sarclent un champ entre les pousses. En contrebas, d'autres assainissent le vallon en creusant des drains.

Un homme de haute taille s'avance à la rencontre du chariot et de son escorte. Il porte une coule claire et marche les pieds chaussés de sandales. Sur sa poitrine se détache une petite croix faite de deux morceaux de bois croisés, sommairement taillés. Il est hâve, creusé, malingre. Une tonsure très sévère accentue son aspect maladif. En revanche, ses yeux exhalent la force. On y voit des leviers capables d'ébranler les montagnes.

Rosal de Sainte-Croix, Archambaud de Saint-Amand, Payen de Montdidier, Godefroid de Saint-

Omer et, progressivement, tout le détachement mettent pied à terre. Un des chevaliers s'agenouille pour recevoir la bénédiction de l'abbé, entraînant dans sa génuflexion l'escorte au grand complet. Dans la pagaille et sur un cliquetis de ferraille indescriptible, les genoux fléchissent peu ou prou, les hommes esquissent un vague signe de croix en grommelant un « amen » tout aussi approximatif.

Tel un pâtre menant son troupeau, Bernard de Fontaines conduit la caravane et ses gens dans une prairie qui se trouve derrière les nouvelles bâtisses et que borde une rivière. C'est l'endroit choisi pour le campement. Le grand chariot est dirigé vers la cour intérieure de l'abbaye. Ensuite, comme rien ne distrait le monde des contemplatifs et que, chez eux, tout doit se plier au rythme ponctuel des heures, des cloches et des prières, l'abbé remercie les voyageurs pour assister aux nones et reprendre ses pieuses occupations.

— Qu'attends-tu pour le mettre au courant ? demande Godefroid de Saint-Omer à Rosal en parlant de Nivard.

Cela se passe un soir, après messe, sur le chemin qui mène au campement. L'architecte est embarrassé. Il ne sait quand et comment aborder l'orfèvre. Mais il n'y a pas que cela : il craint une opposition de certains de ses pairs à la personne de Nivard de Chassepierre. Trois sur les huit chevaliers ont été informés du vœu de Rosal de reporter sur le jeune artisan hutois la tâche dévolue au défunt chevalier de Roux-Miroir, les autres restent à convaincre. Parmi les hommes redoutés : André de Montbard, qui pourrait se ranger du côté des dévots, et Hugues de Payns, dont la susceptibilité et les idées arrêtées sont à craindre. Si la bigoterie du premier est surmontable, la réticence prévisible du second risque d'être un frein de taille à l'intégration de l'orfèvre mosan, voire un obstacle infranchissable. Hugues de Payns est le chef de l'expédition. Il est à la base de cette aventure. C'est un homme de haut rang, de la famille des comtes de Champagne. Il a les qualités et les défauts des grands seigneurs. Il supporte mal d'être doublé dans une décision. Rosal devra mettre des gants.

– Que me conseilles-tu ? lance le seigneur de Malen, dubitatif.

Godefroid de Saint-Omer réfléchit longuement. Ses sourcils broussailleux et noirs obscurcissent son regard. Il ramène une main velue sur sa mâchoire carrée. Il a le poil sonore.

La complicité des deux hommes est très ancienne. Ils se sont connus aux côtés de Godefroi de Bouillon il y a près de vingt ans. Ils ont découvert ensemble la mouvance nomade, les pays de légendes, l'envoûtement oriental, le raffinement exquis et le merveilleux savoir-faire des artistes de là-bas. Ils ont souffert l'un comme l'autre de la barbarie de la croisade, du fanatisme de la chrétienté qui cautionna les plus infâmes exactions. Ils ne parleront jamais de la prise de Jérusalem, qui fut un monstrueux et incontrôlable massacre, face auquel les preux atterrés se trouvèrent impuissants. Ils tairont cette « guerre sainte » qui s'est avilie dans l'horreur et la répression aussi gratuite qu'ignoble. Ils évacuent constamment cette vision de cauchemar, qui leur gangrène encore la mémoire telle une hideuse et purulente infection.

— Attaquons-nous d'abord à la tête, finit par dire Godefroid de Saint-Omer. On verra ensuite !

La « tête » de l'expédition arrive à Clairvaux le lendemain. Rien à voir avec les héros d'épopée dont on conte les hauts faits d'armes au coin des cheminées. Hugues de Payns est petit, osseux, le visage émacié et le front mal dégarni. Ses cheveux bouclés et grisâtres sont longs et tombent négligemment sur ses épaules. Ses yeux noirs et ses sourcils sévères sont serrés autour d'un nez aquilin prêt à déchiqueter son monde : un profil d'aigle couronné, frappé en rouge et or sur les armoiries d'un prince. Noblesse oblige. L'homme vit intensément et ça se voit. Il n'est plus capable de manier la lourde épée ni de frapper au plus fort de la mêlée depuis que la lame d'un cimeterre lui a sectionné les tendons de la main gauche. Il maintient ce membre mort, replié sur lui-même comme une patte d'échassier, dans une sorte d'attelle cousue à son bliaud. Hugues de Payns est autonome et fier : pas question de l'aider à se mettre en selle. Il monte un cheval arabe plus petit. C'est un excellent et infatigable cavalier.

Dans sa suite, il est un écuyer nubien, titanesque,

qui attire le regard et force la sympathie, un colosse noir, jovial et expressif, portant sur ses dents éclatantes tous les rires de l'Afrique. Impossible de le passer sous silence. Autant Hugues de Payns ressemble à une vilaine souche, autant le gaillard a la prestance d'un cèdre. D'humeur inaltérable, il est la sérénité en personne. C'est une belle nature d'homme, une nature chantante et riante. Douceur et bonhomie tempèrent sa force herculéenne. Il s'appelle Soma. Très vite il se lie, très vite il a les faveurs du camp. Il s'est converti au christianisme par obligeance plus que par conviction et n'en continue pas moins d'honorer en cachette le Dieu de ses pères sous la bienveillante discrétion de l'Eglise.

Avec la venue d'Hugues de Payns, plus de quiétude ni d'insouciante tranquillité sur le site. L'homme ne tient pas en place. Son excitation gagne le convoi et embraserait le monastère comme un feu de broussaille s'il n'y avait la clôture et son abbé rigoriste pour refréner ses ardeurs. Il réunit ses pairs sans attendre, fait payer à ceux qui sont à temps et à heure l'impardonnable retard des autres.

– Où sont Geoffroy Bisol, et Hugues Rigaud, et Blaise, et Gundemar ? s'exclame le despote.

Que répondre ? L'un doit les joindre de Salerne en Italie, les deux autres ont quitté respectivement le Languedoc et le Portugal et se trouvent quelque part sur la route.

C'est Godefroid de Saint-Omer qui se charge d'annoncer la mort de Blaise de Roux-Miroir et, dans la foulée, il enchaîne sur le fils de Thibaut de Chassepierre, qui est lui aussi orfèvre et que le hasard d'une rencontre a greffé à leur convoi. S'ensuit un silence qui recouvre de cent pelletées de terre le cadavre encore chaud du regretté chevalier de Roux-Miroir.

— Tu as bien dit le fils de Thibaut de Chasse-pierre ? reprend Hugues de Payns méditatif. Et que sait-on de lui au juste ? poursuit-il après un moment.

C'est au tour de Rosal de prendre la parole. Il avance une à une ses pièces sur l'échiquier. La partie s'engage mieux qu'il ne l'espérait.

Chapitre 8

Nivard musarde dans la partie de l'abbaye de Clairvaux encore en chantier et sa flânerie le mène du côté de la chapelle où plusieurs corps de métier procèdent au parachèvement du lieu.

Des artisans sont occupés à poser les vitraux de la nef. Il s'agit de mises sous plomb claires, où l'on retrouve de façon répétitive le même motif géométrique. Les panneaux ont été confectionnés ailleurs. Si légères que soient les nuances, l'habillage des fenêtres transforme d'heure en heure la température visuelle du lieu. Nivard aime cette conversion subtile. Il ne bougera pas de l'endroit avant d'avoir vu se refermer sur lui cet écrin de lumière.

Le verre exerce sur l'orfèvre une très ancienne fascination. Jusqu'à présent, il ne l'a employé que sous forme de cabochons appliqués ou sertis dans des pièces d'orfèvrerie. Ici, il en découvre la transparence et la mobilité sous le soleil. C'est une révélation. Il y associe Awen en l'introduisant à la dérobée dans la chapelle. La jeune femme est émue ; les vitraux réveillent en elle des souvenirs.

– Dans mon pays, dit-elle d'une voix soyeuse, le père de mon père faisait chanter dans la lumière des verres de toutes les couleurs. C'était son métier, son beau métier. Avec ma sœur, nous ramassions des morceaux au pied des fours et nous regardions à travers. Elle me voyait en bleu, je la voyais en rouge. On riait.

Et les larmes brouillent les yeux d'Awen, et le souffle lui manque. Elle se serre contre Nivard. Elle s'accroche à son amour pour parcourir les pieds nus cette plage rocailleuse de sa vie.

Leur enfance à tous deux ressemble à ce panneton de vitrail, mal arrimé par les artisans, qui sur un coup de vent se détache et se brise avec fracas sur le pavement doré de la chapelle.

Rosal aborde enfin l'orfèvre mosan. La situation se débroussaille du côté de ses pairs et, paradoxe, il se retrouve tout à coup pressé par Hugues de Payns en personne pour rallier l'homme à leur cause, indépendamment des retardataires et d'André de Montbard qui immerge son âme dans la vie cistercienne.

– Ne perdons pas de temps en discussions stériles, a décrété le seigneur champenois.

L'architecte peut enfin amener Nivard à l'écart de la troupe pour l'éclairer sur le projet qui mobilise les chevaliers et lui faire ses propositions. Ensemble, ils marchent à la recherche d'un coin tranquille. Un désordre de moellons que la construction toute récente du monastère n'a pas engloutis dans ses murs sera l'endroit choisi pour cet entretien. Avisant un bloc à peu près dégrossi, Rosal s'y installe et prend ses aises. Nivard en fait autant. La pierre est tiède et lumineuse sous le soleil. Rosal de Sainte-Croix garde un moment le silence, la chaleur est bonne sur son visage de brique, auréolé de cuivre et damasquiné de fils d'argent. Il ramasse quelques graviers qui se trouvent à ses pieds. Il les fait tourner dans ses mains avant de les jeter un à un en direction d'un baquet de bois abandonné par les maçons. Il ne sait par où commencer. Après un raclement de gorge, il prend la parole. Ce n'est pas par hasard qu'il s'est réfugié dans un chantier de bâtisseurs. Il y retrouve son élément.

– J'aime les pierres. Elles soulèvent les âmes de ceux qui les érigent, lâche le chevalier, conscient que ce prologue ne le conduira nulle part.

Nivard ne réagit pas. Il se contente de suivre des yeux les gravillons que Rosal tente de placer dans la cuvelle avec plus ou moins de bonheur. Un caillou fait mouche. L'homme interrompt son jeu et enchaîne d'un seul coup :

– Nivard, je souhaiterais te parler sans détour et avec une totale franchise de notre projet. J'ai confiance en toi ! Mais voilà ! Je ne suis pas seul dans cette expédition qui se prépare depuis douze ans dans le plus grand secret et il est des domaines que je ne puis qu'effleurer. Il y a derrière moi huit compagnons mais il y a surtout les plus prestigieux monastères d'Occident.

– Pourquoi me confiez-vous tout cela ? intervient

Nivard. Je ne suis qu'un voyageur autorisé à vous accompagner. Votre quête ne me concerne pas !

Rosal fait la grimace devant cette dérobade.

— Je n'en dirai pas autant de la tienne, risque-t-il.

— Que voulez-vous dire par là ?

— Tu cherches une pierre pour ta châsse ?

Nivard ne répond pas.

— Je suis en mesure de trouver ce que tu cherches et même davantage. Au nom de mes pairs, je voudrais te proposer un marché !

L'orfèvre se renfrogne :

— Je ne demande rien ! dit-il sèchement.

Rosal est pris d'une colère subite, il éclate :

— Espèce de mule ! Quand vas-tu comprendre que je te tends les deux mains ?

— Eh bien d'accord ! Parlez, je vous écoute ! répond le garçon avec arrogance.

— Autant tout te dire ! J'ai découvert ton travail d'orfèvre. Je me suis rendu à Huy à ton insu. J'ai rencontré l'artisan qui t'a formé, il m'a fait visiter de fond en comble l'atelier où tu as appris ton métier. Tes dessins et tes compositions sont brillants, ta châsse est une splendeur et une œuvre accomplie à cela près...

— ... qu'il y manque une pierre, coupe Nivard. Je sais.

— Je suis en mesure de la trouver mais, en échange, je voudrais que tu acceptes de relever le défi suivant. Il s'inscrit dans notre projet. Il t'invite à mettre en veilleuse ton métier d'orfèvre pour te mesurer à la lumière des églises avec pour outils le verre et le plomb, la couleur. Apprendre le vitrail et en faire une prière, qu'il soit la coiffe de l'édifice sacré et non plus la décoration factice et sans âme des lieux de culte.

Nivard éclate de rire.

— Plus vous m'expliquez les choses, moins je comprends ce qui se passe !

— À savoir ?

— Neuf anciens compagnons de mon père repartent en croisade avec un chariot bourré de livres en lieu et place d'une armée. Pour quoi faire ?

— Pour étudier !

Et se ravisant, Rosal nuance :

— Pour explorer notre connaissance à la lueur de ce qui se sait et se pratique en Orient, rattraper des siècles de retard !

— À l'école de Salerne, les bénédictins traduisent les auteurs grecs, latins, byzantins, persans...

— Ce sont des moines. Ils ne sortent pas de leur clôture. Nous sommes des gens de terrain. Notre réflexion cherche moins à analyser la marche du monde qu'à trouver des leviers capables de soulager notre peuple de l'emprise de potentats et d'aider les petites gens à combattre leur misère.

— Et l'architecte dans tout cela ?

— Il lèvera une armée de constructeurs pour atteindre le ciel avec ses pierres, y ménager des trouées vers la Lumière. Tu as lu l'Apocalypse de saint Jean : la Jérusalem bâtie en pierres cristallines, la ville d'or pur, sertie de jaspe, de saphir, de calcédoine, d'émeraude, de sardonyx, de sardoine, de chrysolite, de béryl, de topaze, de chrysoprase, de hyacinthe et d'améthyste. J'ai appris par cœur les douze assises de la muraille de lumière. Cette image éblouissante appartient à mon rêve d'architecte : une église qui soit légère à l'âme comme un chant d'enfant, une église de transparence qui fasse s'envoler entre ses doigts de pierre la foi des humbles vers un Dieu de tendresse. J'ai besoin, pour sortir de l'ombre de la terre tous ces tons fabuleux que j'imagine, de l'alliance d'un verrier, un artisan audacieux et capable, prêt à se risquer dans un pari immense, qui appelle des siècles et des milliers de vies. Tu es cet artisan, Nivard. J'en ai eu la conviction dès le premier jour où je t'ai vu. Tu l'es autant par tes qualités que par tes défauts. Car au-delà du talent, il faut pour une tâche de cette envergure une trempe d'homme qui ait plus d'instinct que de raison, de rébellion que de certitude. J'aime que tu sois taillé dans la démesure bien que cela effraie la plupart de mes compagnons. Je veux t'imposer à leurs yeux.

Esquissant un sourire, Rosal ajoute :

— Ce rêve d'homme n'est peut-être qu'une plume dérisoire, qui folâtrera dans les airs avant de se perdre, à moins qu'il ne soit une graine emportée par le vent et qui trouvera le bon sol... À Dieu d'en disposer !

Nivard se tait. Il se sent traversé par la force. Il est saisi de ce frisson qui accompagne le vertige. Il savoure cette sensation de vide et de plénitude, ce danger délicieux où se complaisent les funambules.

— Je n'en dirai pas plus aujourd'hui, conclut Rosal

de Sainte-Croix. Il faut le temps que tu mûrisses mes paroles et que tu orientes ton choix. Tu seras appelé d'ici trois jours par le conseil.

Le chevalier s'est levé, il s'étire, se débarrasse des petits cailloux qu'il a gardés dans les mains, avant de prendre, avec une pondération affectée, la direction de l'abbaye. Il est content de lui, son rêve s'enracine.

Trois jours plus tard, Soma survient au campement, plus resplendissant que jamais. Il s'est extrait de l'abbaye par une petite porte située à l'arrière du bâtiment, il marche en dodelinant en direction de Nivard. Pour passer le temps, l'artisan taille un morceau de pierre tendre au moyen de son couteau. On peut y voir l'ébauche d'un visage. Awen est à ses côtés.

– Le maître veut voir toi ! dit le géant dans son meilleur françois à l'adresse de l'orfèvre, tout en épluchant la jeune femme avec des yeux gourmands et un sourire lunaire.

Nivard se redresse d'un bond, remet le couteau dans sa gaine, époussette son vêtement avant de suivre le Nubien. Lorsqu'ils s'enfournent dans la petite porte, Soma lui glisse à l'oreille :

– Toi bien choisi, fille très jolie !

S'ensuit le petit rire communicatif et très haut perché qui fait la particularité du personnage et qui vous entraîne à partager sa joie. Les deux hommes traversent le cloître avant d'accéder à la salle capitulaire surplombant le déambulatoire d'une volée de marches de pierre. Soma ralentit, étouffe son pas, se colle naïvement l'index sur la bouche, histoire de se remémorer qu'en ce lieu-là il est mal vu de rire ou de faire du bruit.

Dans la salle du chapitre où il introduit Nivard, siège l'abbé de Clairvaux, entouré des six chevaliers : Rosal de Sainte-Croix, Archambaud de Saint-Amand, Payen de Montdidier, Godefroid de Saint-Omer ainsi qu'Hugues de Payns et André de Montbard, que le jeune homme voit pour la première fois. Ce dernier est l'oncle de l'abbé par sa mère. C'est un homme raide comme une hallebarde, patibulaire. Il a la barbe taillée en carré, les épaules larges, un port de tête altier que des cheveux noirs tirés en arrière ne font qu'accentuer. Il vit retranché dans le monastère depuis quelques jours et l'arrivée de ses compagnons n'a pas réussi à le distraire de sa méditation et de ses prières.

En tant que meneur de l'expédition, Hugues de Payns prend la parole le premier. Il va droit au fait :

— Rosal t'a fait part de nos propositions ! Qu'as-tu décidé ?

— Je relève le défi ! Toutefois, je voudrais qu'on m'explique pourquoi on s'adresse à un orfèvre plutôt qu'à un verrier pour vitrer des églises. Je connais métaux et minéraux, mais j'ignore tout du verre.

— Nous allons remédier à cela !

Et, sans surseoir, Hugues de Payns expose à Nivard le plan qu'il a échafaudé.

— Tu ne partiras pas avec le convoi, annonce-t-il, tu vas m'accompagner. Nous serons cinq, Soma que voici, deux servants d'armes, toi et moi. Nous quitterons Clairvaux après-demain pour la Beauce. Ce sera la première étape de ton initiation. Il y en aura d'autres. Ce n'est pas rien de former un verrier. Cela demande du temps et le nôtre est compté, car j'espère bien rattraper le chariot et son escorte à Constantinople. Avec un bagage succinct, nous pouvons parcourir quatre à cinq fois la distance couverte dans le même temps par le convoi, ce qui nous donnera six mois pour faire le tour des principaux ateliers de vitraux d'Occident.

Une ombre passe sur le visage de Nivard. Il accuse le choc. Il se sent bousculé, dépossédé du jardin de ses désirs comme si son bonheur tout neuf cessait soudain de lui appartenir. Qui choisit donc si l'orfèvre doit rester orfèvre ou s'il doit devenir verrier ? pense-t-il. Qui décide si Awen accompagne ou n'accompagne pas ? Rosal perce son inquiétude et trouve à propos d'intervenir :

— Ne te fais pas de mauvais sang pour Awen, dit-il. Nous veillerons sur elle.

Dans son coin, Bernard de Fontaines, l'abbé de Clairvaux, tassé frileusement dans son scapulaire, les mains glissées dans les manches amples de sa bure, dresse l'oreille et regarde plus intensément l'orfèvre de ses yeux pénétrants, que d'aucuns disent capables de percer l'écorce de l'homme jusque l'âme. André de Montbard, chutant sur terre comme un ange qui se serait pris les pieds dans ses rémiges, s'étonne et interroge l'assemblée sur cette « courtisane » dont il entend parler pour la première fois. D'un seul coup, les dévots ouvrent l'œil. Quand on leur annonce la couleur de sa peau, ils écarquillent le second. Lorsque, pour couronner le tout, Nivard leur apprend que la femme est musulmane, la conversation s'enflamme. André de Montbard se déchaîne. Leur mission a un caractère sacré et cette situation est inacceptable. Il ne veut pas entendre parler de l'artiste tant qu'il s'encanaille avec une infidèle.

Nivard est sali publiquement et injustement dans la plus belle part de lui-même. Sa colère éclate et, sans des mains pour arrêter son élan et le retenir, il se battrait. Couvrant le tumulte, la voix de l'abbé se fait entendre :

— Dieu tient à sa disposition la maladie et la mort..., dit le moine. Un jour, cette femme cédera de gré ou de force.

La fureur de Nivard s'effondre d'un seul coup. Il est abasourdi. Quel est cet homme qui s'octroie le droit de jeter un sort aux gens ? Il voudrait lui répondre, mais les mots ne lui viennent pas. Pourquoi Rosal ne dit-il rien, pourquoi ce silence ? L'orfèvre sent ses tempes battre dans sa tête. Son souffle l'oppresse comme s'il ne pouvait plus s'échapper de sa poitrine. Sa main gagne sa gorge nouée. D'un geste violent, il arrache son pendentif d'albâtre, brisant net le lacet, et, dans le même mouvement de rage, le jette à toute force sur le sol avant de quitter la salle du chapitre. Dans sa chute, la réplique du diamant de la châsse se fractionne en deux. Rosal de Sainte-Croix se lève pour ramasser les fragments. Précautionneusement, il les glisse dans sa bourse.

Dans la nuit profonde, entre vêpres et matines, Rosal de Sainte-Croix sort du monastère par la porte basse. Muni d'une chandelle de suif à la flamme incertaine, il cherche Nivard parmi les soldats endormis ou en passe de l'être. Il le trouve assis sur le sol, le dos appuyé contre la roue d'un chariot. Awen dort en boule près de lui, la tête posée sur sa cuisse. Elle est tombée de fatigue après avoir veillé dans les bras de son homme. Les yeux plongés dans le lointain, Nivard met un certain temps avant d'apercevoir l'architecte. Celui-ci s'assied près de lui.

– Nivard, il faut oublier ce qui s'est passé cet après-midi, cela n'a pas d'importance. Dieu vous porte sa caresse à tous les deux. Le reste, c'est des poussières de parole, qu'il faut balayer de ses oreilles. Ne reviens pas sur ta décision. Ils n'ont aucun droit sur vous, sur votre amour, et, plutôt que fuir, vous devez vous montrer plus forts qu'eux.

Awen, que le remue-ménage a tirée de son sommeil, reste figée dans son immobilité, soucieuse de ne pas distraire les deux hommes de leur conversation. Attentive, elle écoute, le souffle court.

– Qui vous a parlé de fuir ? intervient Nivard.

– J'ai cru comprendre.

– Le verre sera ma revanche et celle d'Awen sur cette Église de censeurs.

– Alors oublie ce que j'ai dit, clôt le chevalier.

Lorsqu'il se relève, ses jambes sont engourdies et il tient toujours dans ses mains la chandelle de suif qui s'est éteinte. Il la rallume dans un feu mourant avant de partir se coucher. La journée a été rude.

Quand Rosal s'est retiré, Nivard entend une voix douce qui lui souffle :

– Le temps me paraîtra long sans toi. Je vais devoir apprendre à t'attendre.

La nuit enveloppe les amants, plus clémente pour eux que les hommes.

À la veille du départ de Nivard avec Hugues de Payns, Rosal se retire dans le scriptorium de l'abbaye de Clairvaux, affute ses plumes d'oie et, après avoir longuement hésité devant une feuille de vélin toute fraîche, rédige cette lettre :

Nivard, tu t'en vas demain et je veux te laisser une marque écrite de ma tendresse. Les paroles sont des oiseaux qui s'échappent, les mots couchés sur parchemin des oiseaux qui nidifient. Depuis ta venue à Malen, j'ai interprété comme signe tout ce qui s'est passé. Rien ne ressemble au hasard dans notre rencontre comme si l'âme de Thibaut t'avait placé sur ma route pour m'aider à construire cette Jérusalem céleste dont je rêvais avec lui. Avant de nous séparer, je veux que tu saches que nos chemins vont diverger longtemps avant de se rejoindre dans une même œuvre et qu'il te faudra rassembler une force immense pour dominer ton métier et maîtriser ton art.

Dans les mois qui viennent, tu apprendras d'abord la technique, la matière translucide qui tient sa puissance du feu et du souffle de l'homme, la char-

pente de fer et de plomb qui permet de monter les verres en vitraux. Rien d'insurmontable, surtout pour un orfèvre de ton niveau.

Ensuite, tu collecteras les couleurs avec leurs pigments rassemblés des quatre coins du monde. Tu dégrossiras quelques teintes chez les verriers occidentaux avant de te constituer une véritable palette dans un atelier d'Orient. Personne avant toi n'a fait ce beau travail de moissonneur.

Enfin, tu œuvreras la lumière. Dans ce domaine, il n'y a pas de recettes, pas de maître. Tu seras seul avec tes yeux, en équilibre entre le céleste et le terrestre, entre l'esprit et le corps de la matière. La mission qui t'est confiée est ardue, car elle touche à l'air et au feu. Tu seras dans l'insaisissable. Aussi vrai que nous pourrons toujours arrêter notre regard sur l'objet, tes yeux à toi seront sans cesse appelés derrière l'objet et tu ne pourras jamais être sûr de ce que tu as capté. La lumière est diffuse, fugace, changeante, capricieuse. Elle a toutes les ruses. Jamais tu ne seras satisfait de ton ouvrage, si beau soit-il. Jamais tu n'auras assez de couleurs dans tes casiers pour donner vie à un vitrail comme tu le souhaites, jamais tu n'auras la certitude de colorer juste comme on chante juste. Qu'importe ! Tes pas partent du feu et tu dois atteindre le feu, devenir un maître en ton art, l'artisan accompli du grand œuvre, l'Adepte.

Chapitre 9

Cinq hommes quittent Clairvaux pour se rendre à Chartres. En tête, Hugues de Payns donne d'emblée la cadence du voyage. On ne lambinera pas en route. Nivard est d'humeur taiseuse. Arrivé en surplomb de la vallée, il éprouve le besoin de regarder en arrière, en direction de l'abbaye. La silhouette de sa mie se découpe sur le chemin, à l'endroit même où ils se sont quittés. Plantée comme une vigie, elle restera là aussi longtemps que son homme n'aura pas disparu derrière l'horizon. Il partage son déchirement. Awen a pleuré des fontaines quand elle a lu au côté de Nivard la lettre de Rosal. Quand ils se sont séparés, elle avait le sourire fragile et les yeux qui piquaient. Le jeune homme cabre sa monture en signe d'adieu, éperonne la bête et rattrape les cavaliers sur l'autre versant de la colline.

Il fait mauvais voyager en ce temps-là. Hugues de Payns met ses hommes en garde. Il n'est pas rare que des voyageurs soient victimes de bandes isolées de crève-misère ou tombent sous les crocs impitoyables de petits potentats locaux. On n'est

121

plus ici sous la protection du convoi et de son escorte.

Terres en friche, bosquets, futaies et bois obscurs, les régions traversées trahissent l'abandon et respirent la plus complète sauvagerie. Il y a bien de temps à autre des espaces débroussaillés, que des paysans ont regagné laborieusement sur la forêt à la force de leurs bras, mais ceux-ci sont l'exception, tant le danger d'être un jour la proie de malfaiteurs ou de spoliateurs décourage les gens de la terre, même les plus hardis. Il est loin le temps où ce pays était le grenier à blé de l'Empire romain.

Chartres sera la première étape de l'initiation de Nivard. Chartres, c'est d'abord une cathédrale romane, juchée sur un tertre, au pied de laquelle s'alanguit un village aux rues étroites et grouillantes de vie. C'est aussi des reliquats d'une chênaie très ancienne, peuplée d'arbres immenses. Si la bâtisse date d'un siècle environ, certains parmi ces feuillus étaient déjà centenaires lorsqu'elle brûla en l'an mil et vingt et qu'il fallut faire appel à un Méridional pour la reconstruire plus belle et plus grande que jamais. Les plus vieux chênes se souviennent de Bérenger, le maître d'œuvre, et de l'évêque Fulbert, le promoteur de l'ouvrage. D'autres ne se souviennent plus de rien et pour cause : ils ont été avalés dans la reconstruction.

Sur le parvis de la cathédrale, les cavaliers mettent pied à terre au milieu de pèlerins qui se sont rendus ici pour vénérer la Vierge noire, une ancestrale maternité en bois de poirier, que la nuit des temps a rendue aussi opaque qu'elle-même et dont le culte est antérieur à la naissance de Marie, la mère de Jésus. La statue trône dans la chambre dolmenique de la cathédrale, à la confluence des sources souterraines. Nous sommes ici en zone trouble, dans un terrain de mouvance entre la culture celtique et la culture chrétienne.

Hugues de Payns est imprégné de ce lieu jusqu'à la fibre. Il parle avec passion de l'importance tellurique, cosmique et spirituelle du site. Docile, Nivard subit ses explications, dont la majorité lui passe au-dessus de la tête. Il en va autrement des mises sous plomb claires et légèrement ambrées qui habillent les fenêtres de la cathédrale et dont il apprécie, avec ses yeux d'orfèvre et en praticien de la matière, les qualités lumineuses et techniques.

Quand Hugues de Payns a bouclé son tour exalté, fort de cette mission initiatique dont il s'était réservé la primeur, il retrouve son masque en même temps que sa monture et, sans s'appesantir un instant de plus sur le sujet, enchaîne en disant :

— À présent, je vais te mettre en apprentissage chez Gautier de Chartres, qui est verrier près de Senonches. Soma restera avec toi. Il te faudra faire vite, promener tes yeux partout, poser les bonnes questions, ne pas t'attarder sur les tours de main et la virtuosité, que tu auras tout le loisir d'acquérir plus tard. Voir et comprendre la technique et l'esprit d'un bout à l'autre, c'est tout ce que je te demande. Quand tu en sauras assez, tu rejoindras la Loire à Orléans et tu la remonteras jusqu'à ce que tu aperçoives des cheminées de fours en contrebas d'un monastère. Les moines sont au courant de ta venue. Je te le répète, ne t'appesantis pas sur l'accessoire, tu n'en as pas le temps. Après cela, tu te rendras à Paris, à l'abbaye de Saint-Denis, c'est là que je me trouverai.

Sans transition, Hugues de Payns se remet en selle, éperonne sa bête et repart vers l'ouest avec les quatre hommes. Les voyageurs débouchent à la tombée de la nuit dans une vaste clairière. Des rougeoyances clairsemées éclatent çà et là, comme si le soleil dans son repli avait laissé tomber par mégarde quelques paillettes de ses coffres de lumière. Ce sont les fours en veilleuse du verrier Gautier de Chartres. La présence du feu exalte Nivard. Il aime la gifle des flammes, les coups de chaud, l'odeur.

Une femme conduit les cavaliers jusqu'à une importante bâtisse. Le maître du lieu apparaît sur le seuil. Il est à peine aimable. On le dérange en plein repas et il ronchonne.

— Je suis Hugues de Payns, de la maison des comtes de Champagne, dit le chevalier. Vous avez reçu mon courrier ?

— Mouais ! répond le verrier.

— Je suppose que je puis compter sur vous !

— Je ferai ce que votre seigneurie me commande ! bougonne-t-il comme il aurait lancé : « Passez votre chemin ! » à un importun de passage.

De mauvaise grâce, il introduit les voyageurs, leur

offre une hospitalité contrainte et met en réserve une mauvaise humeur qu'il déversera le lendemain, dès que Hugues de Payns et ses deux servants d'armes auront levé le camp pour se rendre à Paris. Nivard et « le nègre » en feront les frais.

Abstraction faite du personnage, Nivard se sent de suite dans son élément et, sans chercher davantage à amadouer le grognon, se laisse reconquérir par l'univers du feu qui est sa passion. On est ici dans un véritable village, dont le clocher n'est autre que la cheminée du grand four autour duquel s'articulent d'autres foyers moins importants ainsi qu'une foison de petites constructions, les unes en rondins de bois, les autres, moins nombreuses, en matériaux durs. La majorité des habitants de ce village sont bûcherons et charbonniers. Le verre est gourmand de combustible et le feu ne fait qu'une bouchée des murailles de bois qui s'empilent partout.

Le maître four de Gautier de Chartres ressemble à une énorme ruche percée de nombreux petits alvéoles de lumière. Il a été construit sur trois étages. Le premier est enfoncé partiellement dans le sol. C'est l'étage du bois, du feu et de la cendre. Le second démarre à la hauteur de la taille d'un homme avec ses creusets, ses trouées incandescentes et tout son monde armé de cannes et de pontils. Plus haut, enfin, on trouve verres à recuire, fumées grises et bûches vertes.

Ventilant, nettoyant, concassant, enfournant, maclant, façonnant, ils sont une armée au service du dragon. Là-bas, de grands soufflets actionnés par des femmes attisent le foyer. Ailleurs, les cendres excrétées sont retirées avec de grands racloirs. Plus loin, on tamise celles-ci pour les resservir au monstre une fois mélangées à la silice. Des ouvrières étendent le sable lavé au pied du four pour le faire sécher. On pile les déchets de briques, on réchauffe les creusets, on charge le mélange séché et pulvérisé, on gave de bois sec la bête jusqu'à ce qu'elle crache un feu d'enfer, capable de transformer sable, cendre et oxyde en salive étincelante et onctueuse. Puis viennent des hommes et des enfants. Ils gravissent les quelques marches conduisant au promenoir de l'étage central et là commence la féerie, la danse des cannes qui cueillent le verre en fusion, le gonflent d'un souffle, le replongent dans la fournaise, reprennent la manœuvre, forment la matière sur des blots de bois, écrasent le cul de la sphère, détachent la canne d'un côté une fois la pièce reprise à son pôle inverse par un pontil, agrandissent le goulot brisé avec des battes de peuplier, l'évasent tant qu'ils peuvent, aplanissent par la giration et par le feu cette sorte d'entonnoir flasque jusqu'à obtention d'un disque incandescent qui pourra à peine s'affaler un moment sur la chaude pelote avant d'être repris et acheminé dans un autre fourneau.

Tout ce monde est à son affaire et ne perd pas une seconde dans la manœuvre, car le verre est capricieux et préfère se réduire en petits morceaux plutôt que de souffrir une hésitation de la part de l'artisan.

Nivard est fasciné. Dans le râtelier, il saisit une canne, la soupèse et se rend sur la passerelle. Près du four, il fait une chaleur insupportable. Les hommes dégoulinent de sueur. Des enfants et des femmes montent de l'eau sans arrêt. Il faut abreuver et rafraîchir les verriers, refroidir les outils, humecter les formes de bois et le promenoir. Nivard plonge sa canne dans le brasier, sort un peu de cette pâte molle et la regarde couler. Il reprend du verre dans le creuset, mais cette fois il fait tourner l'instrument dans ses doigts et parvient à maintenir pendant un moment le verre en fusion sur le métal. Une femme arrose copieusement le plancher qui, à ses pieds, commence à flamber. Il ne s'en aperçoit même pas, tant la matière le subjugue. Il replonge l'outil, le ressort, se penche dans le vide comme les autres verriers et souffle. Rien ne se passe. Il s'entête de plus belle, tant et si bien qu'au bout du combat il tient à l'extrémité de sa canne une petite boule de verre de la grosseur d'une pomme. Il ruisselle. Avisant un souffleur occupé à recuire une pièce, Nivard promène l'objet dans le feu pour le raviver de lumière. Il sort son premier souffle arrêté dans du verre. Il est heureux, dévale la passerelle pour montrer son œuvre à Soma. Il la regarde passer de l'état d'incandescence à l'état de transparence.

– C'est de la magie ! dit-il à son compagnon.

Il se mire dans la sphère, la manipule, jusqu'à ce que tout à coup la boule se fissure et, subitement, tombe en miettes. Nivard est stupéfait, Soma éclate de son rire bon enfant et terrible. Le verre est loin encore d'avoir trouvé un maître.

Les jours qui suivent sont des jours de bataille, où la matière et l'artisan opposent leurs forces respectives. « Il faut gagner du terrain », pense Nivard. « Il ne faut pas traîner », jargonne Soma, qui est pris entre l'obstination du jeune homme et les fermes recommandations du chevalier. Les souffleurs, de distants qu'ils étaient au départ, adoptent progressivement les deux intrus. Les visages se dérident. On plaisante pour le simple bonheur d'entendre rire Soma. Nivard est pris en amitié par Macchus de Courville, le plus ancien des souffleurs du site, une longue et maigre carcasse, aussi filiforme que sa canne. Il arrondit le geste de l'apprenti et doucement transforme en danse ce qui n'était jusque-là que duel.

Sans pour autant devenir affable ni quitter sa superbe, Gautier de Chartres entraîne finalement Nivard dans les recoins de son domaine. C'est un homme fier, qui s'est fait tout seul et que le verre semble émouvoir davantage que les gens. Son métier est solide, il connaît bien le feu, il est sensible aux compliments qui ont pour effet de lui délier la langue.

En ce moment, il supervise ses hommes qui, à proximité de la forêt, bâtissent un nouveau fourneau destiné à remplacer l'ancien, qui se lézarde de vétusté. Les maçons sont sans cesse arrachés à cette construction pour intervenir d'urgence auprès du vieux four, toujours en activité, dont il faut colmater les brèches. Bien qu'il donne le change, le maître du lieu est inquiet du trop lent avancement du travail. Il garde rancune à l'hiver pluvieux, qui est la cause de son retard.

Ses craintes seront justifiées. Un jour, un pan de mur s'effondre à l'intérieur du vétuste foyer, dans un fracas de tonnerre, brisant dans sa chute un creuset et ébréchant un autre. En un éclair, la passerelle est vide. Les hommes et les femmes s'égaillent comme des étourneaux avant de revenir vers la bête, armés de seaux, de paquets de terre et de protections. On referme comme on peut l'immense paupière en se couvrant le mieux possible. L'un après l'autre, on s'expose à l'enfer. Gantés de chiffons, chapeautés de cuir, le corps aspergé de haut en bas et le visage enduit de boue, les hommes écrasent quelques pains de glaise avant de redescendre ébouillantés. Parfois l'un d'eux, suffoqué, s'évanouit et Soma le récupère par les nippes avec une gaffe, comme s'il tirait un poisson hors de l'eau. Reprenant à peine son souffle, Nivard part et repart à l'assaut du monstre. La béance se résorbe, l'œil se ferme, le four éborgné d'une lumière pactise avec les assaillants qui se retirent aux alentours pour se nettoyer et soigner leurs brûlures.

Blanc comme un mort, Gautier de Chartres rappelle ses maçons et, comme si rien ne s'était passé, les ramène aux travaux en cours. On a évité le pire.

À l'écart des foyers, derrière la maison du maître verrier, se trouvent les ateliers où l'on fabrique des mises sous plomb à l'architecture simple, qui ressemblent par certains côtés aux vitraux que Nivard a vu poser à Clairvaux. C'est un endroit de paix. Installées sous des appentis, de grandes tables prennent leurs aises. Derrière et en dessous des tables, il y a des compartiments où on range le verre. Les plaques entières, appelées « cives », sont circulaires. Elles font environ trois empans. L'épaisseur en est variable et la forme inconstante. Au centre de chaque plateau de verre, il y a une protubérance imputable au pontil. Nivard demande au maître verrier :

— Pourquoi les coupeurs éliminent-ils le noyau de chaque disque ? C'est l'endroit le plus vivant, la partie qui accroche le mieux la lumière.

— Il l'accroche si bien qu'avec le soleil il peut enflammer une maison ! rétorque Gautier.

L'apprenti reste pensif. La suppression de la boudine des plateaux a le double désavantage de contraindre l'artisan à composer avec de petits morceaux et de l'amener à gaspiller de la matière.

Dans les ateliers de Gautier de Chartres, la découpe du verre se fait au fer rougi au feu. C'est à partir d'une amorce de fente, faite à l'aide d'un petit martelet ou d'une griffe, que l'artisan va diriger la fêlure avec plus ou moins de bonheur à l'endroit du trait de son dessin. C'est une opération délicate, approximative, qui demande *a posteriori* une rectification de la coupe à l'aide d'un grugeoir, sorte de pince évasée dont on se sert pour émietter les bords du verre jusqu'à obtention de la forme souhaitée.

Le feu joue un rôle important dans la réalisation des vitraux. Il est activé pour la taille des plateaux et pour fondre le plomb lors de la fabrication des profils destinés au sertissage des verres. On le retrouve encore lorsqu'on soude les panneaux assemblés sur la table et précairement maintenus par des petits clous pour éviter qu'ils ne s'éventent. Des fers à embout de cuivre sont alors glissés dans un foyer jusqu'à ce qu'ils soient assez chauds pour fondre la goutte d'étain qui va solidariser à chaque point d'inter-section la résille de plomb.

Passant des fours aux tables de coupe, fondant les profils ou débavurant les baguettes au rabot, dosant, avec Gautier de Chartres et ses fondeurs, silice, cendres et oxydes, pilant fritte ou groisil, s'appliquant à souffler le verre, à alimenter les foyers, à façonner les creusets, Nivard finit par considérer qu'il en a assez vu et qu'il est temps pour lui de se rendre sur la Loire chez les bénédictins. Il en informe Soma qui pour tromper l'ennui s'est reconverti en pourfendeur de bûches. On fait les bagages, on traîne un peu en bonne compagnie, puis, politesse oblige, on s'en va saluer le maître du lieu.

Gautier de Chartres affiche moins de froideur à l'égard de Nivard et de Soma qu'au début de leur sé-jour. Il n'a plus la même lippe méprisante, le même regard hautain, le même verbe cassant. A-t-il révisé son jugement sur les deux hommes ou exulte-t-il inté-

131

rieurement d'être enfin débarrassé de ses hôtes imposés ? Lui seul le sait et, en personnage secret et renfermé, il gardera pour lui la vraie raison de son demi-sourire.

Chapitre 10

En cette belle journée du mois d'août, la Loire coule paresseusement au creux de ses méandres. Il fait sec depuis bientôt trois mois et le filet d'eau est devenu dérisoire à côté des immenses plages de sable roux et de gravier qui le bordent. On dirait un collier d'argent sur la peau cuivrée d'une femme. Il fait bon flâner et quitter les chemins pour remonter tout aussi paresseusement le cours du fleuve. Soma chantonne pour lui-même d'étranges mélopées aux accents lointains et mélancoliques. C'est chez lui une habitude d'homme déraciné que la vie a souvent renvoyé à sa solitude. Nivard n'a jamais éprouvé le besoin de questionner Soma sur son passé, et son compagnon de même, comme s'ils redoutaient tous deux d'endommager par les mots la perception qu'ils ont l'un de l'autre ou d'ébrécher par excès de bavardage leur fraternité profonde.

Chaque détour de la Loire est un ravissement pour les yeux et les deux hommes seraient tentés de suivre ses caprices jusqu'à la source s'ils ne devaient s'arrêter en route pour continuer leur ouvrage. En fin d'après-midi, les premières charbonnières apparaissent, ainsi que des tas de bois empilés avec soin. Plus tard, l'abbaye se détache, imposante, dans les voiles arrachés au lit sanglant du crépuscule. Aux abords du cours d'eau, plusieurs cheminées de four flanquées en sentinelles émergent de leurs abris de bois. La brume déploie ses écharpes en suspension au-dessus de l'eau. Le temps fraîchit et rappelle les soirées de septembre.

Le monastère est hospitalier aux deux hommes, avec son portier diligent et affable, son bout de gras pour tromper la faim et ses litières à la disposition des gens de passage. Mais ce premier accueil n'est rien à côté de celui qui les attend par la suite, lorsque dom Pedro, le maître verrier de la communauté, aura été informé que l'homme dont on lui avait annoncé la venue prochaine est à pied d'œuvre pour parfaire son art chez lui. Le bon moine interrompt sa prière à la syllabe et plante là la pieuse assemblée comme si on lui avait annoncé l'arrivée en chair et en os des quatre évangélistes et de leur sainte ménagerie. Loin de se contenter des courtoises et bienséantes formules de bienvenue, dom Pedro déborde dans l'effusion extravagante et débridée. Passé le premier étonnement, Nivard et Soma sympathisent avec ce petit bonhomme à l'énergie extraordinaire, brassant assez d'air dans ses déplacements pour enrhumer la totalité du monastère. Tendresse ou ironie, les confrères du moine ont surnommé celui-ci « padre Diavolo ».

Il faut reconnaître que padre Diavolo n'a de moine que la soutane et le scapulaire. Pour le reste, la tonsure est plus que négligée et une barbe mal taillée lui ravage le visage depuis le haut des pommettes jusqu'à la moitié du cou et au-delà. Au vu de son poil hirsute et volontaire, les sangliers du domaine doivent le prendre pour l'un des leurs. La singularité physique du bénédictin ne serait rien s'il n'affichait la même désinvolture dans sa vie monastique. Le laisser-aller du religieux est désespérant, à se demander si la règle de saint Benoît a encore une quelconque prise sur lui. Pas un jour ne se passe sans que dom Pedro ne manque l'un ou l'autre office, ne confonde laudes et matines, ne se hâte vers sa stalle en bousculant son monde, alors qu'on en est au dernier verset de l'oraison. Et ce n'est pas tout ! Lorsque le retardataire est en place, ses frères perdent l'unisson et massacrent la prière tant ses soupirs et ses gesticulations rendent le recueillement impossible. En sa présence, les dévotions se passent à le suivre du coin de l'œil dans l'espoir qu'il se calme. Peine perdue ! Les abigotis du moutier ont beau le supplier du regard ou s'épiler la tonsure de désespoir, il ne se calme jamais. Plus l'office se tire en longueur, plus il gratte sa barbe à grand fracas et plus il piétine le sol comme s'il avait des fourmis entre les orteils, au grand dam de la très fervente assemblée.

Padre Diavolo eût été un moine ordinaire, l'affaire aurait vite trouvé son dénouement. Mais il se fait que le moine a, dans la communauté, une activité primordiale. C'est lui le chimiste, on devrait plutôt dire l'alchimiste, tant tout ce qu'il trafique paraît obscur et fumeux. C'est lui qui procède à la préparation de mélanges savants qui donnent naissance à des verres de couleur qui se vendent à prix d'or. À cette époque, la renommée de l'abbaye repose sur son scriptorium et sa prospérité dépend du génie inventif du bouillonnant maître verrier. Comme il faut cent cinquante peaux de mouton pour recopier une Bible et de la monnaie sonnante pour acheter des troupeaux, dom Pedro est un homme providentiel, une manne dans le désert de l'économat monastique, un bienfaiteur des finances bénédictines : une mauvaise raison, mais une raison quand même, pour qu'on lui passe tout ou presque.

On raconte à son sujet qu'un jour le prieur, à bout de patience, fit convoquer au chapitre le turbulent personnage pour l'inciter à tempérer ses ardeurs et lui signifier fermement que sa piété était trop dissolue. Le brave homme, éberlué par cette agressivité soudaine, chavira dans le plus profond désespoir. Il se mit à pleurer avec de vraies larmes, à s'arracher les cheveux avec de vraies racines et à promettre, en hoquetant de douleur, dans un baragouinage latino-roman assaisonné à la sauce ibérique, que jamais plus, jamais plus il ne se ferait entendre ailleurs que dans les répons.

— Je serai muet comme une relique ! eut-il l'imprudence d'ajouter.

Pensez donc ! Il réussit à se contrôler pendant deux offices. Au troisième, il faisait un tel effort pour ne pas respirer qu'il s'endormit dans sa stalle, ronflant comme une fournée de bienheureux épuisés par leur béatification. Au quatrième, le naturel rappliquait au galop.

Le chapitre ne capitula pas et résolut ce problème épineux en faisant construire pour padre Diavolo, à l'extrémité du chœur, une logette isolée, avec accès propre via la sacristie, et qui fut garnie par ses soins de petits vitraux de teintes claires. Cette solution astucieuse et radicale soulagea la communauté enfin mise à l'abri des désagréments sonores et gesticulatoires de l'impétueux ainsi que de ses allées et venues tapageuses et intempestives. Elle évita, par la même occasion, que les novices ne se perdent sur les traces peu exemplaires de leur aîné qui pratiquait, loin des règles monastiques éprouvées, la prière buissonnière.

Pour tout dire, le padre n'était heureux que dans son laboratoire ou lorsqu'il était à l'affût de substances pouvant entrer dans la composition de ses verres. Le mot substance avait pour lui un sens particulièrement large. Ainsi, le sel disparut un jour mystérieusement de la grande cuisine, puis ce fut le tour d'un chaudron en cuivre que le moine fit réduire en fine limaille par ses ouvrières. Une paire de burettes en étain, remisée dans la sacristie, connut le même destin. Au moulin de dom Diavolo, tout faisait farine et on ne pouvait laisser traîner ne fût-ce qu'un bréviaire, sans prendre le risque de le voir disparaître dans un creuset de verre en fusion. Le padre était ce qu'on appelle un esprit curieux, pour ne pas dire un curieux esprit, et si la plupart de ses expériences, trop souvent farfelues, n'avaient abouti qu'à peu de résultats, il n'en était pas moins arrivé avec les années à maîtriser un turquoise assez joli, quelques ambres valables, un vert foncé élégant, un merisier délicat ainsi qu'un pourpre plaisant à l'œil. Ces couleurs qui variaient, suivant les mélanges, du foncé au clair offraient aux artisans verriers une palette agréable, leur permettant innovations et fantaisies.

Si l'abbé était le père de l'abbaye, dom Pedro en était le monarque. Il obtint un jour que le monastère achète à prix d'or quelques poignées de pierres précieuses, dont il voulait extraire la quintessence lumineuse et le pigment en vue d'obtenir de nouvelles teintes. Expérience faite, il ne resta plus dans le creuset que des cendres. Le pauvre homme fut tellement catastrophé et si profondément malheureux que personne n'osa lui tenir rigueur de cet accident de parcours, ô combien regrettable ! On lui pardonnait tout. Son impiété, ses expérimentations avortées, et même ses équivoques familiarités vis-à-vis du personnel féminin attaché à ses fours. Que voulez-vous, si élevé que soit l'idéal spirituel, la tolérance est toujours plus grande et le pardon plus aisé pour les gens dont on a besoin.

El padre Diavolo va trouver en Nivard et en Soma deux confidents privilégiés.

— Les moines sont bêtes, déplore-t-il, et rien ne les intéresse.

Il est seul à porter sur ses épaules toute l'activité verrière du monastère. Il fait mine de se plaindre de sa situation mais il ne faut pas être grand clerc pour s'apercevoir qu'au fond de lui-même il y trouve son compte.

Dans le domaine du verre, où l'auditoire est très restreint, la curiosité de Nivard émoustille dom Pedro et libère sa faconde. Intarissable est la source et innombrables sont les sornettes éhontées qu'il invente sans vergogne pour cultiver son prestige et combler les carences de son savoir.

Dans sa fabrique, le padre, en marge des contraintes de la vie monastique, régente ses gens avec une vitalité débordante. Plaisantant l'un, gourmandant l'autre, passant ses fours en revue, il taquine tantôt une canne, tantôt une croupe féminine. Ici, l'homme est adoré sans réserve et il laisse à son petit monde le plaisir de s'amuser de ses travers. Quand on lui demande :

— Comment était l'office du matin, dom Pedro ?
Il répond :
— Quel matin, mon fils ?
Et quand on l'asticote en disant :
— Vous avez vu la nouvelle recrue ? Un morceau de paradis !
Il soupire :
— Vous direz trois *Confiteor* pour le salut de votre serviteur.

Pendant plusieurs semaines, fort de l'intérêt qu'on porte à ses recherches, padre Diavolo va mettre ses trois fours en service et les expériences vont se succéder à un rythme d'enfer. Nivard aura grand-peine à suivre ce personnage au tonus proche de la frénésie. D'abord, il se perd dans le fatras d'explications dont il est bombardé. Puis, peu à peu, avec le temps, il pénètre dans l'univers du moine et commence à percer son jargon. Dom Pedro est très brouillon, ses formules de composition des verres sont griffonnées çà et là sur un coin de table, sur un mur, ou, plus rarement, sur un bout de parchemin. Nivard reçoit la permission de prendre des notes, ce dont il ne se privera pas. Il rassemble les formules tant qu'il peut, il inscrit tout ce qui lui paraît important.

Par le plus pur des hasards et vraisemblablement grâce au déchaînement créatif occasionné par la venue des deux hommes, padre Diavolo va donner naissance, pendant leur séjour, à une teinte jaunâtre dérivée du soufre, d'une majestueuse beauté. Il accueille le premier échantillon avec un hurlement de joie, il pleure, se met à genoux, tend les bras au ciel. Puis il court comme un marcassin jusqu'au réfectoire où les moines soupent en écoutant religieusement la vie de sainte Scholastique, vierge parmi les élues. Il y fait une irruption tapageuse et, haletant, parcourt les tables en brandissant le résultat de sa découverte.

– C'est le plus beau jour de ma vie, s'exclame-t-il tout en servant à la communauté des *prodigio*, des *consagración*, des *mirifico* et des baisers.

Fort de sa trouvaille, padre Diavolo retourne à ses expériences. Il ne va pas en rester là. Dans la fièvre de la réussite, il allume un second four, compose le soir même avec les fondeurs un mélange amélioré. Le creuset est mis en place, le four commence à rougeoyer, les chauffeurs s'activent, femmes et enfants amènent le charbon de bois dans de grandes hottes, on remplit d'eau les cuvelles. Tout le monde participe de bon cœur au délire créatif du verrier fou.

Vers minuit, alors que le padre, Nivard et Soma sont partis se reposer, une explosion épouvantable secoue l'abbaye jusqu'à ses fondements. Le four s'effondre, le feu se propage dans le local à une allure vertigineuse. Les pauvres gens qui se trouvent à proximité sont fouettés par les flammes. Hommes, femmes et enfants, embrasés comme des torches, tournent sur eux-mêmes en poussant des cris déchirants. Certains parviennent à courir et à se jeter dans la Loire, pour éteindre leurs vêtements en feu. Beaucoup sont atrocement brûlés. Les charbonniers, puis les moines, puis les habitants de Fleury et des villages environnants déferlent sur le site. On recueille les infortunés hurlant de douleur, on recherche parmi les cadavres, qui un proche, qui une connaissance, qui un frère, on tente de combattre l'incendie. Parmi les gens qui sont là, certains restent cois, frappés d'hébétude et d'impuissance, anéantis et sans force devant ce drame épouvantable. On les voit errer les yeux perdus dans cette torchère immense qui éclaire l'abbaye comme en plein jour.

Le plus malheureux de tous les témoins de ce désastre n'est autre que dom Pedro dit padre Diavolo. Il ne gesticule plus, ne tonitrue plus. Dieu lui inflige ce jour-là une peine démesurée, insupportable. Dans sa langue natale, il marmonne pour lui-même en secouant la tête :

– *No es posible ! No es posible...*

Le lendemain, dans le cimetière de l'abbaye, non

loin des cendres encore chaudes du four, Nivard et Soma se joignent aux hommes qui creusent des fosses pour les morts. Le déchaînement des outils n'est rien à côté des lamentations déchirantes de ceux que le malheur a frappés. Les corps ont été allongés parmi les tombes à quelques pas de leur dernier lit. De la Loire, on ramène encore de pauvres gens qui, voulant s'arracher aux flammes, ont péri dans l'eau. Évacuant pelletée après pelletée, comme pour vider de leur mémoire le cauchemar de la nuit, Nivard et Soma terrassent avec ardeur. Soudain, Nivard s'immobilise, échange un regard avec Soma.

— Où est dom Pedro ?

Traversés par la même appréhension, ils déposent leur pelle, sortent du trou et remontent vers l'abbaye d'un pas rapide. Quatre à quatre, ils gravissent les volées d'escalier du laboratoire. Ils en poussent la porte en proie à un affreux pressentiment. Dom Pedro s'est pendu.

Mus par la même révolte, blâmant l'un Dieu, l'autre Allah d'avoir eu la main aussi lourde, les deux hommes détachent le moine, lui enlèvent le nœud coulant qui le cravate. Après s'être concertés, ils recouvrent le mort d'un drap avant de l'amener près des fours et de le poser là pour masquer son acte de désespoir. Dans les bras de Soma, le fardeau a l'apparence d'un enfant. Victime lui aussi, le padre est couché parmi les victimes de la nuit, en terre verrière, et non pas à l'écart, dans les oubliettes d'une Église mettant au ban les suicidés. Nivard en a décidé ainsi. Ce jour-là, il impose souverainement sa justice d'homme.

Chapitre 11

Le soir même, Nivard et Soma sont à Orléans. Ils y trouvent un gîte pour passer la nuit. Dès l'aube, ils reprennent la route, comme si ce retrait hâtif pouvait les distancer de la tragédie dont ils ont été les témoins. Il est des châtiments divins que l'homme ne s'explique pas, il est des prémonitions humaines qui ressemblent tellement à de l'ironie céleste qu'il faut être bien candide pour croire en l'innocence de Dieu. Qu'on ait surnommé « diavolo » un homme dont la mort accidentelle restera associée dans la mémoire des vivants au feu et à l'enfer, questionne Nivard sur le cynisme du ciel et sur la prédestination des humains. Soma s'est remis à psalmodier ses étranges complaintes. Lui aussi est perdu dans ses pensées, mais celles-ci restent contenues dans le jardin de sérénité qui est le sien. « Aujourd'hui on saigne, demain on cicatrise. » Telle est la philosophie du personnage. Chez Nivard on entendrait plutôt : « Sans cesse sourd la blessure. » Faut-il que les artisans du feu périssent par le feu ? L'Etre suprême est-il à ce point chatouilleux sur sa toute-puissance qu'il lui faille briser sec toute velléité de dépassement de ses créatures ? Il fait noir où vont les réflexions de Nivard.

Des femmes ensemencent un champ mal défriché et difforme. Il fait soleil. Trois jeunes filles se taquinent et rient non loin du chemin. C'est bon de les entendre. Awen aussi, c'était mille vaguelettes de rire et des plages lissées de bonheur. Nivard la respire dans sa mémoire, la redessine dans sa tête, il est veuf de ses caresses et de ses baisers. La forêt qu'ils traversent est sauvage et hospitalière à l'amour. Elle lui paraîtra longue cette attente l'un de l'autre.

Brusquement, Soma s'arrête de chanter. Quelque chose d'anormal sort les deux cavaliers de leurs rêveries. Nivard immobilise son cheval pour mieux entendre. Une bataille est engagée non loin d'où ils se trouvent ; ils éperonnent leurs montures et partent au galop en direction du raffut. Plus haut sur le chemin, des voyageurs sont la proie de brigands. Le combat fait rage, on entend le choc des armes et des cris. Sans l'ombre d'une hésitation, Nivard dégaine son épée et se jette à corps perdu dans la mêlée. Soma tire une fronde de sa ceinture et lui emboîte le pas. Lors d'un premier assaut, un homme tombe. Nivard revient à la charge, tandis qu'un archer posté dans un arbre le met en joue avec l'application lente d'un chasseur sûr de lui. Soma l'aperçoit de justesse. Il fond sur son intrépide compagnon et déséquilibre sa monture. La flèche traverse l'air dans un sifflement et atteint le cheval de Nivard à l'encolure. La bête boule avec son cavalier. Lorsque le tireur réengage une seconde flèche dans son arc, la fronde de Soma entre en action et un rond galet de Loire vient frapper l'homme au visage. Le Nubien ne le regarde même pas tomber, il sort son épée et, frappant de taille, frappant d'estoc, il rapplique sur Nivard qui, emporté par sa témérité, se retrouve à présent cerné de toutes parts. Les agresseurs reculent devant le colosse, dont l'arme est redoutable. Un à un, ils abandonnent la partie et se replient dans le bois sans demander leur reste. Une fois hors de danger, Soma se laisse glisser en bas de sa monture et s'approche de son compagnon.

— Le maître n'a pas de prudence ! ose-t-il d'une voix teintée d'angoisse.

Perdu au milieu du désordre, un petit homme surgit comme par enchantement. Il est perclus de terreur et tremble encore de tous ses membres. Il a fait le mort pendant la bataille et c'est miracle s'il n'a pas subi le sort des six servants d'armes qui l'escortaient. Frappés par l'archer ou tombés sous le fer des pillards, les pauvres gens gisent çà et là, immobiles. Le réchappé se tient derrière les deux hommes, qui cherchent parmi les soldats un soupçon de vie.

— Pitié, ne me laissez pas ! pleurniche-t-il les mains jointes.

Il s'agglutine, pourlèche, bégaye des remerciements, les supplie de l'accompagner jusqu'à Paris où il doit se rendre avec un chargement précieux.

On rattrape les chevaux et les mules, et les corps des servants d'armes sont hissés à la hâte sur leurs dos. Quant aux brigands, Soma les traîne au bord du

sentier. Il adosse à un arbre deux d'entre eux toujours en vie, les mettant en évidence pour que leurs
compagnons ou, à défaut, d'autres bonnes âmes viennent les tirer de cette peu enviable posture.

Sans attendre, les trois hommes se remettent en
route. Ils sont sur leurs gardes, l'oreille et l'œil à l'affût du moindre signe suspect. La forêt est devenue
hostile et ils la traversent la main sur le pommeau de
l'épée dans la crainte d'un retour de la bande. Leur
angoisse se dénoue lorsqu'ils arrivent aux portes de
Paris.

À cette époque, les routes sont tellement hasar-
deuses qu'il est plus que courant de croiser des
convois ramenant des cadavres à la place de leur
chargement. Le cortège funèbre ne suscite donc dans
l'effervescence de la ville que peu de curiosité. Nivard et Soma reconduisent le marchand jusqu'à sa
boutique, une petite baraque enclavée dans les quartiers juifs de Paris. L'homme déborde de reconnaissance. Il fera le récit de sa mésaventure à chacun des
membres de sa famille, en commençant par sa
femme et en y revenant par trois fois. Les voyageurs
s'en iraient sur-le-champ si le commerçant ne les re-
tenait, ne les accrochait au propre comme au figuré.
Quand ils parviennent à se dépêtrer et à prendre
congé de la communauté, le marchand les remercie
en leur tendant une bourse replète, tirée de ses soutes. Nivard refuse catégoriquement. L'homme en est
peiné. Déconfit, il rapporte son présent dans sa boutique pour réapparaître quelques instants plus tard
avec un de ces colliers somptueux que portent cer-

taines femmes berbères de haut rang. Il est entièrement tressé de fils d'or sur une hauteur de deux
doigts. En dessous s'agence joliment une rangée de
perles en verroterie, d'un bleu profond comme Nivard n'en a jamais vu. Au bas du collier, on retrouve
le même or tressé et festonné autour des perles.
L'homme présente l'objet en disant :

— Prenez-le, il est à vous, vous en ferez ce qu'il
vous plaira, vous pouvez en tirer bon prix si vous le
souhaitez.

Nivard est admiratif. Jamais il n'a vu une pièce
d'orfèvrerie d'une telle finesse. Il contemple sans le
toucher cet objet dont il a peine à croire qu'il soit
l'œuvre d'un homme. Brusquement, Soma saisit le
collier. En le tenant par les deux extrémités, il le
porte à son cou et s'exclame, épanoui :

— Toi le prendre, ce sera pour la princesse !

Fort de sa trouvaille, il rit de bon cœur.

Ils traversent un Paris grouillant de monde. Voyageurs, commerçants, miséreux, vide-goussets em-
plissent des rues crasseuses. Les enfants courent au
milieu des ordures. L'odeur est nauséabonde et
monte à la tête. Après s'être quelque peu perdus du
côté des faubourgs et des campagnes avoisinant la
ville, Nivard et Soma croisent la Seine, qui plus haut
arrose Saint-Denis. Les abords du fleuve recèlent de
nombreuses activités. De grands chalands de bois tirés par des chevaux ou par des bœufs remontent le
courant. Ces barges arrondies sur l'avant contiennent

les chargements les plus hétéroclites. Des hommes les manœuvrent avec de longues perches. En suivant le fil de l'eau, on peut voir des traînées aux nuances rosées. Elles emportent le sang d'animaux qui, tués à coup de masse dans les abattoirs, ont été éviscérés puis nettoyés dans le fleuve. Plus loin, c'est au tour des tanneurs d'empester l'air et l'eau. Ailleurs les tisserands, les fondeurs et autres corps de métier se cramponnent à la Seine qui, non contente d'être propice à l'échange, s'abandonne aux activités riveraines autant comme réservoir d'eau que comme dépotoir. Nivard et Soma suivent sans hâte le chemin de halage puis s'en écartent là où l'activité devient moins dense et le remue-ménage moins important. Apparaissent dans le lointain clochers, hauts murs, petites masures en grappes, nous arrivons à Saint-Denis.

Nivard et Soma sont introduits dans la bibliothèque de l'abbaye où ils trouvent Hugues de Payns entouré de copistes et d'enlumineurs qui reproduisent des ouvrages anciens et sont armés, pour la main gauche, d'un couteau et, pour la droite, de calame, de rémige ou de pinceau. Le chevalier est absorbé par sa lecture et ne voit pas tout de suite les deux hommes. Son avant-bras est maintenu sur sa poitrine par un bandeau, tandis que sa main valide tourne et retourne les grandes pages en suivant les lignes noires du bout des doigts comme si ses yeux se trouvaient logés à l'extrémité de ses phalanges. À côté du livre s'étale une feuille griffonnée de chiffres et de lettres et truffée de notes imbriquées à hue et à dia. Lorsqu'il aperçoit Nivard et Soma, Hugues de Payns reste interdit un court moment, le temps d'émerger d'une phrase grecque ou hébraïque dans laquelle il macérait complaisamment. Il referme sans bruit son livre, se lève et quitte le scriptorium sur la pointe des pieds en invitant d'un geste les deux hommes à le suivre. Nous sommes ici dans un univers de silence où sommeille la pensée des morts et où le respect commande aux vivants qu'ils prennent garde de les laisser reposer en paix dans le sépulcre de leurs écritures.

Sans se perdre en paroles de bienvenue, Hugues de Payns entraîne les deux hommes à travers les couloirs de l'abbaye, jusqu'à une petite chapelle qu'un certain Suger s'est fait aménager pour se recueillir dans la prière à l'écart de tous. Ce moine brillant et infatigable est en effet sollicité de toutes parts. Tout en gérant les problèmes de son ordre, il fait office de conseiller auprès du roi de France Louis le sixième, ce qui ne lui laisse plus qu'un temps morcelé pour se remémorer que son idéal premier est monastique.

Le personnage est redoutable et redouté. Il est foncé de cheveux, froncé de sourcils, fonceur de physionomie. Tout chez lui est détermination et froideur. Comme tous les hommes de trempe, il est apprécié et détesté. Qu'on le complimente ou qu'on le critique, il arbore la même indifférence sur son visage. À ceux qui lui parlent, il donne l'impression de ne pas écouter et il se plaît à agacer ses interlocuteurs en faisant circuler son chapelet entre ses doigts et en rabâchant dans le même temps ses prières de façon juste assez

perceptible pour mettre les gens hors d'eux-mêmes.
Rien ne lui échappe pourtant et, si on peut déplorer
son apparente inhumanité, on est forcé de reconnaître la pertinence de son jugement et l'intelligence de sa gestion. La communauté des moines
noirs qui, durant cette époque troublée, va à vau-
l'eau et édulcore la règle de saint Benoît, négligeant
temps de silence et offices, trouvera en Suger une
main de fer le jour où, de moine qu'il est encore, il deviendra abbé.

Dans la petite chapelle où pénètrent les trois hommes, Nivard n'aperçoit pas de suite Suger qui, à genoux sur son prie-Dieu, se recueille dans l'ombre.
Son attention est d'abord attirée par une petite fenêtre montée en verres de couleur. Il y a dans celle-ci
des teintes inconnues de lui, notamment un rouge
très lumineux et un bleu très dense de la même famille que les perles du collier d'or qu'il destine à
Awen. Le dessin représenté est purement décoratif,
mais la lumière qui en émane est resplendissante. Nivard marche jusqu'à la fenêtre, comme aspiré par
elle. Elle l'intrigue, car les verres, au lieu d'être
maintenus dans du plomb comme le sont les vitraux
qu'il a vus jusqu'à présent, sont reliés par une matière blanchâtre plus volumineuse, que l'artisan,
après attouchement, prend à juste titre pour du plâ-
tre. Les éclaboussures de couleur s'égaillent sur les
joues de la niche et, plus loin, sur la pierre claire du
sol. Alors que Nivard se demande en lui-même de

quel atelier peuvent provenir des verres d'une telle profondeur et d'un tel éclat, Suger, qui s'est approché de lui sans se faire entendre, lui donne la réponse :

— Ce vitrail vient de Perse, lui dit-il, et regarde-le bien, car j'attends de toi que tu sortes un jour de tes fours des verres aussi parfaits.

Nivard se retourne vers le moine et, dans l'émotion du moment, laisse échapper :

— C'est beau ! On dirait que la fenêtre chante.

Suger n'écoute déjà plus ou fait mine de ne pas entendre. Il repart, s'arrête devant l'autel pour une génuflexion, puis se dirige vers la porte de la chapelle où l'attend Hugues de Payns. Nivard reste devant la fenêtre. Une question le tarabuste : le rouge est-il émaillé ou pas ? Il lui démange de prélever un fragment pour en examiner la tranche et en avoir ainsi le cœur net. Avec son couteau, il tente de provoquer un éclat à un endroit où un très léger ajourement à la lisière d'un verre rouge lui laisse assez de place pour introduire la pointe de sa lame et provoquer une écaillure par une délicate rotation. La lumière coule sur les mains de Nivard. Celles-ci se recouvrent de bleu, d'or ou de ponceau selon ses mouvements. Il aime cette caresse lumineuse, il l'absorbe comme un bois nu une tache de vin. Un infime morceau de verre lui donne la réponse qu'il cherchait. Méditatif, il frappe de l'ongle les fragments colorés du vitrail, comme si le son pouvait lui donner quelque indication sur sa composition. Avec le revers de ses doigts, il en évalue naïvement la tiédeur. Dans ces manœuvres, il ne peut s'empêcher de penser au malheureux padre Diavolo. Quelle exubérance eût été la sienne s'il avait pu cueillir dans un de ses fours une seule de ces merveilles. Il envie ce magicien perse qui a reçu, de préférence à dom Pedro et à tant d'autres chrétiens, le privilège divin d'arrêter dans l'espace et dans la matière l'épanchement d'une couleur parfaitement limpide.

À dater de ce jour, l'œil de Nivard bascule. Les vitraux que quelques moines de l'abbaye de Saint-Denis exécutent au départ des verres du padre lui paraissent fades, peu lumineux et sans vie. Il a beau les regarder dans tous les sens, il ne peut s'empêcher de penser qu'il manque une dimension à cette palette. Il cherche le pourquoi, se torture les yeux et les méninges sans trouver une explication qui le satisfasse, un peu comme on a du mal à s'expliquer pourquoi certains humains ont la grâce et d'autres pas.

Souvent, Nivard abandonne l'atelier pour retrouver la chapelle sous l'action de l'harmonie colorée du petit vitrail. Il en découvre les heures plénières quelque part vers la fin de l'après-midi. Il lui trouve les caprices d'une lune qui se donne quartier par quartier avant de célébrer sa rondeur totale. Parfois, il lui arrive de se trouver dans le lieu en même temps que Suger, mais jamais Nivard ne cherchera à échanger un seul mot avec lui. Il a peu d'attrait pour ce personnage distant à l'intelligence froide, bien qu'il le soupçonne d'être une cheville maîtresse du projet des chevaliers.

Quant à Suger, il a apprécié la sensibilité du verrier qui met le vitrail au diapason de la musique, et cela lui suffit.

Chapitre 12

Hélas à Saint-Denis, quelques jours plus tard, un événement grave bouleverse les plans méticuleusement élaborés par les neuf chevaliers.

Sur plainte de l'abbé de Saint-Benoît, un groupe de gens d'armes se présente aux portes de l'abbaye avec mission d'arrêter Nivard et Soma, accusés du meurtre de dom Pedro d'Alicante. Les preuves sont accablantes. Les deux hommes ont été vus par les fossoyeurs alors qu'ils transportaient le corps. Les soldats font irruption dans l'atelier et, avant qu'il ait le temps de comprendre ce qui lui arrive, le verrier est maîtrisé et emmené sans ménagement. Les choses se passent avec une violence telle que plusieurs mannes de verre sont renversées et que les baguettes de plomb soigneusement débarrassées de leurs balèvres par l'artisan se retrouvent éparpillées dans tout l'atelier.

Pour son bonheur, Soma traîne la savate parmi la foule à la foire du Lendit. Lorsqu'il revient de sa balade, il trouve Hugues de Payns furibond. D'une part, personne ne peut lui dire dans quelle prison Nivard a été écroué. Ensuite, Suger, qui a les faveurs du roi et qui pourrait par son influence enrayer la procédure, est à Cluny.

– Une tête brûlée doublée d'un criminel. Nous perdons notre temps depuis le début avec ce gibier de potence, hurle le chevalier dans sa rage.

Il débagoule sur Nivard, sur les Chassepierre, sur Rosal de Sainte-Croix qui défend l'orfèvre comme s'il s'agissait de son propre fils. Tout y passe : la liaison coupable de Nivard, sa piété relative, son insoumission à toute forme de contrainte. Soma est peiné et, davantage, il est offensé par ce désaveu. Mêlant sa langue natale à un françois approximatif, il répond à Hugues de Payns, lui rapporte l'accident dramatique qui a poussé le moine à se donner la mort. Il raconte leurs faits et gestes en toute sincérité.

À travers son récit, le chevalier perçoit l'élan qui a poussé les deux hommes à agir de manière si dangereusement équivoque : une volonté effrontée et impie de camoufler un suicide. Sans perdre un instant, il fait seller les chevaux et part à bride abattue pour Saint-Benoît en compagnie de Soma.

Ils atteignent l'abbaye le surlendemain dans la nuit, tambourinent sur le portail jusqu'à ce que le portier pointe un œil vague. Une fois dans la place, Hugues de Payns obtient du frère tourier qu'il réveille l'abbé. Le bon père flotte encore dans un demi-sommeil lorsque le chevalier lui commande sans préambule l'exhumation immédiate de dom Pedro.

155

– Vous n'y pensez pas ! s'exclame en premier chef le pauvre homme, ébahi par cette exigence relevant plus du cauchemar que de la réalité.

Lorsqu'il reconnaît Soma et entend la lame d'une épée racler son fourreau, la flamme de son instinct de conservation se trouve subitement ranimée et sa torpeur se volatilise d'un seul coup. C'est malgré tout de très mauvaise grâce qu'il consent à se prêter à cette besogne de fossoyeur et c'est contraint et forcé qu'il accepte de reconsidérer l'événement pénible.

– Est-ce vraiment bien nécessaire ? tente-t-il en désespoir de cause. Tout cela n'a-t-il pas été tranché en équité ? N'est-ce pas une histoire, heu... enterrée ?

Hugues de Payns reste inflexible. Il lui faut deux volontaires en plus du portier. On arrache à leurs plumes deux novices abrutis de sommeil pour les affubler de pelles et de cordes, et voilà les six hommes sur le chemin du cimetière. À la lueur des torches, on dégage la tombe. Le cercueil est hissé et ouvert. Écartant le linceul, Hugues de Payns fait éclairer le visage du mort. Il lui retrousse sans ménagement la barbe et les cheveux de sa main valide pour faire constater au père abbé, qui chancelle et se pince les narines à travers son scapulaire, deux larges éraflures violacées situées derrière les oreilles et venant indéniablement du collier de chanvre que le malheureux s'est cravaté autour du cou. Au vu de cette preuve macabre, le moine, battant sa coulpe, fait reclouer le cercueil et, après un moment d'hésitation, invite les novices et le portier à replacer le padre Diavolo où il reposait. Afin de devancer d'éventuelles

156

questions de la part des frères de sa communauté, il ferme audacieusement la parenthèse en citant :

– Ce que Dieu a donné, l'homme ne peut le reprendre. *In nomine patris...* et caetera. *Amen !*

Après ultime bénédiction et ferme injonction aux novices de tenir leur langue, il rédige la nuit même de sa plus belle écriture une lettre pénitente où Nivard et Soma sont lavés des accusations qui pesaient injustement sur eux. Une fois le sceau apposé, Hugues de Payns et Soma prennent congé de l'abbé qui, jusqu'au porche, les poursuit de ses excuses filandreuses.

De part et d'autre, tant chez le moine regagnant sa cellule que chez le chevalier reparti dans la nuit, les pensées gravitent autour de ce personnage singulier, assez arrogant pour s'être substitué à la clémence divine et avoir imposé sa propre loi à une Église refusant son salut aux désespérés.

De retour à Paris, Hugues de Payns se rend à la prévôté sous une pluie battante, afin de produire la preuve de l'innocence des deux hommes et libérer Nivard. Mais, comble de malheur, dans la pagaille de cette juridiction, personne n'est en mesure de renseigner le chevalier sur l'endroit où le verrier a pu être écroué. Hugues de Payns en appelle au prévôt royal lui-même, une sorte de limace incompétente, qu'un lointain cousinage avec le roi a installé d'office dans cette fonction. Celui-ci entreprend de vagues démarches, questionne mollement ses gens, pour finir par concéder qu'il a perdu son prisonnier.

– C'est fâcheux, mais c'est comme ça, ajoute-t-il

ennuyé. Nous sommes un millier à maintenir l'ordre et il y a dans Paris près de six cents lieux de détention, peut-être même plus. On y fourgue tire-laine, vagabonds, infirmes et autres rebuts de la société. On entasse à gauche, on entasse à droite, là où on trouve de la place. Comment voulez-vous vous y retrouver ?

Hugues de Payns est livide, une ombre se fige sur ses traits fatigués. Ses cheveux trempés de pluie accentuent son profil d'oiseau de proie. Au terme de l'entrevue, il doit se faire à l'idée qu'il n'obtiendra rien s'il ne prend personnellement les choses en main.

Pendant des jours et des jours, il patrouille avec Soma, interroge les gens d'armes, visite cachot après cachot sans aucun résultat. Après deux semaines de recherches ininterrompues, les deux hommes se font douloureusement à l'idée qu'ils ne retrouveront plus le verrier.

Nivard a d'abord été écroué dans une sinistre cave des bords de Seine prenant l'eau chaque fois que monte le niveau du fleuve. Désaffectée l'hiver précédent, elle a été remise en service une fois asséchée. Avec les pluies diluviennes, il faut à nouveau l'évacuer d'urgence. Le détenu se trouve transféré de nuit dans une autre geôle, oblongue, voûtée, crasseuse, exhalant puanteurs humaines, miasmes et humidité croupissante. Ils sont une trentaine à gésir çà et là, grelottant, toussant, crachant, grattant leur vermine, baragouinant de vagues récriminations. L'un d'entre eux est difforme, un autre fou à lier, un troisième à

158

peine capable de se tenir debout. Ce ramassis humain se lève, se couche, urine, défèque, pleure, se bat pour un rien en poussant des cris pitoyables. Nivard s'est blotti contre un mur, il a élu territoire en face d'un des deux petits soupiraux haut perchés par où on peut voir un coin de ciel. Après avoir tenté l'impossible pour se faire entendre, il a choisi de s'enfermer le regard dans cet espace de lumière et d'attendre. De temps en temps, la porte de la prison s'ouvre, soit qu'on adjoigne un nouveau venu, soit qu'on apporte à la pègre la nourriture journalière. C'est un moment de grande agitation. Lorsque les mannes apparaissent, les miséreux se dressent, hurlent, bavent, gesticulent, éructent et, quand la pitance leur est jetée du haut des marches comme à du bétail, ils bondissent, se renversent, montent les uns sur les autres, se frappent, déchiquettent les aliments comme des poules dans un poulailler, au grand amusement des gardiens. Nivard ne veut pas se laisser emporter dans ce jeu de quémande, il se refuse à marcher dans ce processus d'humiliation et de dégradation qui lui répugne, jusqu'au jour où, la faim le tenaillant, il est contraint de se plier à ces règles de survie, sous peine de voir ses forces lui échapper.

Alors que le découragement le mine peu à peu et qu'il commence à s'abandonner à la routine de la détention, la lourde porte grince sur ses gonds, s'entrebâille et, dans le même temps, un petit garçon d'une dizaine d'années dévale les marches de pierre de la prison. Un silence à peine perturbé par le bruit du verrouillage accueille sa chute. Le garnement est

159

mort de peur. Sa peur se transforme en terreur lorsqu'il voit surgir de l'ombre des formes menaçantes et ricanantes. Il tente de se sauver, il court affolé d'un bout à l'autre de la geôle, poursuivi par quelques individus hilares exhibant leur virilité. Nivard se lève d'un bond, cueille l'enfant au passage. L'assemblée proteste, elle veut du spectacle. Portés par les huées et les encouragements du public, les malandrins s'approchent de Nivard lentement, inexorablement. Soudain, l'un d'eux bondit et frappe le verrier à la tête avec une pierre qu'il tenait cachée dans les plis de son haillon. Nivard encaisse le coup. Du sang chaud coule sous sa chevelure, envahit son visage. L'assistance rit et ovationne son champion. Dans un sursaut de colère et avec une sauvagerie folle, Nivard se jette sur l'homme en criant, le prend à la gorge et le cogne contre le mur jusqu'à ce qu'il ne donne plus signe de vie. Relâchant leur étreinte, ses doigts ne se décrispent pas. Il en tuerait un autre, et un troisième s'il le fallait. Il les tuerait tous, autant qu'ils sont, comme un bûcheron abat une forêt. Un à un, les détenus regagnent leur place. Ils sont matés et se taisent. On entend les mouches voler. Nivard s'est rassis, lui aussi, en face du soupirail à la place qui est la sienne. Il ferme les yeux. Il a peur, non pas des gens qui l'environnent, mais de lui-même et des violences déchaînées qui jalonnent son existence. Il pense qu'il est fou.

Le petit garçon est venu se placer près de son protecteur sans faire de bruit. Il a besoin de son aile. Un peu plus tard, les gardiens emportent le cadavre, sans se soucier de connaître qui est responsable de ce rè-glement de comptes. Après tout, ce genre d'incident ne fait-il pas de la place ?

– Comment t'appelles-tu ? questionne Nivard.

– Criquet, comme un criquet, répond l'enfant.

C'est un petit bonhomme maigrichon, mais dont les yeux futés semblent taillés pour toutes les ma-toiseries. Nivard le voit bien dérobant une pomme à l'étal d'un marchand et l'imagine tout aussi bien comploter avec sa bande quelque tour pendable. Pointant le doigt en direction du soupirail, il de-mande au garnement :

– Si je te hisse là-haut, crois-tu que tu sois assez fin pour passer par le trou ?

L'enfant se redresse et jauge un long moment l'ou-verture, avant de se réinstaller près de Nivard. Ma-dré en diable, il devine où son protecteur veut en ve-nir.

– Peut-être, dit-il en arborant son air canaille.

Et il ajoute :

– Mais ce sera cher !

– Combien ? interroge Nivard.

– Au moins cinq sous, lance-t-il.

– Et si je te demande d'aller jusqu'à Saint-Denis pour prévenir un chevalier que je suis ici, quel est ton prix ?

Le petit garçon le regarde de biais et risque :

– Ça, c'est beaucoup plus cher.

– Combien ? fait Nivard.

– Vingt sous !

– Ça peut marcher.

– Tope là ! acquiesce l'enfant en lui tapant dans la main.

– À présent, retiens bien le nom, continue le verrier. Le chevalier se nomme Hugues de Payns.

Criquet fait signe de la tête. Nivard se lève, le gamin le suit. En douce, ils gagnent le soupirail. L'adulte arrache le petit homme au sol et le soulève. L'enfant introduit ses bras dans l'ouverture, sa tête passe de justesse. Suivent le torse et les jambes. On dirait un nouveau-né sortant du ventre de la terre. Avant de s'éclipser, Criquet cadre son minois dans l'ouverture de la petite fenêtre et chuchote à Nivard :

– Hugues de Payns.

Puis il disparaît.

Rendu à l'air libre, Criquet est partagé. Les vingt sous sont bons à prendre, mais le chevalier ne le fera-t-il pas remettre en prison, une fois le service rendu ? La course n'est pas sans danger, et pour réfléchir à l'aise le garnement descend sur les quais de la Seine afin d'élaborer un plan. Après quelques heures d'intenses réflexions, il tient ce qui lui semble être le bon bout pour tirer de la situation les avantages qu'il souhaite sans en subir les inconvénients.

Plein d'assurance, il se rend d'un pas alerte jusqu'à Saint-Denis, frappe gaillardement à la porte de l'abbaye et, au portier qui le houspille, bravache, il proclame, en mettant juste ce qu'il faut d'émotion dans la voix :

– J'ai un message très important pour le preux chevalier Hugues de Payns.

Le portier reste un instant en arrêt puis fait entrer le gamin.

Sous les hautes voûtes du porche d'entrée de l'abbaye, le bonhomme paraît aussi petit qu'une tête de clou plantée dans un mur. Les mains derrière le dos, il arpente de ses jambes d'oiseau la grande pièce austère tout en faisant des clins d'œil aux statues hiératiques qui lanternent sur leur socle. Les choses s'annoncent bien pour lui, et même très bien. Il se gorge d'aise et refait ses calculs :

— Trente ! Non, quarante ! Ça vaut bien quarante sous ! marmonne-t-il encore quand des pas répercutés par l'écho parviennent à ses oreilles.

Il se trouve un peu moins franc lorsqu'il aperçoit derrière le portier deux hommes, dont un colosse imposant comme une chaire de vérité et noir comme un confessionnal. Le ton sec d'Hugues de Payns ébranle davantage encore les finauderies de l'enfant, qui se lance dans ses explications ténébreuses comme on se jette dans un précipice. Le garnement n'a pas le temps d'arriver au bout de son histoire ni de se faire remettre d'avance les quarante sous qu'il escomptait tirer de sa nébuleuse affaire, ni enfin d'obtenir la garantie de ne pas être incarcéré à nouveau. Immolés sur les charbons ardents de la précipitation, tous ses beaux plans se réduisent en fumée.

— Trêve de boniment ! coupe le chevalier. Tu nous conduis à cette geôle ou je t'arrache les oreilles.

Et c'est par la peau du dos que Criquet est hissé sur le cheval de Soma. Il fera le chemin inverse dans sa poigne de fer et, sans filouter davantage, devra conduire les deux hommes jusqu'au cachot où croupit Nivard.

Arrivé sur les lieux, le gamin profite d'une seconde d'inattention de Soma pour filer comme une anguille sans demander son reste. Sur présentation d'un ordre du prévôt, la porte de la prison s'ouvre. Accompagnant les gardiens, Hugues de Payns et Soma descendent dans ce terrier de décrépitude, fétide et misérable. Ils trouvent Nivard halluciné, les yeux rivés sur sa tache de lumière. Il est décharné, pouilleux, méconnaissable. Du sang caillé couvre une moitié de sa figure et ses mains. Soma le prend par les épaules. Il fixe un moment la tête aimée, il retrouve à grand-peine la lueur d'enfance des yeux de son compagnon. Gauchement, il l'aide à se relever. Nivard se sent observé d'une étrange façon, comme si son visage s'était transformé et qu'on ne le reconnût plus.

Le verrier reçoit la lumière comme une giclée d'étincelles. Lui qui en cherche toutes les nuances, qui en explore toutes les subtilités, lui qui espère un jour la filtrer et la transformer en particules sonores et poétiques n'est même plus capable aujourd'hui d'ouvrir les paupières. Montant le cheval de Soma, il se laisse reconduire par la bride à pas d'homme jusqu'à l'abbaye. En chemin, ses yeux retrouvent leur acuité et son regard l'éclat qu'on lui connaît. Il se sent doucement revivre, réapprend l'automne avec ses couleurs fauves et ses soleils frisants. Ses traits maculés de sang et de boue lentement se desserrent. Il prend la gourde que lui tend Soma, se verse de l'eau sur le visage, demande une pièce d'or à ses compagnons surpris. Il la lustre sur sa cuisse, la soupèse, s'amuse de ses brillances, l'agite au bout de ses doigts avant de la jeter derrière lui comme un galet dans une rivière.

— La part de Dieu ! murmure-t-il sans se retourner.

À la sauvette, un garnement ravi sort de l'ombre et récolte son dû.

Chapitre 13

Perte de temps que tout cela ! Hugues de Payns est contrarié et à peine abordable après ces semaines de piétinement. Les mois ont défilé à une allure folle et, avec ces imprévus, Nivard et Soma quittent seulement Paris pour Augsbourg à l'heure où ils auraient dû se trouver à pied d'œuvre avec les artisans verriers occupés sur la cathédrale. Ce retard malheureux va contraindre le chevalier à renoncer à un parcours d'ateliers italiens pratiquant le soufflage du verre du côté de Venise. Le chevalier fait ce choix la mort dans l'âme et l'humeur amère. Pour activer le voyage, il nantit Nivard et Soma de très bons chevaux, espérant par là regagner du temps perdu. Pour sa part, il se rend à l'abbaye du mont Cassin se replonger dans ses livres. Il convient avec les deux hommes de se retrouver chez les bénédictins de Piona, sur le lac de Côme, quelques jours avant Noël. C'est de cet endroit qu'ils partiront ensemble pour Constantinople.

Ainsi donc Nivard, à peine remis d'aplomb, quitte Saint-Denis avec Soma. Le verrier porte sa lourde

pèlerine claire et son compagnon une épaisse cape de
berger. Le froid est vif ce matin-là. À en croire la pâ-
leur des campagnes et la frilosité des feuilles, il a dû
geler sur Paris.

Chevauchant vers l'est, trouvant le gîte à l'avenant
des rencontres, pariant sur leur bonne étoile et sur la
générosité des gens, les deux cavaliers progressent
sans déconvenues ni incidents jusqu'à Augsbourg.
C'est à croire qu'un bon génie s'est mis en tête de
veiller sur eux et d'aplanir les obstacles de la route,
histoire de se faire pardonner les méchants contre-
temps des précédentes semaines.

Arrivés à destination, Nivard et Soma se rendent à
la cathédrale dont une des faces est prise d'assaut par
un échafaudage massif agrippé à ses murs comme un
lierre. Des ouvriers y travaillent. Ils sont occupés,
pour les uns, à ragréer les pierres des fenêtres et,
pour les autres, à mettre en place des barlotières, ces
robustes structures de fer destinées à recevoir les vitraux. Un homme surveille les opérations depuis tout
en bas. C'est le patron. On l'entend vociférer autant
sur ses gens que sur ses enfants, qu'il a amenés avec
lui dans son tour d'inspection.

Le personnage est tout en débordements. Il est tonitruant, écumant, sanguin. Il a la quarantaine bien
enveloppée, la tête blonde, la barbe rousse flam-
boyante et les yeux bleus. À l'entendre de loin, on
l'imagine en colère mais, lorsqu'on se rapproche un
peu, on s'aperçoit que c'est son ton normal et qu'il

n'est pas fâché du tout. Il régente son monde, il aime ses gens avec effusion, voire avec excès, adore ses enfants jusqu'aux larmes et sa femme pour autant qu'elle soit ronde, ce qu'elle ne cesse d'être. En bref, son état de paternité transparaît par tous les pores de sa personne de façon quasi permanente. Il préside en père, il éduque en père, il arbitre en père, il console en père. Dans ses ateliers, il s'adresse à ses ouvriers en disant « mes enfants » et, quand il y a un nouveau venu parmi eux, il l'appelle d'entrée de jeu « mon petit ».

C'est dans cet environnement familial que débarquent Nivard et Soma. C'est paternellement qu'ils seront accueillis par le maître verrier. Le bon homme s'appelle Guido Maier. Il reçoit les étrangers dans sa maison, au sein de sa progéniture. Par la loi des contraires, la femme de Guido Maier est aussi discrète et douce que son mari est expansif. Elle a le sourire patient et la sérénité inébranlable de ceux qui ont en la bonté de l'existence une confiance totale.

Dans cette demeure pleine de vie, le verrier a placé aux fenêtres quelques petites scènes charmantes, traitées en verre et en plomb. Elles ont rapport à son métier. Il en a créé les motifs et peint les personnages. Un vert-de-gris très clair, presque translucide, sert de fond à ces vitraux et agrémente joliment l'intérieur boisé de la maison.

Les fours de Guido Maier se trouvent à Günzburg. Il faut une bonne journée pour s'y rendre. Quant à ses ateliers, ils forment un îlot de petites bâtisses, non loin de chez lui.

Nivard trouve chez les Maier la chaleur d'un foyer. C'est pour lui une dérive du côté de son enfance. Il se souvient de Chassepierre, du château surplombant la rivière et les bois, de son frère Guillaume qu'il entraînait dans ses mauvais coups. C'était l'âge des niches, des chamailleries et des réprimandes. C'était l'époque des grands feux et des voyages dans l'imaginaire sur les genoux du père. C'était surtout l'âge tendre. Il se revoit à la grande table, trempant et retrempant la plume dans l'encre et dessinant de grandes lettres avec application. Il aimait que sa mère passe la tête au-dessus de son épaule en révisant à mi-voix son travail. Ses cheveux sentaient bon.

Dans ses ateliers d'Augsbourg, Guido Maier emploie un petit four qui, contrairement à ce que Nivard imagine de prime abord, n'est pas destiné à fondre le verre, mais bien à recuire les fragments de vitraux que le verrier juge bon de peindre. Le pigment utilisé à cette fin est une substance poudreuse grisâtre, à base de calamine pilée ou de cuivre battu et brûlé à la forge dans un poêlon de fer, à laquelle on additionne du verre finement broyé. Pour appliquer cette poussière au pinceau sur la surface vitrée, on la suspend dans du vinaigre, du fiel de bœuf ou, à défaut, de l'urine. Une cuisson bien menée va incruster le motif dans le verre de façon inaltérable.

Cette technique est une porte ouverte à la représentation figurative, car elle permet de compléter et d'affiner le tracé fruste des plombs. Nivard comprend à présent pourquoi Rosal de Sainte-Croix accordait de l'importance à la qualité de son dessin. Il ne fait plus de doute pour lui qu'au-delà de la lumière et de la couleur, le chevalier attend du verrier qu'il soit un jour capable de traiter les Écritures en images afin de les rendre plus accessibles aux gens simples.

Profitant d'une cuisson que prépare le maître verrier d'Augsbourg, Nivard peint pour le plaisir quelques chutes de verre informes au côté de Guido Maier. Autant le brave homme a la main lourde pour ce travail et peine sur son pinceau comme s'il gravait des lettres dans la pierre, autant Nivard a le poignet souple et le geste aérien. Il brosse en quelques traits un visage, un oiseau, une femme dans les drapés de sa robe, dans le même temps que son compagnon dessine maladroitement une main en s'y reprenant par trois fois et en utilisant plus la hampe de son pinceau, pour gratter l'excès de grisaille, que sa partie poilue. Cette raideur manifeste du maître des lieux ne le complexe guère. L'homme est foncièrement bon et ignore ce que jalousie veut dire. Il prodigue d'abondants conseils dans son roman rugueux et commente avec force détails les subtilités de cette technique délicate, dont il est lui-même un piètre praticien.

Une fois les morceaux préparés, vient la cuisson. Au lieu de contenir un creuset, le petit four de Guido Maier abrite une chapelle en terre cuite dans laquelle se trouvent des plaques superposées, résistantes au feu. C'est sur ces plateaux amovibles que les verres peints sont empilés dans un saupoudrage de craie de façon à ne pas coller les uns aux autres. Après quoi la partie frontale de l'habitacle est maçonnée. Seul un trou de la taille d'une pièce de monnaie échappe au colmatage. Derrière cet orifice, Guido Maier a placé, sur deux petits supports, une tigelle de verre qui fléchira lorsque le moufle atteindra la température critique où la grisaille pénètre dans la matière. Tout est paré, on allume le feu. Pendant des heures, la flamme est nourrie. Et puis vient le moment magique. À travers un bout de roseau posé sur l'œil, Nivard peut voir par le judas la montre qui ploie et une lueur aveuglante dans le ventre de la chapelle. Subjugué, il regarde rougeoyer par le dedans cette construction de terre tout ordinaire et cette vision le bouleverse dans son cheminement d'orfèvre pavé d'interrogations sur lui-même et d'espérances fragiles. Il comprend subitement Coline qui disait :

– Elle est belle ta châsse, mais trop noire en dedans !

Sans attendre davantage, les hommes cassent le feu et retirent le gros des braises afin que la température cesse de monter. On défournera plus tard, quand le verre aura eu le temps de refroidir à son aise.

Dans toute la ville d'Augsbourg, on peut affirmer qu'il n'est pas meilleur homme que Guido Maier. Même en cherchant bien, en se glissant en douce derrière les hauts murs des monastères et autres lieux de sanctification, on aurait grand-peine à trouver un rival dont le cœur pèserait plus lourd sur la balance de bonté que celui de Guido Maier. Jamais cachottier, il livre à Nivard ce que l'expérience lui a appris de son métier. Il lui raconte tout dans un désordre complet, passant de ses fours à son naufrage, de son séjour en Angleterre à la chasse au renard. Il faut être attentif pour suivre le personnage et se faire une idée du parcours qui fut le sien.

— Les Maier sont verriers de père en fils depuis trois générations.

Et il ajoute les yeux ronds et le torse bombé :

— Ce n'est plus une filiation, c'est une dynastie !

Ainsi Nivard apprendra que l'activité décolla du temps du grand-père, qu'elle battit de l'aile du temps du père et qu'elle reprit son envol grâce au fils qui reçut un solide apprentissage dans deux ateliers anglais.

Le premier chantier auquel Guido Maier participa à l'étranger fut celui de York où la cathédrale, déjà dotée de vitraux anciens, avait besoin de sérieuses restaurations. Ce fut pour lui l'occasion de s'initier à plusieurs facettes du métier, allant de l'extraction du plomb ou de l'étain à la remise en état des baies vitrées.

Après une année au service de cet atelier, sentant qu'il plafonnait à York, Guido Maier s'en alla trouver son employeur, le remercia en arguant qu'il devait regagner son pays d'urgence pour des raisons familiales. Le patron accepta son congé. Guido Maier empaqueta ses affaires, fit ses adieux à ses camarades et prit sans plus attendre le chemin de Douvres.

Au lieu de rejoindre la côte et de s'embarquer, le Bavarois commit un méfait impardonnable, qui aurait pu lui coûter la vie. Il s'en alla à Canterbury trouver une maison concurrente et, sans mentionner qu'il venait de York, demanda qu'on l'y engage. Au vu de son expérience, il fut pris sur-le-champ comme souffleur et fut initié par ses pairs à la technique de fabrication de plaques de verre au départ de manchons. Il œuvra deux années pleines sur la cathédrale, sans jamais faire mention de son passage à York et sans jamais éventer les secrets de l'atelier rival. Pour Guido Maier, dont la propension naturelle allait dans le sens d'une divulgation à tous vents de son savoir, ce mutisme contraint fut un véritable calvaire. Le courage modéré du personnage joint à la frousse de se faire dénoncer ou repérer par des artisans de son ancien patron l'aidèrent largement dans cette épreuve quasi insurmontable du silence. Il connaissait le sort peu enviable réservé aux transfuges. Une fois découverts, ceux-ci étaient pris en chasse par l'atelier délaissé et occis sans autre forme de procès.

Tout se passa fort bien pour Guido Maier jusqu'au jour où, par un malencontreux hasard, il tomba nez à nez avec un maître verrier qu'il avait connu sur son premier chantier. Son sang se glaça et, sans demander son reste, le Bavarois plia bagage et quitta l'Angleterre.

À l'instant même où il embarquait pour le continent, un homme, armé d'un poignard, pénétrait dans la maison qu'il venait de quitter...

Comme un malheur n'arrive jamais seul, le bateau qui l'emportait fut pris dans une tempête terrible, qui dura plus d'une semaine. Un vent violent emporta le voilier démâté et vidé de sa cargaison jusqu'à la pointe de Bretagne, où il vint s'abîmer sur les rochers. Guido Maier échappa à la noyade par miracle, mais, s'il survécut, son bagage, son argent et ses notes disparurent dans le naufrage. Abattu par ce désastre, il se mit à vagabonder, puis remonta la côte à la recherche de petits emplois saisonniers pour se reconstituer un pécule et rentrer chez lui. Il se fit enrôler dans la garnison d'un seigneur. Cela dura aussi longtemps qu'il n'encourut pas le risque de devoir se battre. Il travailla ensuite dans une meunerie, trouva la meunière charmante et le meunier aussi balourd que ses sacs. Il plut à l'une et pas à l'autre. Les choses se gâtèrent définitivement sur un retour inopiné du meunier, qui avait oublié son bonnet. La belle histoire se termina par un coup de fourche mémorable dont Guido Maier allait conserver dans le fessier des marques indélébiles.

Après ces dérives, le mal du pays s'empara du Bavarois qui repartit à pied vers sa terre natale. Il lui fallut près d'une année pour regagner Augsbourg et, sans un croisé qui remontait sur l'Allemagne et qui le joignit à son escorte, il aurait lanterné davantage.

Alors qu'on ne l'attendait plus, il refit surface un matin d'octobre, pauvre comme Job, mais nanti de tout un savoir qui n'attendait plus que d'être mis en œuvre.

Guido Maier aime ressasser cette période bohème de sa vie et évoquer, dans les parties ombrées de son récit, la grande aventure amoureuse de sa jeunesse, toujours vivace dans son cœur et rebelle au désenchantement.

— Que tout cela reste entre nous, hache-t-il dans l'oreille de Nivard pour conserver à l'événement le sceau désuet de son secret.

Dans les ateliers de Guido Maier, il est une chose qui étonne Nivard. Contrairement à ce qu'il a toujours rencontré jusqu'à présent, la forme de la plupart des feuilles de verre entreposées dans les casiers n'est pas circulaire mais bien rectangulaire. De plus, à son étonnement, on ne trouve pas sur ces plaques la marque du pontil. Intrigué, il questionne le maître verrier sur l'astuce permettant au souffleur de transformer en rectangle des plateaux ronds et lui demande par quel stratagème il parvient à faire disparaître l'excroissance centrale. Guido Maier s'amuse et, avec la délectation d'un ours en arrêt devant une galette de miel, lui répond :

— *Morgen !*

Ensuite, dans un roman cahotant et hachuré, il enchaîne :

— Demain, je dois me rendre à Günzburg pour visiter mes fours, vous viendrez avec moi, je vous montrerai tout.

Le matin tôt, ils sont en route et ce n'est que dans la soirée qu'ils débouchent sur une clairière noyée dans une forêt de hêtres et de bouleaux, riveraine du Danube. Comme pour les autres verreries que Nivard a fréquentées, le bois et l'eau sont les pivots de l'activité.

En raison de la rigueur du climat, les fours de Guido Maier s'abritent dans un énorme bâtiment. Trois cheminées, correspondant à trois fours, émergent de la toiture. À l'intérieur de la bâtisse, l'activité est mise en veilleuse pour la nuit et seul le four du milieu occupe encore son monde. On y recuit du verre afin d'en éliminer les tensions. Guido Maier est le concepteur de ce fourneau et il n'en est pas peu fier. C'est la réplique, mais beaucoup plus imposante, du four utilisé à l'atelier d'Augsbourg pour fixer la grisaille des vitraux, à cela près que rien ici n'obture l'habitacle central.

C'est le lendemain que Nivard retrouve la majesté des verriers et la souplesse de leur danse. Ce jour-là il perçoit les différentes étapes qui font d'une sphère un rectangle plan. Le point de départ est une boule grossie par le souffle, que le cueilleur replonge par trois fois dans le bain de verre en fusion pour obtenir une masse plus lourde. Il la souffle en prenant soin de la tenir en équilibre par giration, puis il la fait balancer au bout de sa canne. Par la force centrifuge et par modelage sur un caniveau de bois, la sphère s'étire et se transforme en un long cylindre éblouissant, le canon. Il y a près des fours de profonds fossés, où ces canons oscillent comme d'immenses et affriolants fruits de lumière léchés par un vent gourmand. Le spectacle est sublime. Dès qu'un manchon est façonné, il est ouvert à ses extrémités par tout un jeu de cannes et de pontils qui manœuvrent la pièce comme de longs becs d'oiseau, l'attrapent puis s'en défont. Lorsque le cylindre est ouvert sur ses deux embouts, on le fend sur toute sa longueur à l'aide d'un fer rougi posé sur un tapis de sciure. La fissure est maintenue entrebâillée et le canon est porté jusqu'au four d'étendage. C'est là que le verre sera déployé et aplani, avant de prendre le chemin du fourneau à recuire qui se trouve plus loin.

Guido Maier se ménage le privilège de conduire la visite et s'arroge le bonheur de l'initiation. Il parle à profusion et Nivard le laisse à sa prodigalité verbale, soucieux de ne pas décoiffer le panache de cet homme qui, par la force de sa passion et de sa volonté, s'est rendu maître de l'atelier de verrerie le plus avancé de tout l'Occident chrétien.

Chapitre 14

Guido Maier laisse ses compagnons à Günzburg et s'en retourne seul le lendemain, une fois les mélanges préparés. Il reviendra dans une quinzaine de jours pour mettre la verrerie au ralenti jusqu'au printemps. Nous sommes aux portes de l'hiver et, bien que la saison reste clémente, le verrier craint l'arrivée massive du froid et de la neige après la nouvelle lune.

Deux semaines, c'est trop court pour se familiariser avec un atelier de cette envergure, c'est peu pour apprivoiser les gens. Le contremaître de Guido Maier est une impressionnante brute terrorisant son monde et menant l'activité de la fabrique d'une main de fer. Il souffle le verre avec une dextérité exceptionnelle, ce qui lui a valu ce poste à haute responsabilité. La présence des deux hommes lui déplaît souverainement et il ne le cache pas. Soma, dont les origines sont difficilement camouflables, est davantage visé que Nivard. Pour comble de malchance, le responsable de la verrerie est le seul sur le site à s'exprimer en langue d'oïl pour avoir été mêlé à cette croisade populaire de triste mémoire, qui allait s'en prendre aux juifs d'Allemagne et à leurs biens. Il parle sans honte des sévices perpétrés contre ces pauvres gens, comme s'il avait rendu là un grand service à l'humanité. Il se vante d'autres prouesses telles que le massacre des habitants de Jérusalem auquel il participa activement avec les croisés de France en l'an mil nonante-neuf. C'est après ces hauts faits de bravoure que, estimant avoir assez payé de sa personne, le soldat changea l'épée du redresseur de torts contre la canne du verrier.

Évitant le contremaître autant que possible, Nivard observe et note tout ce qu'il peut débusquer comme astuces et tours de main. Il acquiert peu à peu cette perspicacité aiguisée des hommes de métier, qui promènent leur regard exactement où il faut. Rares sont les choses qui échappent à sa compréhension. Regagné par l'attrait du feu, il reprend une place parmi les souffleurs à côté d'un garçon à peine plus âgé que lui, d'une surprenante habileté. L'artisan s'appelle Hermann Brock. Il assiste Nivard dans cette pratique délicate du soufflage des canons, en utilisant, pour communiquer, la seule éloquence de ses gestes et de ses mimiques.

En cette fin d'automne où le froid commence à percer, les femmes qui lavent le sable et les bûches de hêtre et de bouleau, passent plus de temps à se réchauffer près des fourneaux qu'à tremper leurs mains dans l'eau glacée du fleuve. À cette époque de l'année, la verrerie devient plus que jamais communautaire. On y vit, on y mange, on y dort. Nivard et Soma ont leurs quartiers parmi les saisonniers qui séjournent dans le voisinage des foyers. Il y a dans ce lieu une odeur de fusion et de cendre qui ne quitte plus la mémoire d'un homme une fois qu'il l'a respirée.

Soma, qui jusqu'à présent s'est contenté d'accompagner Nivard et qui n'a à ce jour manifesté qu'un intérêt très modéré pour ce matériau fragile et capricieux qu'est le verre, se découvre une véritable passion pour la forge. Au départ de cette attirance, un homme, un maître forgeron débonnaire et accommodant, qui tient son atelier à proximité de la verrerie. C'est là que sont façonnés cannes et autres ustensiles nécessaires à la fabrication du verre. Si cet endroit se défend d'être une salle de torture ou un cabinet d'arracheur de dents géantes, il n'en est pas moins hanté par une foule d'objets insolites et inquiétants, allant de la pince monstrueuse à la louche gigantesque, autant d'instruments requis pour la fabrication du verre. Veillant comme Nivard à se trouver le moins souvent qu'il peut dans le champ d'action du contremaître, Soma s'est découvert ce lieu hospitalier, où il fait bon stationner des heures au chaud et en agréable compagnie.

Arnold de Chambesy, le maître forgeron, est un homme tranquille. Son sourire permanent rivalise avec celui de Soma. Il a la dégaine nonchalante et féline, la démarche souple. Il parle posément, se déplace lentement, prend le temps qu'il faut pour expliquer à ses aidants les manœuvres, sans jamais se précipiter ni élever la voix. Il sort son fer du feu ni trop tôt ni trop tard, frappe juste sans frapper fort. Arnold ne cogne pas le fer, il le domestique.

Un regard suffira pour que les deux hommes se mettent à faire sonner la même enclume, ce qui leur donnera davantage encore de complicité.

À côté de Soma, Arnold paraît petit, mais une solidité formidable émane de son torse puissant, de ses épaules et de sa nuque. Sans épate, il montre un jour au colosse la marche à suivre pour forger une canne de souffleur de verre. Rien n'est moins évident que cet objet perforé en son centre et évasé sur le bout. Nous sommes à nouveau au cœur des métamorphoses de la matière.

Le point de départ est une plate d'acier doux de la hauteur d'un homme et dont la section équivaut à trois fins doigts accolés. Cette barre est le fruit d'un coulage et en porte toutes les irrégularités. En la chauffant au rouge fragment après fragment et en la martelant, Arnold de Chambesy la profile de façon que le fer soit constant, ait une bonne épaisseur sur le centre et parte à rien sur les côtés, un peu comme s'il s'agissait de la lame d'une épée à deux tranchants. Ensuite, le métal repassé au feu est roulé sur un carré d'enclume creusé d'une gorge profonde de manière à amorcer l'arrondi de la canne sur toute sa longueur. Contrairement au canon de verre que l'on ouvre, le cylindre ébauché va progressivement se refermer

sous les coups du forgeron et l'opération durera
jusqu'à ce que les bords amincis se chevauchent.
Pour souder la couture, Arnold charge le feu jusqu'à
la gueule et un gamin actionne le soufflet comme un
diable. Il faut à présent amener le métal à la limite
de sa fusion. À chaque chauffe correspond une opération minutieuse où le forgeron, après avoir saupou-
dré de silice la langue de lumière, marie les fers au
marteau dans un pétillement d'étincelles. L'opération est répétée sur toute la longueur de la canne.
Quand le jumelage est terminé, l'artisan procède aux
dernières finitions, aménage les embouts, resserrant
l'un et évasant l'autre. Une fois la canne redressée
sur l'enclume et prête à l'emploi, il l'abandonne pour
une autre besogne.

Soma, que la démonstration a peu impressionné,
tant la forge d'Arnold de Chambesy respire la faci-
lité, voire l'insouciance, brûle de tenter la même expérience.

– Je peux ? dit-il en montrant le tablier de cuir.

Arnold y va de son regard amusé, lui choisit un
marteau à la mesure de la tâche et casse le feu pour
redonner de l'ardeur au foyer avant de le recharger
de plus belle. Cela fait, il laisse Soma à son ouvrage.

L'œuvre sera laborieuse pour ne pas dire cauche-
mardesque. Une à une, les barres coulées par le forgeron s'abîmeront dans le gouffre de cet apprentissage. Le brave Soma va donner naissance à toutes les
difformités imaginables en matière de canne de verrier : cannes à hernies, cannes obturées, cannes partiellement fondues. Les gouttes de sueur sécrétées

par le géant rempliraient des seaux et son sourire légendaire n'est plus que l'ombre de lui-même. Soucieux de ne pas refréner les tentatives de son compagnon, Arnold de Chambesy, sous des dehors de parfaite désinvolture, n'en est pas moins quelque peu inquiet lorsqu'il jette un coup d'œil du côté de sa matière première.

Au bout d'une semaine, à la surprise générale, on entend dans l'atelier la note pleine d'une trompette thébaine. C'est Soma qui, dans l'euphorie, fait sonner la première canne digne de ce nom fabriquée par ses mains. Dans l'atelier, c'est l'éclat de rire ; pour Arnold de Chambesy, c'est le soulagement.

Fier de son ouvrage, Soma gagne la verrerie, espérant y trouver Nivard pour lui offrir le cher objet. Il y fait une irruption quelque peu tapageuse, gravit les marches qui conduisent au grand four autour duquel les souffleurs sont en pleine action. Cette intrusion irrite le contremaître occupé à former la paraison qu'il vient de cueillir. Le verre qu'il travaille est incandescent et des morves lumineuses s'en détachent encore. Sa canne est chauffée au rouge à proximité de la boule et un jeune garçon arrose le métal copieusement pour la refroidir.

D'un seul coup, la colère du souffleur éclate, la masse en fusion menace Soma, alors qu'une voix énorme lui hurle :

— *HERAUS !*

Autour du four, c'est la consternation et l'effroi. Soma a lâché son présent et recule devant la boule de feu qui se rapproche de lui. La paraison lui brûle le visage et il ruisselle de sueur lorsqu'il se retrouve acculé contre une paroi. Il croit voir la fin de son calvaire lorsque le verre incandescent s'éloigne quelque peu de son torse. Mais voilà que cette masse torride revient comme la foudre s'écraser sur la bavette de cuir de son tablier. Un nuage de fumée, répandant alentour une immonde odeur de corne et de viande grillée, le recouvre. La douleur lui arrache un cri déchirant que répercutent les artisans atterrés. Le contremaître laisse tomber par terre sa canne de verrier, que la chaleur de la paraison a rendue brûlante, tandis qu'un seau d'eau s'abat sur la poitrine du blessé.

Le sourire du Nubien s'est effacé et de son visage torturé ne ressortent plus que des yeux injectés de sang. Ses poings s'abattent sur la brute. Ils sont lourds comme des masses enfonçant des coins. Le contremaître tombe en bas de la passerelle. À peine est-il relevé que Soma le frappe au visage. Il riposte à son tour. Ensemble, ils roulent par terre, se pilonnent tantôt l'un, tantôt l'autre. Autour d'eux, tout l'atelier fait cercle en gueulant. Des canons sont renversés, des bancs traversent l'espace. Les deux hommes ont le visage en sang. Ils sont ivres, titubants, engagés dans une lutte à mort. Projeté contre un poteau par Soma, le contremaître s'écroule sans connaissance.

Quand il retrouve ses esprits, il trouve Soma enraciné devant lui. Nivard, qui essartait du côté du fleuve et qu'on est allé chercher, accourt sur le lieu. Un silence menaçant règne autour des fours. La coupe déborde. Cette fois-ci, le chef d'atelier a dé-

184

passé les bornes ! Les ouvriers ne contiennent plus leur colère. En masse, ils marchent dans sa direction. Le verrier maudit recule tandis que monte une rumeur d'abord sourde et puis sonore.

C'est comme un chien misérable que l'homme déguerpit de la verrerie de Günzburg sous la huée de ses gens.

Pendant quelque temps, on ne voit plus Soma, que le forgeron a recueilli dans sa petite maison. L'épouse d'Arnold de Chambesy y a aménagé l'espace pour que le blessé s'y trouve bien. C'est une jolie femme, avec d'étranges yeux d'enfant que l'on dirait plongés derrière la vie, comme s'ils avaient le privilège de connaître ce qu'il y a dans ce trou obscur où les âmes se perdent. C'est elle qui soigne les brûlés.

Lorsque Soma refait surface, c'est pour donner du rire et s'amuser de cette mauvaise farce, pour laquelle il n'arrive même pas à garder rancune.

Guido Maier réapparaît sur le site à la date convenue. Il est consterné lorsque les hommes lui racontent l'incident. Il en verserait des larmes. Il est atteint dans son hospitalité et son bon cœur.

— Comment peut-on faire des choses pareilles ! déplore-t-il et, haussant les épaules, il soupire : Quel dommage ! Un si bon ouvrier !

C'est dans la morosité qu'il endort sa verrerie pour l'hiver et qu'il paie ses gens en argent ou en terre défrichée de sa concession.

Après quoi il repart vers Augsbourg avec Nivard et Soma, en emportant ses charretées de verre. Sur la route, il retrouve sa faconde coutumière. L'année a été bonne, la gamme de verre est belle et on n'a pas trop souffert de l'arrière-saison. À présent, c'est dans ses ateliers de vitraux que les choses vont se passer.

— J'ai vingt-deux fenêtres à habiller dans la nef de la cathédrale. J'ai déjà mon idée !

— On peut savoir ? demande Nivard.

Comme un stratège déployant ses armées, Guido Maier proclame avec emphase :

— À l'ouest, j'alignerai les prophètes et les rois, à l'est, les apôtres.

Le verrier d'Augsbourg regrette le départ imminent des deux hommes et estime qu'ils devraient rester quelques jours encore, histoire d'asticoter le chevalier qui les attend en Italie pour la Noël.

Les cavaliers sortent de la forêt à la tombée du jour. Quand ils arrivent au bas de la cathédrale, leur attention est attirée par un cri d'enfant amusé. C'est la voix de Gaëlle, la fille cadette de Guido Maier. Les trois hommes l'aperçoivent parmi les nuages et les oiseaux, tout en haut de l'échafaudage disposé contre un clocher de l'édifice. Guido Maier est épouvanté :

— Descends, Gaëlle, tu vas te tuer ! hurle-t-il de frayeur.

Il crie si fort que l'enfant prend peur, se met à pleurer et à trembler de tous ses membres. Le vide appelle la gamine et tournoie en dessous d'elle comme une roue. Nivard éperonne son cheval et, sans mettre pied à terre, intercepte au passage une traverse de l'échafaudage qu'il escalade palier par palier aussi vite que possible. La petite veut se relever et tourne sur elle-même. Soma s'est mis en dessous de l'endroit où elle pourrait tomber, espérant naïvement amortir sa chute au cas où elle basculerait. Quant à Guido Maier, il a perdu son sang-froid et ses hurlements incontrôlés frisent l'hystérie. Nivard progresse dans sa course, s'accroche et se rétablit étage après étage. Il est aux trois quarts de la hauteur lorsqu'il entend un cri. L'espace d'un éclair, il voit chuter la fillette. Quand elle arrive à sa portée, il se délie comme le cuir d'un fouet et dans un réflexe désespéré, jetant d'un côté un bras autour d'un madrier et agrippant de l'autre les vêtements de la gamine, il l'immobilise dans l'espace.

Les jambes ballantes comme une grappe de pendus, Nivard et Gaëlle restent un long moment en suspens dans le vide avant que Soma ne les décroche, l'une puis l'autre.

En bas de la cathédrale, Guido Maier libère dans des pleurs son trop-plein d'épouvante et de gratitude. Il serre contre lui son joyau de petite fille, dont le nom recouvre autant l'enfant qu'il chérit que cette idylle ancienne à laquelle il reste accroché depuis sa jeunesse avec bonheur. Sa face rougeaude se camoufle dans les boucles blondes de Gaëlle. Sans oser regarder les deux hommes, il court jusqu'à sa maison, emportant son trésor.

Nivard et Soma restent à attendre sur le parvis de la cathédrale, laissant à Guido Maier le temps de se défaire de son sanglot. Un peu plus tard, les enfants viennent chercher les deux hôtes. L'orage est passé. Le brave homme, encore sous le coup de l'émotion, retrouve peu à peu sa volubilité. L'incident glisse dans les oubliettes de la mémoire, tandis qu'une dette de reconnaissance imprime sa marque indélébile dans le cœur encore palpitant du verrier augsbourgeois. Une gravure au couteau dans l'écorce d'un hêtre.

Chapitre 15

Nivard et Soma s'apprêtent à quitter Augsbourg sous un ciel chargé de neige. Conformément aux prévisions du maître verrier, l'hiver arrive d'un bloc. Les charrois de verre n'auront pas connu cette année le désagrément d'une progression pénible à travers des paysages enneigés, ce dont Guido Maier se félicite. Par contre, le brave homme est moins heureux de voir ses deux hôtes s'aventurer sur la route. La saison est trop avancée pour affronter les montagnes et il n'est pas rare que des voyageurs se perdent dans les étendues immaculées et y meurent d'épuisement et de froid.

En témoignage de son amitié, Guido Maier donne à Nivard un javelot dont la pointe a été affinée sur l'enclume d'Arnold de Chambesy. C'est une arme redoutable, d'un équilibre parfait. Nivard la soupèse. Il l'a bien en main. Elle prendra place dans ses bagages à côté de la canne forgée par Soma.

Sur le chemin, les deux hommes ne rencontrent que peu de voyageurs et la région qu'ils traversent est clairsemée de petits villages et de quelques rares cabanes qui se blottissent peureusement les unes contre les autres comme des enfants captifs au menu d'un ogre.

Au bout de trois jours de chevauchée vers le sud, la plaine est interrompue par un horizon dentelé de montagnes. Pour les atteindre, il faudra presque une journée. Elles sont colossales et s'opposent à la marche des voyageurs comme un rempart. Les deux hommes devront s'insinuer, louvoyer dans l'obscurité des forêts, contourner par la gauche ou par la droite les imposants reliefs. Dans ce labyrinthe, il n'est pas aisé de garder son cap. Une fine neige se met à tomber. Elle contraint les cavaliers à se retrancher dans un gîte.

Quand Nivard et Soma se pointent dehors le matin suivant, tout est blanc et les pistes à peine visibles. Au moment où ils repartent, la neige revient en force, généreuse, à gros flocons. Avançant à l'aveuglette, les voyageurs se perdent dans les montagnes... et retrouvent le soir le refuge qu'ils ont quitté le matin. Par prudence, ils décident de patienter aussi longtemps qu'ils resteront sans repère.

Une nuit, le ciel se dégage enfin et ils lèvent le camp. Le froid est vif et les chevaux s'enfoncent dans une poudre gelée qui grésille sous les pas. Soma cherche la voie à suivre dans les astres. À l'aube, ils débouchent épuisés et transis dans un vallon au flanc duquel s'accroche un petit village.

Après avoir goûté aux bienfaits d'un feu, d'un repas et d'une litière d'herbe sèche, les deux hommes reprennent leur escalade sinueuse. Nivard a renouvelé les bandages de son compagnon. La brûlure s'est infectée et Soma, plus taiseux que jamais, souffre beaucoup. Sur indication des villageois, ils joignent ce qui leur semble être une piste et se risquent à la suivre. Les choses deviennent plus aisées lorsqu'ils rencontrent les empreintes fraîches d'un cavalier, qui, comme eux, se hâte avec l'espoir de trouver un abri pour la nuit. Plus loin, les traces se perdent dans celles d'une meute de loups. Le soir, ils découvrent deux masses sombres éclatées sur la neige immaculée : d'un côté, une carcasse de cheval, de l'autre, une carcasse d'homme dans un désordre de viscères et de sang. Entre les deux gît une vielle orpheline de son troubadour. Contractés, jaugeant le danger qui les menace, Nivard et Soma forcent l'allure.

Le lendemain, les loups apparaissent une première fois. Puis on ne les voit plus de la journée. Le soir, la meute suit de loin les deux hommes, les chevaux sont nerveux. Les cavaliers mettent pied à terre et alimentent un grand feu toute la nuit. Les loups se tapissent tout autour du campement, immobiles comme des sphinx. Leurs yeux brillent dans le noir. Quand le jour se lève, ils ont à nouveau disparu.

C'est à un troupeau de daims providentiel que Nivard et Soma doivent leur salut. Les hommes, pris en chasse, se muent à leur tour en chasseurs pour dévier la traque. Nivard attache un filin à son javelot, Soma bande son arc et, avec la froideur et la précision de bourreaux, ils immolent quelques-unes de ces bêtes majestueuses. Leur sombre besogne achevée, ils abandonnent à la voracité des loups les victimes éparses, dont les bois plantés dans la neige ressemblent à d'étranges racines.

Ce tribut payé aux carnassiers, ils ne verront plus la meute, mais le danger ne leur semblera totalement écarté que lorsqu'ils débouchent sur une vallée où coule un large cours d'eau dans un lit de gros galets.

— Nous sommes sur le bon chemin, dit Nivard. Si je me réfère à la consigne d'Hugues de Payns, il s'agit à présent de remonter la rivière jusqu'à l'endroit où elle tombe des montagnes.

Les voyageurs poursuivent leur route entre les flancs rocheux. Ils ne quittent plus la vallée, passent les sources, retrouvent un autre cours d'eau dont ils vont suivre le courant jusqu'au lac de Côme. L'abbaye est sur la rive gauche, dans une enclave.

Lorsqu'ils arrivent amaigris et fourbus au monastère bénédictin de Piona, on est plus près de l'Epiphanie que de la Noël. Hugues de Payns est en rage et, au dire des bons moines, cela fait un moment qu'il peste dans son coin, bouscule son monde et piétine comme un ours en cage le plancher du scriptorium avec une telle véhémence que les copistes en ont leur calligraphie déviée et leurs enluminures tachées d'encre.

L'accueil du chevalier est hivernal et il faut à Nivard un effort énorme pour ne pas doter le teigneux d'une paire de claques. Par tyrannie plus que par nécessité, comme si on ne pouvait attendre le lendemain, Hugues de Payns assène :

– Nous vous avons assez attendus ! Nous sellons nos chevaux et nous partons sur l'heure !

Nivard ne l'entend pas de cette façon :

– Eh bien, au revoir, messire, répond-il. Nous avons à faire du côté des cuisines.

– Vous né m'avez pas compris ! Nous mangerons en route !

– Nous mangerons ici et nous y dormirons ! Ne vous déplaise !

Et, entraînant Soma avec lui, Nivard laisse Hugues de Payns passer sur le mobilier innocent du scriptorium une de ces colères noires dont il a le secret.

Nivard et Soma ont à peine une nuit pour se refaire qu'ils sont de nouveau en selle.

L'escorte qu'ils accompagnent pour cette étape du voyage est composée d'une douzaine d'hommes solides et valeureux ainsi que d'un moine de la communauté du mont Cassin.

Pour éviter la montagne, Hugues de Payns longe le lac jusqu'à la plaine. L'hiver est moins rude là-bas et la piste moins ardue. Le chevalier ouvre la voie et mène l'expédition comme s'il montait à l'assaut d'une forteresse ennemie. Il n'y a plus pour Nivard et Soma qu'à se laisser conduire.

Bravant l'hiver, passant de plaines à perte de vue à d'interminables forêts, traversant terres en friche et petites bourgades, restant en lisière des montagnes en y pénétrant le moins possible, le petit groupe d'hommes gratte pas à pas, foulée après foulée, jour après jour, la distance le séparant du convoi qui, quelques mois plus tôt, imprimait ses ornières dans la boue des chemins. Les paysages se dévoilent, emportant les voyageurs d'une féerie à l'autre, le printemps se réveille dans ses délicatesses exquises, les lumières apparaissent insensiblement de plus en plus radieuses. Tout est mouvance et enchantement pour les yeux. Nivard est sensible à ces variations. Il en perçoit les nuances un peu comme le sourcier capte à l'aide de sa baguette l'invisible eau d'une source. Soma s'est remis à fredonner. Il reprend vie après avoir traîné longtemps cette scélérate blessure à la poitrine.

Hugues de Payns impose à l'expédition un train d'enfer et il faut être solide cavalier pour soutenir sa cadence. Pour son malheur, dom Placido, le moine qui les accompagne, n'est pas taillé pour ce genre d'exercice et se trouve comme un bardot égaré dans un troupeau de chevaux sauvages. Immergé dans la tempérance monastique et gavé de textes anciens depuis plus de trente ans, il a trop privilégié l'esprit aux dépens du corps et s'en ressent à chaque foulée de sa monture. Les hommes ont mal pour lui. Quand ils lui disent « Ça va, mon père ? », c'est pour s'entendre répondre :

— Si ce n'est pas l'enfer, c'est sûrement le purgatoire !

Choisi par son abbé pour compulser, voire faire

transcrire, une série d'ouvrages anciens qui se trouvent à Constantinople en unique exemplaire, ce moine d'une érudition extraordinaire et d'une corpulence en rapport, s'épuise jour après jour comme si on l'avait affublé d'un carcan. Sans cesse à la traîne, il sue sang et eau pour ne pas se faire distancer par ses compagnons, priant le ciel qu'il lui donne assez de ressource pour supporter l'épreuve du voyage jusqu'au bout.

Tandis que le bénédictin appelle les forces célestes à la rescousse, les hommes du détachement, sous la conduite de Nivard, entreprennent leur chef pour qu'il cherche un asile où dom Placido pourrait faire étape un temps avant de repartir avec un autre convoi.

– Vous voyez bien qu'il n'en peut plus ! Vous allez le faire mourir ! insiste Nivard auprès du chevalier obnubilé par son retard.

Il ne croyait pas si bien dire.

Un matin, le moine du mont Cassin tombe raide de son cheval comme s'il avait été frappé par la foudre. Il est au bout de son calvaire.

Le décès de dom Placido est mal vécu par les aventuriers que l'absence d'humanité de leur chef écœure de plus en plus.

Hugues de Payns ressent cette hostilité générale et tempère ses ardeurs. Il craint Nivard qui a la confiance des hommes et qui n'hésite pas à lui tenir tête. Faute de pouvoir le sanctionner pour insolence

195

ou pour insoumission, il voudrait le haïr mais ne s'y résoud pas. Il se défend d'estimer le protégé de Rosal et pourtant...

La guigne plane sur l'expédition et elle s'abat cette fois sur un des soldats qui, dans les régions marécageuses bordant le Danube, contracte une fièvre si brûlante qu'il s'en trouve incapable de marcher ni de tenir en selle. Un brancard de fortune lui est aménagé. Suspendu entre deux chevaux et lié à sa civière, la tête tantôt en haut, tantôt en bas, le pauvre homme vit un véritable martyre.

Soucieux de ne plus prêter le flanc à d'éventuelles critiques de la part de ses gens, Hugues de Payns prend les devants. Avisant un hameau retranché dans les collines, il dit :

— J'emmène trois hommes avec moi. Nous confierons le malade à la bienveillance des villageois. Nous n'avons pas le choix !

— Nous pouvons aussi attendre qu'il se rétablisse, lance Nivard.

— C'est hors de question ! rétorque le chevalier d'un ton cassant !

Nivard n'insiste pas.

Le chevalier et ses accompagnants rattrapent le détachement dans l'après-midi, besogne faite. Soma, qui était de la partie, reprend sa place au côté de Nivard.

— Tu as l'air soucieux ! Qu'est-ce qui s'est passé ? demande le verrier.

— Soma est mal pris entre ses deux maîtres ! répond le Nubien.

— Tu m'en dis trop ou pas assez !

— Soma a un mauvais sentiment. Les hommes qu'il a vus n'ont pas sa confiance !

Nivard éperonne son cheval et quitte l'escorte.

— Où t'en vas-tu ? s'exclame Hugues de Payns.

— Chercher un compagnon dont vous vous êtes défait !

L'inflexible chevalier se rabat sur Nivard et lui coupe le chemin. Il est en rage.

— Tu me pousses à bout ! J'ai donné à ces paysans plus d'or qu'ils n'en ont jamais vu pour prendre soin du malade.

— Ça ne me suffit pas !

— Tu me cherches mais cette fois tu vas te soumettre ! Emparez-vous de cet individu ! commande-t-il à ses gens. Emparez-vous de lui, c'est un ordre !

Aucun soldat ne bouge. Pas une épée ne racle un fourreau. Hugues de Payns s'emporte. Les protagonistes s'invectivent. Nivard l'étriperait s'il n'était aussi chétif. Ne trouvant personne pour corriger le mutin, le chevalier cède à plus fort et plus têtu que lui. Il devra accompagner son escorte jusqu'à cette bourgade hostile où il a laissé le grabataire à son propre destin.

— Jamais personne ne m'a humilié comme tu viens de le faire ! dit-il à Nivard sans desserrer les dents.

Lorsque l'escorte débouche sur le village, un homme tire un corps hors de sa maison. Le compte du malheureux soldat est réglé.

Voyant resurgir la troupe, le paysan lâche le mort et prend la fuite en direction d'un bosquet tout proche. Un cavalier est à ses trousses. Il a sorti son javelot. Le fuyard est à quelques enjambées des premiers buissons quand il est frappé en plein dos. Nivard n'a pas le cœur à reprendre l'arme qu'il a lancée. Il se détourne alors qu'il voit une femme courir en hurlant depuis les maisons. Le visage d'une effrayante dureté, il revient sur Hugues de Payns et se campe devant lui longuement. Il faut être de marbre pour supporter sans ciller son regard incendiaire. Un à un les hommes se rangent aux côtés de Nivard. Plus d'invectives, de coups de gueule, d'intimidation mais un silence de pendus sous la menace de mille corbeaux immobiles. La tension se relâche lorsque le verrier commande à la troupe d'une voix à peine perceptible :

— Ça suffit comme ça. On s'en va !

Faisant volter son cheval, il entraîne tous les hommes dans son sillage. Hugues de Payns n'en mène pas large. Il sait à présent que, s'il demeure le guide de l'opération, il devra s'amender s'il veut en rester le chef.

Après des mois de chevauchée, l'hiver a desserré peu à peu son garrot. La nature a repris ses droits et la végétation ses imaginations inépuisables. Le soleil, d'abord tiède, devient vite chaud. Le Danube, que les aventuriers ont vu longtemps chargé et ombrageux durant la fonte des neiges, retrouve son immense quiétude. Laissant le fleuve à son chemin tracé, Hugues de Payns change de cap pour atteindre la mer plus au sud. Nous nous rapprochons de Constantinople. Chacun y va engorgé de son rêve ou de ses souvenirs. Soma rappelle par bribes une partie ancienne de sa jeunesse, du temps où il débarqua là-bas. Nivard y voit avant tout une terre de retrouvailles, un prénom de femme qui vous ensorcelle le cœur, et des doigts clairs qui se poseront sur la peau noire du corps de sa belle, comme une flottille de bateaux s'amarrant au quai d'un port inespéré. Quant à Hugues de Payns, il est plus sombre que jamais. Il voit en Constantinople un rendez-vous manqué, une gifle du sort à sa ponctualité. Il sait, lui, que le chariot a repris sa route vers l'est sans l'attendre et qu'il n'aura pas l'accueil qu'il escomptait.

Un beau soir, alors qu'ils suivent les chemins côtiers vers le levant, les hommes aperçoivent des lueurs lointaines illuminant le ciel. Ce sont les torchères géantes qui bordent le Bosphore. C'est dans le halo de ces astres que les bateaux se jettent comme des papillons de nuit. Nous sommes aux portes de l'Orient.

Constantinople, ce sont des voilures qui lambinent comme des cygnes en marge du port, ce sont des quais où de merveilleux objets côtoient les matériaux les plus frustes, c'est la majesté de palais raffinés et autres constructions somptueusement achevées, des ruelles tortueuses et inextricables qui montent et qui descendent, des coins crasseux ou grouillant d'une foule aussi disparate que cosmopolite, allant du montreur d'ours gitan à l'armateur grec, c'est l'ivresse des sens, la volupté. Il y fait bon voir, sentir, respirer, entendre, toucher.

Dans leur traversée tardive de la ville, les aventuriers croisent, dans un immense marché, des artisans qui remballent leurs échoppes et, au hasard des rues, parmi la foule, des femmes enturbannées qui se hâtent. Quelques-unes reviennent de l'aqueduc avec des récipients d'eau sur les flancs de leur âne. Le monde entier est dans cette ville, à fourmiller dans toutes les directions. Les voyageurs marchent en tenant leurs chevaux par la bride. Ils veillent à ne pas s'éparpiller dans la cohue.

Hugues de Payns, toujours pressé, achemine son détachement au sommet d'une colline jusqu'à un haut mur percé d'un porche magnifique, entièrement sculpté, d'où dépassent des palmiers somptueux. Le cœur de Nivard ne bat plus quand le chevalier donne sur la porte des coups de heurtoir espacés et sonores.

Le portail s'ouvre sur une vaste cour complètement vide. Le moine tourier introduit les voyageurs dans cette enclave calme de la ville. On perçoit, venant du monastère, le vague roulis d'un chant religieux. C'est l'heure de la prière. À voix basse, comme si sa confidence pouvait perturber l'office, le portier informe Hugues de Payns du départ du convoi trois jours plus tôt.

— Trois jours, déplore-t-il, méditatif et déçu. Nous les rattraperons après-demain.

Et, chose qui n'est plus arrivée depuis longtemps, le chevalier sourit et lance à l'adresse de Nivard :

— À trois jours près, je tenais mon pari !

Chapitre 16

Nivard ne dort pas cette nuit-là. Il a l'imagination en bataille et un désordre de bonheurs dans la tête. Le jardinier du monastère lui a remis un billet d'Awen griffonné à la hâte juste avant de partir. C'est mieux que toutes les roses de la cour, que toutes les soieries de Constantinople. Il aime chaque phrase, chaque mot choisi, chaque dessin de lettre. Après un an de séparation, il touche enfin dans ce lieu un rien de la vie de sa bien-aimée, une poussière de sa présence, et cette attente est douce. Il déambule dans l'obscurité, cherchant parmi les pierres et les objets épars quelque marque de son passage que lui seul peut déceler. Pourquoi n'avoir pas osé demander au jardinier comment était son sourire ? A-t-il gardé la même saveur un peu triste qu'il avait à Clairvaux le matin de leur séparation ? Il aimerait qu'on lui dise où elle mangeait, où elle dormait, ce qu'elle faisait de ses journées. Au lieu de cela, il a remercié le cher homme laconiquement et s'est esquivé comme un maraudeur, pour goûter son fruit secret tout seul, à l'abri des regards.

Les hommes quittent Constantinople le lendemain aux premières heures. On ne s'attardera pas dans cette ville de délices où l'architecture religieuse invite le passant à s'agenouiller devant la maîtrise de ses artistes et la magnificence de leur art. Cette fois, l'impatience n'est plus l'apanage d'Hugues de Payns. Après s'être mués en marins, le temps de traverser le Bosphore, les cavaliers poursuivent leur chevauchée le long d'une mer turquoise, qui se transforme peu à peu en estuaire. Soma arbore son sourire resplendissant, à croire que le bonheur de son maître déborde par son visage. Nivard contient à grand-peine sa fébrilité. Il voudrait galoper, laisser derrière lui le détachement qui clampine et partir à bride abattue jusqu'au chariot. Au lieu de cela, il avance, il s'arrête, il revient sur ses pas.

– Tu as bien attendu un an, semblent dire ses compagnons, tu attendras bien une nuit de plus.

Le jour suivant, vers la fin de l'après-midi, quelque part du côté de Nicomédie, le cavalier aperçoit du haut d'une colline le convoi qui, à son rythme d'escargot, escorte l'imposant chariot. De la colonne se détache alors une petite flamme noire qui court dans sa direction tandis que du sommet le fougueux diable blond dévale en avalanche dans un nuage de poussière. Awen pleure et Nivard se mord les lèvres quand ils se jettent dans les bras l'un de l'autre. Surgissant à son tour, l'escorte d'Hugues de Payns manifeste sa joie de retrouver le convoi après cette partie de cache-cache. On entend le rire de Soma sonner dans la vallée au-dessus du tapage. Les rangs se défont, les charrettes s'immobilisent tandis que les gens s'accueillent ou se retrouvent. Awen, relâchant son étreinte, relève sa jolie tête, elle a les yeux luisants.

– Je ne me souvenais plus de ton visage, fait-elle avec un voile dans la voix.

Et lui de dire à son tour :

– Je ne me souvenais pas que tu étais aussi belle.

Fuyant le remue-ménage et l'installation du campement pour la nuit, elle emmène son homme avec elle, rien que pour elle. Elle le conduit par la main au-delà des collines, au-delà des regards. Elle impose son droit d'être l'élue, la première, l'unique, de l'avoir à elle après cette longue déchirure mêlée à la peur permanente de le perdre.

Quand ils sont seuls et que l'étau des langues se desserre, quand ils se sont retrouvés par leurs noms et que les cœurs abondent autant qu'ils saignent, la femme noire libère la plus secrète de ses blessures, une faille d'elle-même qu'elle se reproche et qui porte ombrage à cette tendresse infinie et sans tache qu'elle a offerte à son homme exclusivement.

– J'ai porté un enfant de toi, un fils, dit-elle. J'aurais aimé... La vie n'a pas voulu.

Les mots lui manquent comme ils manquent à Nivard. Il est bouleversé. Comment est-il possible que lui, qui a pensé à elle tout le temps, dans l'apprentissage de son métier, durant ses voyages, à travers toutes ses épreuves, comment se fait-il qu'il n'ait jamais imaginé qu'un petit homme pouvait germer dans le ventre de sa mie, comme si son impiété et son amour jugé coupable par l'Eglise le privaient de cette bénédiction divine qui fusionne deux êtres en un seul. Il regarde Awen dont la souffrance a dû être aussi silencieuse qu'elle-même. Il donnerait ses yeux pour que s'arrachent de la vie de sa bien-aimée ces pages injustement douloureuses.

— Oublie, Nivard. Je veux que tu oublies ! supplie-t-elle. Ne le prends pas sur toi, je t'en prie. Ne mets pas la mort entre nous ! Je t'aime.

Lui aussi l'aime. Il l'aime avec force et droiture. Il l'aime puissamment, indéviablement, au-delà de lui-même, de sa voix, de ses mots, de son étreinte. Il voudrait le lui dire, mais il ne sait pas parler, il n'a jamais su parler. Il voudrait le lui montrer, mais pour cela il lui faudrait tous les verres de couleur du monde et d'immenses roues de pierre pour les faire chanter. Alors, simplement comme font les hommes, il la prend dans ses bras et la porte. Il marche devant lui et s'enfonce dans la mer jusqu'à la taille. Lentement, il s'agenouille, faisant couler Awen comme une eau dans l'onde. Elle se relève en riant, luisante et radieuse. Avec le pan mouillé de sa robe, elle lui éponge le visage avec grâce, cherchant anxieusement, en dessous de la poussière et de la sueur qui le souille, un éclat d'enfance qu'elle a connu jadis dans le ciel de son regard et qui s'est éteint comme une étoile. Les seins de la femme pointent sous l'étoffe et appellent la caresse. Les corps se redécouvrent, se fascinent et se refaçonnent, se charment et s'ensorcellent. Awen attire Nivard dans un repli du rivage, dans un nid qu'elle se choisit pour y déposer sa robe. S'accroupissant nue, elle la déploie sous elle. Ensuite, avec la fluidité des femmes de sa race, elle se laisse couler harmonieusement sur le dos, déliant ses bras comme des herbes souples dans un courant d'eau claire. Et puis...

Du côté du campement, après les retrouvailles, les chevaliers se rassemblent autour de leur chef de file et lui content les mésaventures de leur voyage. Godefroid de Saint-Omer a eu moins de chance que le détachement qui les a rejoints.

— Les quelques hommes que tu m'amènes tombent à pic, dit-il à Hugues de Payns. Nous avons eu de gros problèmes.

— Vous avez été attaqués ?

— Deux fois et de façon sournoise ! Dans les Alpes, des montagnards nous sont tombés dessus. Ils frappaient en traîtres. Ils nous piégeaient dans les défilés pour nous lancer des pierres !

— Je ne suis pas près de l'oublier ! laisse échapper Archambaud de Saint-Amand.

— J'ai perdu cinq hommes et beaucoup d'entre nous furent blessés, reprend Godefroid. Archambaud peut en parler ! Il a eu l'épaule brisée par un rocher lors d'une embuscade. Il est resté alité dans le chariot pendant six semaines et, sans les soins de Mamouk, il est fort probable qu'il aurait conservé à vie des séquelles de cette fracture.

— Cette première agression n'est rien à côté de

celle qui nous attendait dans les plaines herbeuses bordant le Danube, coupe Hugues Rigaud. Là-bas, c'est à une meute d'insaisissables cavaliers que nous avons eu affaire. Ils voulaient s'approprier le chariot. Ce fut pour le convoi une interminable guerre d'usure, un rituel affolant d'apparitions et de disparitions de l'ennemi à la vitesse de l'éclair. Huit d'entre nous sont tombés, frappés par des flèches lors de ces attaques-surprises.

— Comment vous êtes-vous débarrassés de ces brigands ?

— Rosal a eu la lumineuse idée d'introduire deux prisonniers du camp adverse dans le chariot pour leur montrer l'objet de leur convoitise. Imagine leur moue devant cet amas de livres et de papiers. Une fois remis en liberté, leur déception est remontée jusqu'à leurs chefs et le harcèlement cessa.

— Parmi les hommes, interroge Hugues de Payns, je n'ai plus vu Joubert Griselin ?

— Il compte parmi les morts ! répond un chevalier en se signant.

— Et le frère de l'archidiacre de Chartres, Bruant de Mauvoisin ?

— Que Dieu le damne ! s'exclame Rosal. Il nous a faussé compagnie !

André de Montbard se fait le plus discret possible. C'est lui qui recommanda chaudement cet homme à ses compagnons et qui le couvrait de sa protection.

— J'ai manqué de clairvoyance, reconnaît-il humblement.

Des chevaliers échangent un regard amusé.

— Montbard confond clairvoyance et cécité, chuchote Bisol à l'oreille d'Archambaud.

Bruant de Mauvoisin était ressenti par tous comme un ver dans le fruit, un être perfide et dévoyé, fort en gueule et sans scrupule. Il flagornait ses maîtres, terrorisait ses semblables et exerçait avec succès un étrange et obscur pouvoir de fascination sur les plus jeunes de la troupe. En mal de gibier féminin, le gaillard se mit à rôder autour d'Awen, ce qui n'était pas pour plaire à Rosal de Sainte-Croix. Un jour où elle descendait jusqu'à une petite rivière pour y laver quelques effets, Bruant de Mauvoisin la suivit de loin avec des intentions douteuses. Éveillé par ce manège, Payen de Montdidier fila à son tour le soldat sans se faire voir. Son pressentiment se vérifia lorsqu'il le vit se jeter sur la femme et la renverser sur la rive en lui écrasant une de ses grosses mains sur la bouche pour qu'elle ne crie pas. La brute n'eut pas le temps d'aller plus loin. Le poing de Payen de Montdidier s'abattit sur sa nuque avec une telle force qu'il tomba assommé. Quand il retrouva ses esprits, plusieurs des chevaliers l'entouraient. Rosal de Sainte-Croix, hors de lui, le prit par la tignasse et lui jeta au visage :

— Si tu poses une fois encore tes sales pattes sur cette femme, je te sors les tripes.

Après quoi, tournant les talons, il regagna le campement.

Le lendemain, on s'aperçut que Bruant de Mauvoisin et quatre de ses compères avaient déserté leur poste dans la nuit en emportant plusieurs chevaux, des vivres et des armes.

Parmi toutes les épreuves endurées sur la route, il en est une dont les chevaliers ne parleront pas ce soir-là. Cette peine étrangère à leur projet atteignit une jeune mère qui s'accoucha d'un enfant difforme. Le petit devait mourir au bout de quelques heures. Déchirant ses vêtements, la femme lui fit un linceul et l'ensevelit avec tous les bijoux qu'elle portait dans un petit trou creusé de ses mains au pied d'un jeune chêne, quelque part en terre étrangère. Prenant sur elle la part la plus amère de son malheur, Awen tut à son amant cette malédiction de la vie, jugeant qu'il était inutile d'appesantir la souffrance de Nivard qui aurait pris, elle le savait bien, cette infortune terrestre pour un châtiment infligé à leur alliance par le Dieu chrétien.

La caravane lève le camp le lendemain de bonne heure et on envoie Soma à la recherche de son maître. Lorsque le géant gravit les abords du golfe en tenant par les rênes son cheval et celui de Nivard, il découvre par hasard, dans leur refuge, les deux amants qui sommeillent enlacés l'un à l'autre. Il ne peut s'empêcher de contempler un moment Awen qui repose dans les bras de son homme. Elle porte à son cou un collier tressé de fils d'or et incrusté de perles bleues en verre, qui fait merveille sur sa peau. Il se détache doucement et sans bruit de cette image exquise. Il a les yeux qui rient.

La douzaine d'hommes amenés par Hugues de Payns redonne à l'expédition la solidité perdue. Les bouillants cavaliers, qui avaient pris l'habitude de courir à vive allure dans le sillage de leur chef de file, réapprennent à piétiner autour du chariot, devenu plus poussif encore depuis qu'il a engouffré à Constantinople quelques ouvrages volumineux pour satisfaire sa boulimie et que des bœufs ont remplacé les chevaux à l'attelage.

Nivard se revoit dans les plaines de Flandre et de Champagne, où il chevauchait une année plus tôt à ce rythme de laboureur. Il retrouve les mêmes gens, les mêmes habitudes, le même bonheur et pourtant, tout a changé dans sa tête et dans ses yeux depuis le jour où il a quitté Clairvaux. Le basculement qui s'est opéré en lui est à la mesure de cette différence spectaculaire qui existe entre les ciels gris du Nord et les luminosités éclatantes des contrées traversées. C'est comme si l'orfèvre était sorti du giron de sa châsse obscure et cherchait à tâtons sa route, ébloui et aveuglé de lumière. Cette transformation n'a pas échappé à ceux qui lui sont proches par le cœur, que ce soit Awen ou Soma, Mamouk ou Rosal de Sainte-Croix. L'architecte a retrouvé son protégé avec une joie immense et une chaleur toute paternelle. Le jeune verrier gardera en mémoire l'accolade affectueuse de cet homme solide et bourru. Il s'est trouvé intimidé devant ce débordement d'une amitié qu'il ne soupçonnait pas.

Pendant les longs mois que dure encore le voyage, Nivard découvre les chevaliers qu'il n'avait pas approchés plus tôt. Parmi les neuf, ils sont quatre à avoir rejoint le convoi sur la route : Gundemar, Geoffroy Bisol, Hugues Rigaud et Payen de Montdidier.

De tous ces hommes, Payen de Montdidier est, avec Rosal, le plus avenant. Une bonne cuvée que ce personnage toujours soucieux du bien-être des autres au-delà de son propre confort ! Quand il vous parle, ce sont de braves yeux perdus dans la masse d'un corps formidablement costaud qui vous regardent avec gentillesse. Le chevalier est une force de la nature, une force tranquille. Comme les hommes nativement robustes et bons, il déteste faire état de sa puissance et la violence lui fait horreur. Lorsque, contre son gré, il est amené à se battre ou à se défendre, il frappe fort pour en avoir fini le plus vite possible avec ses poings et s'en trouve par la suite tellement malheureux qu'il s'excuse presque auprès de sa victime de l'avoir ainsi molestée.

C'est avec Payen de Montdidier que Nivard pénètre dans le cénacle, le saint des saints qu'est ce chariot grossier, pesant comme un tombereau de pierre. Maintenus dans des compartiments de bois, les livres encombrent le réduit de haut en bas. À l'intérieur de l'espace embouquiné règne une odeur de poussière et de vieux cuir. Les coins où l'on peut s'attabler sont exigus et, pour y voir clair, il faut faire glisser d'étroits coulisseaux disposés sous le toit. Ce jour-là, un chevalier ébranle le chariot de ses ronflements. Il s'est endormi sur le texte hébraïque qu'il déchiffrait.

— C'est Gundemar ! souffle Payen à voix basse. Il n'a pas l'air inspiré par sa lecture !

Attirant Nivard à l'autre bout de l'habitacle, il lui chuchote :

— Gundemar parle cinq langues orientales et il en entend deux fois plus ! En un clin d'œil, il peut dire avec certitude si le texte qu'on lui présente est copte, syriaque, arabe ou perse. Par contre, il prendra la selle d'un autre pour la sienne, quand ce n'est pas son cheval. Il est d'une distraction !

Et Payen de lui raconter :

— À Alexandrie, nous l'avions envoyé remplir les outres à un point d'eau, il a fallu trois jours à la troupe pour le retrouver !

— Dans quel endroit du monde n'êtes-vous pas allé ? s'étonne Nivard.

— Le monde est infini ! Hugues Rigaud a tenté d'atteindre les confins de la terre en chevauchant vers le levant pendant dix années, il n'en a pas vu le bout ! répond le chevalier avec ce sourire bon enfant qui épanouit son visage.

À compter de ce jour, Nivard devient un familier de ce scriptorium ambulant et, souvent, s'y attarde en compagnie de l'un ou l'autre chevalier en mal d'érudition.

Assez curieusement, le verrier découvre chez la plupart de ces gens des centres d'intérêt à la fois différents et complémentaires. Ainsi Payen de Montdidier semble être un féru de Platon et d'Aristote, tandis qu'André de Montbard ne quitte pas les Saintes Écritures d'une virgule. Saint-Omer a enseigné Justinien et d'autres légistes à Salerne.

De tous ces doctes, Geoffroy Bisol est le plus déroutant, le plus curieux, tant physiquement que sur le plan des idées et des connaissances. Une partie de son visage a été ravagée dans un accident et son regard est double. Il a le poil châtain abondant et hirsute. Avec Nivard, il aime parler minerais, substances chimiques, propriétés curatives de certaines essences. Il s'intéresse aussi à la captation d'énergies terrestres et célestes. Certains prétendent qu'il est alchimiste et capable de transmuter le plomb en or. Pour l'orfèvre-verrier versé dans les métaux, ce ne sont que racontars et mystifications.

Profitant du très lent avancement du convoi, les chevaliers initient le verrier dans les domaines qui sont les leurs. Archambaud de Saint-Amand conduit Nivard sur les traces de Pythagore, d'Euclide et de Ptolémée. Avec ce pédagogue austère, on se meut dans la numérique. Montbard établit ses correspondances entre l'Ancien et le Nouveau Testament. Rosal raconte Vitruve et l'ascension des pierres...

À force de côtoyer ces érudits et de partager leurs passions, Nivard commence à percevoir la volonté qui se cache derrière cette croisade peu banale de savants, dont il entend dire avec étonnement qu'ils se rendent en Terre Sainte pour assurer par l'épée la protection des pèlerins et des routes. Pour lui, cette assertion n'est qu'un pieux mensonge destiné à occulter le véritable motif de ce voyage. En homme discret et respectueux, il estime qu'il n'a pas à s'ingérer dans ce qui paraît être un secret soigneusement gardé. Il préfère se tenir à l'écart et se cantonner dans son rôle de verrier, sans pour autant dénier l'importance de cette épopée de l'esprit qu'il pressent dépasser de loin la conscience de son époque.

Chapitre 17

Quatre longs mois seront nécessaires à l'expédition des chevaliers pour parcourir l'Anatolie et rallier la mer. En cause, les caprices d'un relief souvent très accidenté et une avarie grave au chariot en Cappadoce. Mais si la traversée de ces hauts plateaux se fait à l'allure d'un homme qui marche, la multiplicité des images qui surprennent à chaque détour des pistes suffit à compenser, pour un esprit en éveil comme celui de Nivard, la cadence monotone du voyage. Tout est objet d'étonnement, un amas de pierres et de colonnes provenant d'un ancestral temple romain, la décoration léchée d'une mosquée coiffée d'un dôme resplendissant, l'architecture déchiquetée et irréelle de certains paysages décharnés par l'érosion et autres folles foucades de la nature.

Les caravansérails qui jalonnent les pistes sont aussi des lieux privilégiés de rencontres et d'échanges. On y croise des caravanes syriennes, égyptiennes, grecques... Parfois même on y côtoie Lombards, Bourguignons, Champenois ayant, depuis la croisade, délaissé heaume et cotte de mailles pour se

214

livrer à des échanges moins belliqueux avec l'ennemi, tels que troc et négoce.

On transporte de tout sur les pistes : des volailles, des épices, des minerais, des soieries ou autres fins objets sortis des doigts habiles d'artisans exercés et inventifs. Awen est princesse dans ces lieux qui sont comme un écrin à sa beauté rayonnante. Elle a en elle le sang des migrations et la source nomade. Elle est en harmonie de cœur et de couleur avec ce peuple sans racines.

Les relais étant trop espacés pour les étapes du convoi, il arrive souvent qu'il faille planter le campement en retrait des chemins ou s'en remettre à l'hospitalité des habitants. L'accueil est généreux chez les petites gens et prodigue chez les plus riches.

Un jour, les émissaires d'un sultan invitent les voyageurs à les suivre dans l'enceinte d'un palais somptueux. Les hommes sont installés parmi les plans d'eau, les arbres fruitiers et les fleurs, tandis que quelques privilégiés goûtent au plaisir d'être reçus dans cette demeure exquise. Nivard y observe une présence dominante du verre sous forme de carafes, de vases, de plats, de gobelets. Son regard s'anime lorsque, au bout d'un couloir éclairé par le couchant, il découvre, dans sa magnificence, un vitrail splendide dont les couleurs se fondent dans les rosés du soir. Cette fenêtre est de la même facture que celle qu'il a tellement admirée dans la chapelle particulière de Suger. La résille est en gypse et les verres présentent les mêmes qualités lumineuses que ceux de Saint-Denis. Awen s'est coulée près de lui, sa voix caresse son épaule.

— Ce vitrail, dit-elle émue, vient des ateliers de Khalim Rhamir, le père de mon père.

Elle hésite un moment, puis poursuit :

— Je retrouve son timbre, sa poésie, son mouvement.

Ses yeux qui scintillent dans l'écrin de son visage voilé recèlent un mélange subtil de joie, de fascination et d'angoisse. Il se rapproche le temps où elle foulera à nouveau sur le sol ses pas d'enfant. L'artisan est attentif à cette fragilité. Il sent la précarité des choses et des gens, il préfère se taire autant qu'il faut et attendre patiemment que les mots s'appellent l'un l'autre. Nivard a cette intelligence sensible en contrepoint de ses débordements. Sous le charme du vitrail, il s'entend répéter à Awen ce qu'il disait à Suger quelques mois plus tôt :

— C'est beau ! On dirait que la fenêtre chante !

Il ne peut par la suite s'empêcher de sourire en pensant à la banalité de ce cri d'émotion qui se rappelle à ses lèvres. Dans la bourrasque des paroles, il ne garde du vent que le souffle carré qui pousse les voilures des bateaux. Il a l'éloquence de sa sincérité, une verve franche, essentielle, à mille lieues des superlatifs et des digressions. Pas de tortueuses formulations pour décrire ce qui lui semble beau et, pour parler d'amour, rien d'autre que les deux syllabes accolées d'un « je t'aime ».

En Cappadoce, toutes les astuces seront nécessaires pour combattre les reliefs torturés et les tourments des roches friables. Saint-Omer a eu tort de couper court à travers cette région pourrie et Hugues de Payns ne se prive pas de lui en faire le reproche. Il y a de l'orage dans l'air mais, si la plupart des hommes attendent impatiemment d'être sortis de cette nature suppliciée, certains ne se lassent pas de contempler dans les vallées ces aiguilles étranges, parfois coiffées de grosses pierres, ou encore ces villages étonnants creusés dans le tuf des collines. Restant prudemment sur les crêtes en contournant les terrains trop minés par l'érosion, les chevaliers n'éviteront pas un effondrement de la piste au passage du chariot. Le choc est terrible et brise sec l'essieu arrière. L'attelage accuse le coup et beugle de frayeur tandis qu'on extrait de l'habitacle André de Montbard qui, plongé dans les Saintes Écritures, a reçu sur la tête les vingt-quatre vieillards de l'Apocalypse. Plus de peur que de mal. On dégage à grand-peine le mastodonte de son trou, Rosal de Sainte-Croix, en concepteur de l'engin, évalue les dégâts. La réparation risque d'être longue. Il faudra près de trois semaines pour remettre le chariot sur roues et remplacer par un axe en cèdre le défaillant en acacia.

Awen choisit ce moment d'arrêt forcé dans le voyage pour annoncer à Nivard qu'elle est enceinte. C'est aussi à cette époque qu'elle lui conte sa famille, le sérail où vivait son père, sa mère ramenée de l'ancien royaume de Saba lors d'une expédition près des sources du Nil. Awen parle aussi des autres femmes, de ses frères et sœurs et, surtout, de son grand-père, Khalim Rhamir, pour qui elle a gardé une tendresse profonde, presque une ferveur.

Cet homme délicieux, ce philosophe et poète à qui la richesse offrait le luxe de profiter de la vie à sa guise sans se tracasser des contingences du quotidien, entreprit un jour une tâche qui allait l'accabler de travail et monopoliser ses forces pendant de longues années. Il se lança dans une collecte passionnée de tout ce qui se faisait et se savait dans le monde en matière de verre. Avec le temps, son engouement dépassa la simple accumulation d'objets et de formules et l'emporta dans la construction, sur le fleuve Rebelle, non loin d'Antioche, d'une fabrique destinée à développer sa gamme personnelle de verres de couleur. Malgré la discrétion dont il entourait ses recherches, la qualité de son savoir-faire s'ébruita et on se mit à réclamer de partout en Orient des verres et des vitraux sortant de ses ateliers. En 1098, lorsque la province passa de la domination turque à la domination chrétienne suite à la prise d'Antioche par les croisés, un groupe de chevaliers découvrit l'existence de ce personnage extraordinaire se démarquant par son intelligence raffinée et l'élévation de ses pensées. En perpétuelle quête de savoir et d'une culture qui n'avait d'égale que sa modestie, Khalim Rhamir impressionna fortement des hommes tels qu'Hugues de Payns, Godefroid de Saint-Omer, Geoffroy Bisol, Rosal et bien d'autres encore. Khalim Rhamir était un sage.

En 1106, huit ans après le siège d'Antioche, trois

chevaliers errants qui regagnaient l'Occident au terme d'un second voyage en Palestine dévièrent de leur route pour se rendre à Ghassan afin d'y retrouver cet être large de cœur et d'esprit qui avait marqué leur souvenir. L'horreur des sévices commis par les croisés en Terre Sainte leur collait à la peau, et c'est entre les mains du verrier qu'ils espéraient se décharger de leur amertume. Ces trois hommes n'étaient autres que Godefroid de Saint-Omer, Rosal de Sainte-Croix et Thibaut de Chassepierre, le père de Nivard. Lorsqu'ils arrivèrent à la demeure de Khalim Rhamir, ils trouvèrent celui-ci désemparé. Depuis près d'un mois, une épidémie de peste s'acharnait sur sa maison et les villages avoisinants. Des hommes et des femmes, en proie à des douleurs atroces, mouraient de tous côtés. Le pauvre homme serrait dans ses bras ses deux petites-filles, qui venaient de perdre leur mère. Dans son désarroi, Khalim Rhamir confia les deux enfants aux chevaliers en les suppliant de fuir le fléau au plus vite. La plus petite des fillettes s'appelait Niwa. Elle n'avait pas huit ans. Awen, la plus grande, en avait dix. Niwa, atteinte par le mal, succomba en chemin quelques jours plus tard, puis ce fut le tour de Thibaut de Chassepierre qui l'avait transportée. Godefroid de Saint-Omer et Rosal de Sainte-Croix rentrèrent au pays avec l'aînée des enfants. Godefroid, sentant que son compagnon, qui n'avait pas de descendance, s'attachait à Awen, insista pour qu'il la prenne chez lui. Rosal rentra donc de croisade à Malen avec son trésor de petite négresse. Il fut accueilli froidement par

219

sa femme, qui reçut ce présent avec un mouvement de recul. Elle ne put, même par la suite, jamais se défaire totalement de cette répulsion première.

Rosal de Sainte-Croix, qui aurait tant aimé élever la fillette comme si elle était de son sang, dut faire à contrecœur certaines concessions afin de sauvegarder la paix de son ménage. Il mit Awen sous la tutelle d'un vieux couple dévoué à sa famille. C'était pour lui la moins mauvaise solution. Malheureux du rejet abrupt de son épouse, le chevalier amenda par la suite sa capitulation en se faisant amener la petite quasi journellement dans la tour où il se retirait pour travailler. C'est là qu'à l'insu de sa femme il veilla pendant des années à l'instruction de l'enfant. Il n'aurait sacrifié ces leçons pour rien au monde.

Un matin d'hiver, un homme arriva au château. Il était à bout de forces. Les gens de son escorte avaient été lapidés par des villageois bien-pensants, qui trouvaient leurs costumes trop amples et leurs carnations trop sombres à leur goût. Il venait de la part de Khalim Rhamir pour reprendre les deux petites filles que ce dernier avait confiées neuf ans auparavant aux chevaliers. Il était très petit de taille et très foncé de peau. C'était Mamouk !

Awen raconte tout cela d'une voix égale, simplement, sans s'apitoyer un instant sur elle-même ni sur les tristesses qu'occultent certains mots. Elle est assise par terre, très près de Nivard, et dessine négligemment avec le doigt sur la poussière du sol pendant qu'elle lui parle. Quand elle a fini son récit, elle regarde timidement son homme et lui murmure :

– Tout est dit !

Le silence qui suit est immobile comme une aile de faucon posée sur l'étoffe du vent. Nivard couvre de sa main large le ventre aimé, tandis que le soleil allonge nonchalamment sa fatigue sur les oreillers blancs des montagnes.

Après des tours et des tours de roues, des cahotements sans fin, des remous de poussière vers où se penchent des nuques lourdes, la colonne finit par atteindre cette mer sur laquelle on ne comptait plus. On se frotte les yeux devant ce bleu souverain, comme s'il s'agissait d'un mirage, et puis c'est la joie qui éclate, puérile, irréfléchie, débridée, que rien ne peut contenir. L'eau limpide reçoit l'avalanche des aventuriers dans ses étalements. Awen est étourdie par ce paysage familier qui se réveille dans sa mémoire. Nivard la sent plus fragile, oscillant entre l'ivresse et le vertige, heureuse et malheureuse à la fois, se cherchant elle-même dans cet écheveau embrouillé où Occident et Orient ont mêlé si étroitement leurs fibres. Elle ressemble, dans les mains de Nivard, à un oiseau qui tremble et dont on sent battre le cœur. Elle se questionne sans cesse. Qui occupe à présent cette grande maison de son enfance ? Qui peut lui donner vie avec assez de force pour qu'on en oublie les familiers qui jadis la faisaient rire et vibrer ? Un jour prochain, elle pleurera dans les bras de cet être rude, torturé, intolérant qui n'a de tendresse que pour elle, et Nivard usera de toutes ses patiences d'artisan pour combler par ses caresses le vide immense où s'est abîmée l'enfance de sa bien-aimée, comme on ferme d'un vitrail une trouée béante sur la nuit.

Les chevaliers convoquent Nivard alors que le convoi, après les sinuosités de la côte, a trouvé refuge dans une imposante forteresse croisée dominant le port d'Alexandrette. La vaste salle d'armes où ils sont réunis sent le cru et l'étoffe surie, contrairement à Clairvaux qui fleurait la maçonnerie fraîche. C'est là-bas que Nivard s'était fait convier la dernière fois par l'assemblée. Dans sa tête repassent les mois écoulés, son apprentissage passionné et ce prodige tellement étrange qui a fondu Awen dans sa vie, comme si le verre avait été leur liant secret, et la lumière leur affinité viscérale. Il se trouve suffoqué tant par la distance parcourue que par l'étrangeté de son destin. Les confidences d'Awen ont semé le trouble dans son esprit. Il se savait proche d'elle, mais pas à ce point. Si les chevaliers ont dirigé ses pas dans certaines directions, s'ils continuent à lui imposer d'autorité un parcours tracé par eux, il peut admettre ce choix et à la limite se l'expliquer. En revanche, sa communion avec Awen fait partie de ces hasards qui dépassent la raison des hommes et qui les amènent à supposer qu'il y a au-dessus d'eux un plan divin préexistant et immuable dans lequel ils ne sont que des pions.

Dans l'assemblée des neuf, l'homme qui prend d'abord la parole est Geoffroy Bisol, l'alchimiste, l'homme des deux soleils comme l'indique son nom, le décrypteur, ou plutôt l'aspirant décrypteur de l'ordre terrestre, car, dans ce domaine, on ne fait qu'approcher l'essence des choses et on ne peut qu'effleurer maladroitement la Connaissance. Sa science repose sur vingt ans de recherche active à travers toute la chrétienté et deux mille ans de traditions qu'il a méticuleusement consignées dans un ouvrage laborieusement rédigé. Il en a placé devant lui deux copies, l'original ayant été confié à la garde des moines de Cluny et scellé. Nivard, lors de ses stations dans le chariot, a déjà aperçu les deux manuscrits qui ne portaient ni en-tête ni signature mais un signe cabalistique dans un coin inférieur. Un des livres lui est remis ce jour-là. Geoffroy Bisol, de sa voix désagréable, qui crisse comme une poulie sur un axe mal lubrifié, entoure son présent de tout un fatras de recommandations, comme s'il s'agissait d'un pot de braises remonté de l'enfer. À ce bagage, les chevaliers adjoindront plusieurs livres constituant la Bible.

— Lis et relis les textes saints ! Qu'ils soient les fondements de ton art et de ta spiritualité ! pontifie André de Montbard. Toutes les clés que tu cherches sont contenues dans ces lignes ! À toi d'être attentif.

Nivard écoute ces hommes sans broncher. Dans son for intérieur, il n'a trop cure de leurs conseils et de leurs directives pesantes. Il aspire à reprendre sa canne de verrier et à interroger seul à seul la lumière, loin de leur tutelle étouffante et possessive. Il apprend de la bouche d'Hugues de Payns que leurs chemins doivent bientôt se séparer pour sept à huit ans.

Il devrait en être déconfit, mais il n'en est rien : il se sent soulagé par cette bonne nouvelle un peu comme on goûte avec bonheur les premières lueurs du jour quand la nuit a été longue à veiller.

Bientôt apparaissent les premiers cèdres. La fébrilité d'Awen et la prolifération soudaine de ces arbres légendaires indiquent à Nivard qu'ils arrivent au terme de leur voyage.

Un jour, la colonne s'étire dans un étroit chemin que borde un fleuve. Awen quitte sa place sur la ridelle arrière de la charrette bâchée qui est sa maison depuis près d'un an et demi. Elle attend Nivard et, lorsqu'il arrive à sa hauteur, lui dit simplement :

– C'est ici !

Il descend de cheval et marche derrière elle vers une grande bâtisse claire qui, dans la couffe de ses arbres et de ses fleurs, se carre dans le ciel. C'est là que demeure Khalim Rhamir.

Chapitre 18

Khalim Rhamir sort tout droit d'une légende per-
sane. Il a un visage majestueux allumé par des yeux
de mage, couleur obsidienne, éclatants d'intelligence. Il porte une longue barbe blanche et soyeuse,
qu'il se plaît à caresser. Son corps est fin, ce qui de
loin donne l'impression qu'il est grand. Quand ses
serviteurs lui ont appris l'arrivée des croisés et le retour des siens, il a fait ouvrir à deux battants le grand
portique de sa maison et s'est planté sur le seuil, les
mains jointes, le regard illuminé de joie.

Tandis que l'escorte met pied à terre dans un ca-
fouillis de chevaux et d'hommes en armes, Khalim
Rhamir cherche d'abord ses petites-filles dans la cohue. Il aperçoit Awen qui s'avance vers lui, gracieuse
et souple, d'un pas retenu de gazelle, aussi pleinement femme qu'il l'a connue jadis pleinement enfant.
Elle est très belle avec ses yeux blancs maquillés de
crainte. Selon la coutume, elle s'agenouille puis s'incline jusqu'au sol devant le maître du lieu. Doucement sa tête se relève. Khalim Rhamir la prend dans
ses mains claires et la porte jusqu'à son vieux visage

comme s'il cueillait de l'eau. Ils se reconnaissent par les yeux. Dans le brouhaha qui s'apaise, ils parlent ensemble à bout de lèvres, d'une voix si menue qu'il faudrait avoir l'oreille dans leur souffle pour entendre ce qu'ils se disent. C'est la part de Niwa, petite fille pour l'éternité, qui s'épanche. Awen se range ensuite à ses côtés, à la place de la favorite.

Suit Mamouk dans le flot des retrouvailles, le fidèle d'entre les fidèles, le meilleur. Portant sa confusion comme un joug massif sur ses frêles épaules, il se prosterne devant le maître, comme s'il déposait à ses pieds la confiance qu'il a reçue de lui et qu'il s'excuse presque d'avoir honorée. Khalim Rhamir s'approche ensuite de Rosal de Sainte-Croix et de Godefroid de Saint-Omer pour leur souhaiter la bienvenue et leur témoigner sa reconnaissance. Les chevaliers lui répondent en langue syriaque. Il y a de la fierté chez Awen de se refondre dans la lignée d'un personnage aussi considéré, autant qu'il y a du bonheur chez le vieillard d'avoir auprès de lui une enfant de son sang d'une aussi éblouissante jeunesse. Sa petite-fille à portée de la main, il évolue parmi les hommes qui se trouvent là, comme un jardinier qui se promène parmi ses parterres de fleurs. Il parle à l'un, puis à l'autre, il rappelle un souvenir, il houspille sa mémoire, il ramène des poussières un nom enseveli sous douze années de décombres. Quand il est à la hauteur de Nivard, il le dévisage intensément et, à ce qu'il demande à Awen à son propos et à la manière un peu hésitante dont celle-ci lui répond, Nivard comprend que Khalim Rhamir évoque Thibaut de

Chassepierre, son père. Awen revêt à nouveau ce sourire timide qui contribue tant à son charme. Elle n'a plus peur à présent. À la dérobée, elle regarde Nivard, et dans cette œillade complice le malicieux vieil homme capte toute la tendresse qui gonfle le cœur de son enfant comme une source prête à sourdre.

Les chevaliers resteront près d'une semaine au sérail. La rencontre avec cet infatigable explorateur de la pensée et du monde oriental est importante pour leur travail à venir. Khalim Rhamir est un homme de bon conseil, un docte, un curieux. Il a ce point commun avec les neuf qu'il s'est rendu partout où il pouvait parfaire ses connaissances et satisfaire sa curiosité. Il s'est aussi constitué une bibliothèque à sa mesure, moins ambitieuse que celle de ses confrères occidentaux, mais suffisamment documentée pour nourrir sa propre réflexion.

Après ce temps de grâce, Hugues de Payns bouscule son monde, arguant qu'il y a du retard à rattraper, et l'expédition reprend sa marche de plomb. À l'heure des adieux, Rosal de Sainte-Croix, qui s'apprête à se mettre en selle, revient sur ses pas pour dire au verrier :

— Prends garde à toi et prends bien soin de ma petite princesse !

Il a comme un voile dans la voix. Là-dessus, il enfourche sa monture et part au trot rejoindre l'escorte.

Aux côtés de Nivard et d'Awen, Hugues de Payns

laisse Soma, son fidèle écuyer. Au-delà de la froideur qu'il a toujours affichée, c'est sa façon à lui de déléguer un rien de sa protection aux amants.

Le convoi arrive à destination en novembre de l'année 1118. La pérégrination aura traîné plus de deux ans pour aller de Clairvaux à Jérusalem. À l'issue de ce voyage harassant, les hommes sont épuisés d'avoir rongé leur frein en soulevant la poussière des pistes à la morne cadence des bœufs de l'attelage.

Lorsque le convoi fait son entrée dans la ville, des émissaires de Baudouin II viennent au-devant des voyageurs.

— Notre maître vous attend ! dit l'un d'entre eux.

Le monarque fait bon accueil à son ami Godefroid de Saint-Omer et aux autres chevaliers qui furent pour la plupart des compagnons de combat. Il était averti de leur venue et leur a réservé une aile de son palais, qui est construit sur les ruines du temple de Salomon. C'est sur ce site que le chariot, acheminé avec tant de peine, sera remisé pour n'en plus bouger pendant des années. À peine arrivés, les neuf se présentent devant le patriarche Garimond pour prononcer entre ses mains les trois vœux de chasteté, d'obéissance et de non-possession pour eux-mêmes *(non proprio)*. Préférant le nom de « soldat du Christ » à leur titre de chevalier, ils se mettent à leur ouvrage mystérieux en adoptant un mode de vie quasi monastique. Progressivement, l'emplacement du temple de Salomon, qu'ils partagent au départ

avec les chanoines du Saint-Sépulcre et les rois
francs, devient leur fief exclusif. Ils ont quartier libre.

C'est à Ghassan, dans le comté d'Antioche, que
Nivard passera les années les plus heureuses de sa
vie : une juste paix qui se donne à lui après de vastes
périodes de tourmentes, un formidable cadeau du
ciel.

Il découvre Khalim Rhamir, ce maître à penser
perçu par ses contemporains comme une empreinte
de son siècle. On vient d'Alexandrie, de Khurasan ou
de Damas pour le rencontrer. Et pourtant, cette personnalité marquante est d'abord et avant tout un simple artisan, un philosophe doté d'un esprit inventif,
passionné de sonorité et de transparence. Il est possédé par la poésie, la musique et par tous les arts qui
jouent sur la résonance et la vibration intérieure. Il
étudie sans cesse cette vibration qui, insensiblement,
l'a conduit à une approche de la lumière et de sa mo-
dulation au travers de filtres. Il est parti de l'albâtre,
de la nacre et d'autres substances naturelles translucides pour en arriver au verre.

Ce matériau le mena d'abord en Égypte, qui est le
berceau des premières verreries, puis en Mésopota-
mie, puis en Perse jusqu'à Nichapur et Kaboul. À
force de prospecter, le désir de fabriquer lui-même
du verre s'empara de lui. Il cessa de collecter les objets produits par les ateliers visités pour s'attacher
davantage à leur façon et à la chimie des mélanges. Il

en vint à acheter à prix d'or des secrets de fabrication ou les situations de certains gisements. Il alla ensuite jusqu'à débaucher des artisans pour l'aider à implanter sa propre verrerie sur l'Oronte, au sud d'Antioche. L'endroit était idéal pour cette activité, car on y trouvait à profusion dans un rayon restreint de l'eau, du bois, du sable et du natron. Khalim Rhamir rêvait de fixer dans le verre toutes les variations du spectre lumineux, de maîtriser en transparence toute la gamme colorée. Il s'agissait là d'un défi à la mesure de son tempérament. Il travailla des années pour affiner son verre et diversifier ses coloris. Il obtint à force d'expérimentations quelques résultats surprenants qui s'ébruitèrent jusqu'au-delà des mers de sorte que, contre toute attente de sa part, ce qui n'était au départ que pure recherche bascula tout doucement du côté du commerce d'ustensiles de verre ou de fenêtres décoratives. Rare était à cette époque le détenteur d'un palais qui ne possédait dans les détours de sa demeure quelque exquis et chatoyant ouvrage d'art sorti des ateliers de Khalim Rhamir. Prenant la chose comme un mal nécessaire pour aller plus loin dans sa prospection, cet esprit curieux se résigna à développer son activité en construisant de nouveaux fours, y intéressa ses deux fils, livra du verre à Chypre, en Crète, en Grèce, en Italie. Et puis un jour, dans son mouvement de balancier, le sort prit le visage de la mort, la bonne fortune devint mauvaise, la peste frappa sa maison, tuant la presque totalité de ses gens, de ses proches et de ses familiers. Khalim Rhamir compta parmi les rares survivants du drame, comme si le destin avait eu besoin de ses yeux pour attester sa sinistre besogne. Inconsolable, le pauvre homme s'alanguit de chagrin dans sa maison vidée de son sang. Un matin, las de s'apitoyer sur lui-même, il fit rallumer un four et recommença ses expériences en se forçant d'y croire. Petitement, la vie reprit le dessus.

Le retour d'Awen et l'arrivée de Nivard dans le domaine de Ghassan restituent au vieil homme la joie que l'existence lui avait si durement ravie, et ce bonheur retrouvé ranime le feu de sa passion pour le verre. Dédaignant les futilités marchandes, Khalim Rhamir va, au crépuscule de son existence terrestre, tenter avec Nivard le plus extraordinaire rêve de verrier.

Ensemble, ils imaginent et conçoivent une corbeille renversée, une demi-sphère posée comme un dôme sur la grande terrasse qui coiffe le palais. À cet endroit, nous sommes dans un ciel offert à toutes les expositions du jour et de la nuit. Cette moitié de boule, à l'intérieur de laquelle on accède par l'étage du dessous, sera constituée de trois cent soixante alvéoles circulaires rivetés, de forme identique, aménagés de telle sorte qu'on puisse y verrouiller par l'intérieur de petits vitraux sous plomb. Après avoir hésité sur le matériau à choisir pour réaliser cette ossature, les deux hommes, pour obtenir une luminosité optimale, jettent leur dévolu sur le cuivre de préférence au cèdre, plus massif. Soma se remet à battre le métal avec les forgerons tandis que, du côté des fours, le verre s'arrondit en grâce, en luisance et en giration. Après un travail acharné, le dôme est bouclé de ses trois cent soixante anneaux et chaque alvéole est obturé provisoirement par un panneau de bois en attendant la pose de vitraux translucides. Ensuite, élément après élément, panneton après panneton, la demi-sphère sort de l'ombre, allumant de tous côtés ses yeux de chatoyance. Chaque petit vitrail circulaire reproduit un motif utilisant une douzaine de tons harmonisés et montés sous plombs. Il s'agit de placer chacun d'entre eux dans une des ouvertures du dôme, à l'endroit où la lumière du jour est le plus en concordance avec les tonalités du vitrail. C'est un jeu patient de pose et de dépose, de discussions subtiles pour déterminer si telle couleur est du matin, de l'après-midi ou du soir. Lorsqu'un élément convient à plusieurs emplacements, il faut le reproduire autant de fois ; lorsqu'il marque une heure précisément, il s'inscrit à cette heure.

Après des mois et des années de recherches de tons, de mariages de tons, de modifications de tons au contact de telle ou telle couleur ou de telle ou telle exposition, ce cocon de lumière acquiert le visage le plus étrange du monde, avec une dominante de roses et de mauves à l'est, de rouges à l'ouest, de gris et jaunes au sud, de bleus profonds au nord et, pour le reste, des milliers de liaisons subtiles qui imbriquent, fondent, associent les couleurs entre elles. On assiste, dans cet endroit fabuleux, à une démultiplication des sensations du jour, à un miracle de résonance lumi-

neuse. C'est admirable ! Au fur et à mesure que l'œuvre prend forme, la frénésie augmente du côté des
fours. Il faut créer tel ou tel ton pour compléter la palette. Soma est envoyé avec un détachement
jusqu'aux sources du Nil pour y quérir le cobalt qui
donne naissance à ce bleu magnifique que les Égyp-
tiens connaissaient déjà du temps des pharaons. On
l'expédie là-bas comme s'il s'agissait d'aller chercher
du lait de chamelle à Antioche. Il quitte les verriers
en pleine fièvre, il les retrouve deux ans plus tard
dans la même euphorie. Pour multiplier les couleurs,
les fours alimentent de plus petits creusets. Parfois
les souffleurs cueillent une paraison dans l'un et la
marient avec une autre, un peu comme le peintre mélange du bleu et du jaune pour obtenir du vert. Ce
procédé de placage va enrichir considérablement la
palette des deux hommes et permettre de fabriquer,
notamment à partir d'un rouge au cuivre qui peut
être presque noir, un grenat assez lumineux plus ou
moins chaud suivant qu'il est appliqué sur un verre
paille ou sur un verre blanc. Avec la pratique, Nivard
devient très vite un souffleur brillant, arrondissant,
allongeant, découpant, conduisant, étalant la matière
avec une habileté, une précision, une rondeur belles à
voir. Il passe allégrement de ses fours à l'atelier, dessinant, dirigeant le choix et la découpe des verres, aidant à la mise sous plombs des panneaux, les mater-
nant jusqu'à ce qu'ils trouvent leur juste place dans
ce « verrotarium » que Khalim Rhamir et lui-même
ne cessent de compléter et de corriger.

Chaque élément neuf apporté dans ce sanctuaire

de la lumière est promené dans l'espace pendant des heures par les deux hommes avant d'être installé. C'est un travail d'archers dont la cible est un point précis de la voûte céleste.

À ces moments forts de complicité, Nivard s'aperçoit qu'au-delà des différences qui les séparent, le vieux verrier et lui reçoivent les couleurs de la même manière et que leur œil est étonnamment semblable. C'est durant ce temps béni qu'il découvre que chaque couleur a non seulement ses heures de grâce, mais qu'elle a sa fonction précise dans la mélodie lumineuse. Lorsqu'on la sort de son aire, elle peut mourir ou encore casser une harmonie en équilibre.

Un jour, Nivard revient de la verrerie avec un bleu d'une profondeur extraordinaire qu'il a fabriqué au départ de l'oxyde de cobalt ramené par Soma, auquel il a joint un dérivé du manganèse. Avec Khalim Rhamir, ils promènent le ton neuf dans le verrotarium pour s'apercevoir qu'il répond à toutes les expositions et qu'il vit du matin au soir invariablement. Les deux hommes se regardent et le vieux maître constate :

— Voilà une note de base de la musique céleste, il faut à présent trouver les autres.

En 1125, le verrotarium s'achève. C'est le plus fantastique joyau de lumière érigé par l'homme. Il est doté d'un millier de teintes et, quand on se place sous la coupole, il paraît en avoir bien davantage car le même verre, selon son emplacement, multiplie ses variations subtiles. Lorsque le soleil projette sur le sol et les hommes ses éclaboussures chatoyantes, c'est d'une splendeur à couper le souffle.

Un soir faste, Nivard extrait de son four un rouge ardent, mordant, agressif, dont le pigment est à base d'or. Il tient là une seconde note parfaitement pure, mais, si la première était grave, celle-ci est aiguë. Il inscrit soigneusement la composition de son verre sur le long rouleau de parchemin où, depuis bientôt sept ans, il recueille les formules et les enseignements de son maître, puis il remet précautionneusement le précieux document dans le carquois de cuir qui le protège. Il exulte, remerciant Dieu de l'avoir comblé au-delà de ses rêves dans son art et dans sa vie.

Chapitre 19

Comblé, Nivard le sera plus que personne pendant ces sept années. Il effleure, durant cette période, des bonheurs tellement irréels, tellement extravagants qu'il s'en trouve parfois oppressé, tant ils ressemblent à ces ciels trop bleus qui annoncent des orages.

Il adopte la langue et les coutumes syriennes. Il se fond dans l'art de vivre oriental et s'habille à la mode sarrasine. D'Awen il reçoit trois enfants dont un fils, Matthan, qui a six ans en 1125, et deux petites princesses adorables, Tamar et Tirça, qui ont à cette époque trois et quatre ans et dont les friponneries enfantines égayent le palais de mille grelots de rire. Awen trône en souveraine dans le cœur de Nivard et sa grâce le ravit. Il aime passionnément sa jeune femme qui s'épanouit dans la musique et dans le chant. C'est une fête de l'entendre prêter sa voix à des poètes et son émotion au silence de leurs écrits. Elle a comme Khalim Rhamir le goût du verbe et de la majesté des mots. Elle joue de la cithare, de la harpe, de la flûte et compose des mélodies sensibles qui subliment l'écriture.

Awen a un de ces timbres rauques dont on ne se lasse pas, tant il fait vibrer les fibres profondes de l'être. Par elle, la maison de son enfance retrouve son âme musicienne et les artistes y découvrent un espace où débrider leurs instruments et faire entendre leur voix. Nivard regrette de ne pas être un magicien des mots et de la musique, il envie ce poète qui composa cet hymne à la splendeur de la femme noire qu'est le Cantique des cantiques. Ces vers et ces images le troublent et sont au diapason de son amour.

Un jour, dans le verrotarium, Khalim Rhamir et Nivard cherchent à s'accorder sur la provenance d'une teinte qui, dans un vitrail, subit l'influence des couleurs limitrophes. L'un la range parmi les bleus, l'autre parmi les verts. L'extraction du fragment coloré donne raison au jeune verrier. Le vieux maître, beau joueur, relève la chose en disant :

– Je crois que pour bien lire la lumière, il faut être amoureux. Je me demande si je ne me fais pas un peu vieux.

Amoureux, Nivard l'est pleinement, violemment, sans réserve. Pas de dérives ni d'aventures du côté d'autres femmes. Les aguicheuses le savent pour s'en être aperçues à leurs dépens. L'homme demeure cet être droit, taillé d'une pièce, ne faisant de concessions ni à lui-même ni aux autres. Les verriers le trouvent dur mais juste, autoritaire mais avisé. Indéviable, il suit son rêve et, comme tous les pères, il projette celui-ci plus ou moins consciemment sur son fils, Matthan.

Matthan est un enfant d'une grande beauté, les

237

traits illuminés par des yeux superbes prélevés dans les trésors de charme de sa mère. Dans son sang coule le feu des fours et il peut rester des heures à la verrerie à contempler son père, comme il se plaît à rôder près de la forge de Soma, dont le malin plaisir consiste à inviter l'enfant à frapper sur l'enclume avec ce lourd marteau qui n'a pas de poids au bout de son bras puissant et que le petit homme soulève à grand-peine. Le géant rit de bon cœur. C'est un peu de son bonheur qui fuse, car lui aussi est heureux. Il a trouvé sa place dans cet univers raffiné et attachant et ne voudrait l'abandonner sous aucun prétexte. Avec les années, le colosse est devenu un fin forgeron après avoir lutté, non sans peine, contre sa force sauvage, rebelle à la domestication. Obstinément, il l'a canalisée, l'a tempérée, l'a dosée jusqu'à ce qu'elle s'associe à la matière plutôt qu'elle ne la combatte. De pataud qu'il était au départ, Soma est devenu précis, capable de forger de bons outils pour la verrerie, de façonner une canne bien ronde et bien droite qui roule aisément entre les doigts des verriers.

À l'automne de l'année 1125, deux cavaliers montent vers la grande maison. Mamouk les aperçoit le premier. Il quitte ce coin d'ombre où il se plaît à réfléchir et à concocter dans sa tête quelque médication savante, et part à la rencontre des visiteurs. Il a reconnu de loin Rosal de Sainte-Croix, dont la maison fut une terre d'asile et d'amitié dans un pays d'intolérance, et cette visite le met en joie. Ils se retrouvent inchangés, comme si le temps n'avait pas prise sur eux.

— Mon bon messire, dit Mamouk à Rosal, si j'étais assez menteur, je vous laisserais croire que je suis là à vous attendre depuis sept ans tant votre venue me ravit.

Ouvrant les bras à son ami, le chevalier s'exclame :

— Moi, je ne te mentirai pas en te disant que la part la plus précieuse de mon cœur se trouve ici !

C'est Geoffroy Bisol qui accompagne Rosal. Les voyageurs sont accueillis dans l'enceinte. On envoie un cavalier chercher Nivard à ses fours et on s'en va quérir Khalim Rhamir dans son jardin. Le temps est venu où le verrier doit se rendre à Jérusalem. Pour Nivard et sa famille, ce départ en annonce un autre auquel il préfère ne pas trop penser. Rosal n'a pu résister à l'envie de revoir dans leur îlot de tendresse ce couple et les familiers de cette maison pour qui il déborde d'affection comme un arbre dont le feuillage abondant fait ployer les branches. Il resterait là toute sa vie en leur compagnie et celle des enfants s'il n'avait d'autres projets ambitieux. Il est conquis par cette beauté qui transparaît partout. Quand, avec Geoffroy Bisol, l'alchimiste, il se trouve sous l'extraordinaire coupole de vitraux, les deux hommes n'en croient pas leurs yeux. En cette fin d'après-midi, le soleil passe dans les zones orange et rouge de la verrière et la caresse de couleur est admirable. Les chevaliers restent sans voix un long moment et Geoffroy Bisol, saisi par la magie du lieu et par la concentration d'énergie de l'endroit, laisse échapper :

239

– C'est grandiose !

Et continuant sa pensée, il ajoute comme pour lui-même :

– Ce n'est plus une œuvre humaine ! C'est du travail d'alchimistes !

Rosal de Sainte-Croix n'a rien pu dire. Il goûte ce miracle jusqu'à plus soif. Il est émerveillé.

Accompagné de Soma, Nivard part avec les deux hommes pour Jérusalem. Il porte en travers de son dos le carquois de cuir qui contient le parchemin sur lequel il a transcrit avec précision les données de son art. Lorsqu'il arrive avec ses compagnons sur le terre-plein du temple de Salomon, les chevaliers prennent leur repas, abrités sous un patio ombré de verdure et de fleurs. Deux hommes se sont joints à eux et partagent leur pitance. Il s'agit de Foulques d'Anjou et d'Hugues de Troyes, comte de Champagne. Ce haut personnage a abandonné son immense domaine pour se joindre à ceux qui, aujourd'hui, se font appeler les templiers. Nivard et Soma sont reçus avec amitié. Soma pose sur la grande table un long coffret contenant de petites cives de verre coloré que Nivard a prélevées parmi les plus belles. Même silence que sous la coupole. Les pièces rondes passent de main en main, animant tantôt un morceau de visage, tantôt un bout d'étoffe, tantôt un fragment de table. Nivard reste silencieux, il sait que les verres parlent pour lui. Godefroid de Saint-Omer, qui tient deux civettes au bout de ses doigts et qui les superpose pour jouer avec leur transparence, rompt le silence.

– Je suis ravi de voir que tu es prêt. À présent, il faut préparer ton départ. Notre mission à nous est aussi accomplie. Nous sommes au bout de nos recherches. Nous repartons pour la Champagne dans un mois. Quand le chariot sera à Antioche, tu te joindras au voyage avec tes hommes et ta famille.

Un éclair de tristesse traverse alors le visage de Nivard. Rosal de Sainte-Croix, qui a les yeux rivés sur lui, est le seul à s'en apercevoir. Quand le repas est terminé, le chevalier s'approche du verrier et, alors qu'il s'apprête à le réconforter, Nivard lui confie :

– Ça nous arrachera le cœur de partir.

Comme s'il n'entendait pas, Rosal enchaîne machinalement :

– Confiance et foi, Nivard, nous veillons sur vous.

Dans les jours qui suivent, Nivard peut apprécier certains travaux que les chevaliers ont accomplis durant ces longues années. Entre autres choses, ils ont dégagé une importante partie des écuries de Salomon qui, d'après les textes, pouvaient contenir deux mille chevaux et presque autant de chameaux. De leur côté, Rosal de Sainte-Croix et Archambaud de Saint-Amand ont dessiné dans le détail plusieurs ouvrages de pierre d'une telle finesse qu'on croirait voir de la dentelle. Les fenêtres à revêtir de vitraux sont immenses, démesurément hautes, et leurs arcs sont brisés.

– Je cherche la pierre libérée de son poids, les cailloux jetés au ciel et arrêtés dans leur course.

Tel est le discours de l'architecte. Rosal déploie des plans étourdissants dans l'immense salle du temple. Il raconte au verrier les chemins qu'il a dû emprunter avec Archambaud pour déplacer sur parchemin le poids des pierres vers l'extérieur des bâtisses et pour obtenir la légèreté et l'ascendance intérieure de l'ouvrage. Ils ont effectué un travail d'équilibristes qui dépasse l'imagination des hommes. Ils ont retrouvé dans la science et l'expérience des anciens bâtisseurs les clés mathématiques et les astuces techniques indispensables pour concrétiser leur folie. C'est impressionnant : à se demander si ces élans de pierre peuvent s'épanouir ailleurs que sur des plans. Dans ces édifices vertigineux, le jour est roi, le ciel est partout et tout est conçu pour que le verrier harmonise avec la lumière son plus beau chant.

Malgré cet éloignement de sept ans, les templiers entretiennent Nivard comme s'il était l'un des leurs. Revenant sans arrêt sur les mêmes thèmes, ils parlent abondamment de tensions, de résonances, de vibrations, de nœuds d'énergie et autres influences telluriques, cosmiques et spirituelles. Au-delà de l'écueil de ce langage d'initiés qui ne lui est pas familier, le verrier perçoit que les chevaliers rejoignent les préoccupations qui le hantaient lorsqu'il travaillait la lumière avec Khalim Rhamir. Il a atteint, sans le savoir, le terrain de rencontre où ces hommes l'attendaient. Il est mûr pour cette tâche à laquelle les chevaliers le destinent. Avec Geoffroy Bisol, il annotera son parchemin de précieuses informations sur les gisements de minerais dans les régions du Nord avant de s'en retourner auprès des siens à Antioche.

Lorsque Nivard quitte Jérusalem avec Soma, une pensée singulière lui traverse l'esprit. Elle a trait à l'Arche d'alliance qui contient les pierres où Dieu écrivit avec le doigt, à l'endroit à l'envers, la règle d'or, la mesure absolue, la note parfaite, le point de rencontre privilégié entre le créateur et sa créature. Les chevaliers auraient-ils retrouvé les tables perdues en fouillant le temple de Salomon ? Le chariot serait-il destiné à les ramener en Occident ? Cette bibliothèque ambulante est un leurre idéal pour sortir clandestinement de Palestine l'Arche d'alliance sans éveiller la curiosité des juifs qui la revendiqueraient au nom de leurs pères. Un moment, il tressaille à l'idée d'escorter cet objet mystérieux et inquiétant, capable de tuer à distance d'une main et de prodiguer la connaissance de l'autre. Il chasse ensuite cette sagacité dans un repli de lui-même comme on évacue un rêve trop étrange. On arrive près des forêts de cèdres. Soma chantonne comme à l'habitude. Le soleil éblouit les sommets enneigés des montagnes. Il fait doux. Nivard aime ce pays et ses gens. Il souhaiterait mourir ici comme son père.

Quand les deux hommes rentrent de voyage, Awen s'avance à leur rencontre, le cœur serré, pour leur annoncer une triste nouvelle. Khalim Rhamir a été retrouvé sans connaissance dans le jardin.

– Nous l'avons installé dans la grande pièce, dit-elle, et Mamouk s'empresse à son chevet depuis plusieurs heures.

Lorsque Nivard pénètre dans la maison, il y règne

un silence oppressant. Un à un les enfants s'approchent sans bruit de leur père pour l'embrasser. Nivard se rend auprès de la couche où repose le vieil homme. Celui-ci lentement se réveille et, d'une voix docile, dit à son entourage :

– Je crois qu'on m'appelle ailleurs.

Puis il tourne les yeux vers Nivard et lui demande :

– Conduis-moi là-haut dans notre palais.

On installe un lit dans le verrotarium et Nivard porte le mourant dans ses bras. Une fois sous le dôme de verre, il déploie sur une étoffe claire ce long vieillard osseux, aussi léger que son âme. Khalim Rhamir promène ses yeux partout, il les ramène sur Awen, sur Soma, sur les enfants, sur Mamouk et Nivard, comme s'il lui fallait cueillir quelques images chères avant de passer sur l'autre rive. Il murmure encore :

– Je retourne à la source de lumière d'où je suis venu.

Son regard s'envole à la nuit tombée, telles deux étoiles chassées par un souffle. Quand il passe, les bleus de la verrière s'éveillent à la lune et certains astres se démantèlent dans les brillances du verre.

Ainsi s'en alla Khalim Rhamir comme s'en vont les sages. Il fit le pas comme on franchit un ruisseau. Tous ceux qui avaient croisé son existence et qui l'avaient aimé restèrent longtemps désemparés face au vide de sa mort. Ce n'est que plus tard qu'ils se surent comblés par la richesse intérieure que cette figure rayonnante avait versée généreusement en chacun d'eux à leur insu.

Est-ce le Dieu de Khalim Rhamir ou celui des

chrétiens qui voulut que cet homme connaisse une fin heureuse au milieu des siens et qu'il ne soit plus là à l'heure des événements tragiques qui suivirent sa mort ? Que ce soit l'un, que ce soit l'autre, ce Dieu-là était miséricordieux...

Après ce départ éprouvant, le temps rappelle Nivard à l'ordre et l'oblige à penser à ce retour en France qui s'annonce pour bientôt. Le verrier vit cette période comme un arrachement et c'est Awen qui trouve les mots qu'il faut pour l'aider à combattre cette peine. Elle lui dit qu'on a besoin de lui là-bas et que personne n'est apte à vitrer les nouvelles églises des chrétiens mieux que lui.

— La vie nous ramène dans ton pays et c'est mieux ainsi, dit-elle. À Ghassan, ton art s'essoufflerait vite dans des travaux de piètre envergure.

— Je ne veux pas sacrifier à mes vitraux ton bonheur et celui des enfants.

Awen se montre confiante, confiante dans l'avenir, dans son homme, dans leur amour. Nivard n'arrive pas à la confondre ni à obscurcir sa sérénité par un tableau pessimiste de ce qui les attend. Pas le moindre soupçon de crainte, pas la moindre inquiétude n'affleure chez cette femme aimante. Il est ému par Awen, touché par son courage immense puisé dans un philtre de tendresse qui ne s'est jamais affadi depuis leur rencontre. Il la désire, la prend sous son bras et l'amène au ciel sous le dôme de verre. Il ferme la trappe et, fébrilement, la déshabille. Nue, il

245

la promène sous les rais de lumière. Les jaunes l'épousent, les bleus l'inondent, les verts et les gris la caressent, les roses l'embrassent, les orangés et les rouges l'allument. Awen est belle comme au premier jour de leur amour, magique dans ce jeu d'estompes et d'ensoleillements. Son collier brasille sur son corps. Elle tourne, elle se baigne de clarté, de chatoiements, de reflets. Elle emporte avec elle dans ses mouvements les couleurs alchimiques de mille diamants éclatés. Elle ondoie, elle danse tandis qu'il se dénude à son tour. Elle scintille, elle étincelle, elle fait miroiter sur sa féminité luisante de chaleur les multiples nuances des verres. Elle est belle et noire comme les tentes de Qédar, comme les toiles de Salma. Ses yeux sont des colombes, ses cheveux un troupeau de chèvres qui dévale de la montagne de Galaad, comme la tour de David est son cou, mille boucliers y sont suspendus, tous les écus des braves. Ses deux seins sont comme les faons jumeaux d'une gazelle paissant parmi les lys et sa taille est un palmier. Elle est belle comme une musique d'anges, un cantique dont les voix lumineuses ruissellent en pluie de notes, de tons, de teintes et de demi-teintes sur sa peau. Haletante, à bout de souffle, Awen colle son corps d'ébène contre celui de Nivard, elle le verse sous elle et, féline, sensuelle, sauvage, elle l'amène au-delà de ce dôme de verre, au-delà de la coupole qui coiffe le monde, quelque part dans la sphère culminante du plaisir, celle-là même qui abrite l'absolu et enfante les passions.

Ce jour-là, Nivard fait l'amour avec la lumière.

Chapitre 20

Les dernières journées au sérail se passent à préparer le départ et à assurer la maintenance et la tutelle du bien en attendant qu'un demi-frère d'Awen le reprenne à son tour. C'est un jeune homme de moins de vingt ans, un des rares rescapés de l'épidémie de peste qui décima la maison en 1106. Fils d'une des favorites du père d'Awen, il eut la vie sauve d'avoir été confié tout petit à sa nourrice, une sœur de Mamouk qui habitait Tyr. Actuellement, le futur maître des lieux se trouve à Alexandrie où son grand-père l'a envoyé pour étudier l'astronomie et la mathématique, branches pour lesquelles il se passionne. Son retour au pays est prévu pour le printemps prochain. D'ici là, Mamouk veillera sur la maison et on compte sur lui pour épauler, plus tard, cet homme jeune dans la voie tracée par sa lignée, afin qu'il perpétue l'image d'un prince clairvoyant, équitable et humain.

Pendant qu'Awen s'occupe des derniers préparatifs, entourée de ses enfants en joie à l'idée de partir, Soma patrouille la région en quête de chariots commodes et de bonnes bêtes d'attelage pour le très long voyage. Ayant appris qu'il y a à Byblos des charrons qui travaillent le cèdre avec le savoir-faire des anciens Phéniciens constructeurs de bateaux, il descend jusque-là avec plusieurs hommes de la garnison.

Du côté des fours, qui se trouvent en amont de l'Oronte à une heure de cheval de Ghassan, le travail de rangement est fort important, car si le gros de l'outillage doit être abandonné, il est quantité de choses que le verrier désire mettre à l'abri dans l'enceinte du sérail. Cela va des cannes jusqu'aux blots de bois et aux pinces, en passant par les minéraux précieux, les oxydes, les objets de verre intéressants. Nivard ne veut pas que tous ces trésors deviennent la proie de vandales une fois l'activité arrêtée. Il tourne et retourne autour des creusets, des bancs et des baquets. Chaque chose a une histoire et demande grâce au verrier. Les choix sont difficiles. Le maître n'a aucun grief contre ses bons et loyaux outils qui ont si bien rempli leur devoir. Avec les hommes attachés à la maison et quelques ouvriers, Nivard entasse à pleines charretées ce qui faisait la vie de la verrerie. Tout le monde est mis à contribution. La surveillance du sérail est accidentellement relâchée en cette période de transition et de déménagements.

Alors qu'il effectue ces rangements, Nivard se sent soudainement mal : ses jambes se dérobent sous lui et un froid terrible lui envahit l'échine. S'excusant auprès de ses hommes, il décide de rentrer sur-le-champ au sérail. Il minimise son malaise, accusant la fatigue et la tension des derniers jours.

– Ce n'est rien ! Ça ira mieux demain, dit-il avant d'éperonner son cheval.

Sur le chemin de Ghassan, son angoisse se transforme en une peur bleue, une panique profonde, inexplicable, comme si la terre s'ouvrait devant lui et qu'il tombât dans une crevasse. Il passe au trot, puis au galop, puis au triple galop. Quand il aperçoit de loin le sérail, le portail est béant. Il se jette dans cette gueule ouverte et y découvre l'enfer.

Dans la cour et dans les jardins, les rares hommes en faction se battent désespérément contre une bande de pillards. Des corps sanglants jonchent le sol. Les bandits frappent sauvagement du haut de leur monture les gens de maison qui tentent de fuir et qui appellent à l'aide. Nivard met pied à terre. Quatre à quatre, il gravit l'escalier qui mène à la grande pièce où Awen doit se trouver avec les enfants. Tout est sens dessus dessous. Il court alors vers sa chambre, hésite un moment avant d'entrer puis, d'un mouvement brusque, écarte le rideau. Devant le spectacle horrible qui s'offre à ses yeux, Nivard tombe sur les genoux, sans force, anéanti, brisé.

Awen gît au milieu de la pièce, mêlant son sang à celui de ses enfants. Sa tête, détachée de son corps, regarde Nivard avec les yeux hallucinés et morts des statues. On l'a décapitée d'un coup de cimeterre pour lui voler son collier. Tamar et Tirça, massacrées elles aussi, reposent près des bras déployés de leur mère. Quant à Matthan, leur fils, frappé d'un coup d'épée dans le dos, il a juste trouvé la force de se traîner jusqu'au corps inerte d'Awen et agonise contre son sein. Son visage taché de sang porte encore les larmes de son chagrin. C'est à devenir fou ! Comme le padre Diavolo à la verrerie de Saint-Benoît, Nivard est broyé par cette douleur atroce, insupportable, démesurée qui tombe sur lui telle une avalanche de pierres. Il ne se relève pas et marche sur les genoux pour aller rassembler sous son corps ces êtres qui sont sa vie et que la vie lui arrache avec une violence horrible autant qu'injuste. Qu'a-t-il fait d'autre qu'aimer ! Dieu est ennemi pour tolérer que l'homme soit frappé au-delà de lui-même de coups si durs qu'il ne lui reste plus que la haine ou la folie pour se défendre et la mort pour s'apaiser. La révolte, qui s'était transmutée en passion sous la caresse alchimique d'Awen, gonfle dans le cœur de Nivard et devient cette vague énorme qui arrive par surprise des fonds de l'océan pour tout emporter sur son passage.

Il se redresse comme un lion blessé, avec sur lui, maculant ses vêtements, le sang de l'amour et de l'innocence. Il hurle. Son cri est immense, à la mesure de sa force. Il déchire l'espace jusqu'au ciel, jusqu'aux tympans du Très-Haut. C'est un effrayant cri de haine à l'adresse du monde et de son créateur.

Il cherche alors le feu : celui des fours et des bûchers, celui qui purifie les souillures, qui nettoie les plaies, qui unifie par la cendre les êtres et les choses. Il le trouve circonscrit dans l'âtre des cuisines sous le repas du soir. Il le libère de son réduit de briques comme on lâche une meute de chiens affamés. Il redevient, lui aussi, la bête sauvage, cherche la proie et s'abat sur elle. Il tue. Son épée est trempée de sang mais ça ne suffit pas. Rien n'est assez rouge pour satisfaire sa colère. Il est sourd, aveugle, mû par on ne sait quelle force invisible. Il se combat lui-même. Il attend le coup mortel comme une délivrance.

De son observatoire, le chef des pillards ne l'entend pas de cette façon. Nivard de Chassepierre ne lui est pas inconnu et c'est vivant qu'il le veut et non mort. Le verrier qui, tel un oiseleur, attrapait la lumière dans ses filets de plomb est piégé dans les mailles d'un vulgaire filet de corde comme un animal enragé. Les coups pleuvent sur lui jusqu'à ce qu'il perde connaissance. On lui attache ensuite à la cheville droite un de ces liens que l'on met aux pattes des chameaux de bât puis on le suspend par le pied à une branche du grand figuier qui ombrage la cour, comme un gibier à dépiauter. Un cavalier passe et repasse au galop le frappant de sa trique. Impuissant, tournant sur lui-même dans le vide, Nivard oscille tel un pendule. Dans ce monde inversé, le cheval martèle le ciel de ses sabots et le sérail incendié verse ses flammes sur le sol comme tombent aux pieds des verriers les bavures de verre incandescentes qui se détachent des paraisons. Dans ce monde inversé, le dôme de vitraux colorés est devenu un gigantesque et lumineux calice qui recueille dans ses paumes larges le sang d'Awen et de ses enfants. Dans ce monde inversé, les yeux du verrier se brouillent et des larmes se mettent à escalader bizarrement son front.

Les pillards ont rassemblé leur butin dans la cour. Précipitamment, ils chargent les chevaux pour repartir au plus vite. Le feu se voit de loin et il est urgent de vider les lieux. Parmi les criminels, il y a plusieurs anciens croisés. Certains ont escorté le chariot et se sont rebellés quelque part dans les Dolomites. L'âme damnée de la bande est Bruant de Mauvoisin. Il est satisfait. Il ne pensait pas trouver ici l'occasion de faire payer l'affront qu'il essuya jadis et il semble se délecter davantage de sa vengeance que du butin ramassé. Quand les hommes sont prêts à partir, il se tourne vers son âme damnée, un cavalier sarrasin exercé à toutes les cruautés, et lui commande avec ironie :

– Dépends-le !

L'homme arbore un sale sourire et tire son cimeterre poisseux de sang comme un outil malpropre. Il se lance au galop dans la direction de Nivard en jonglant avec son arme. Il tranche en deux coups de lame la jambe du verrier, alors qu'il a décapité Awen en un seul. Sans un cri, Nivard tombe sur le sol comme un faisan frappé en plein vol tandis qu'à la branche son pied reste suspendu à son garrot tel un fruit macabre.

Quand les pillards s'évanouissent dans la nature, un homme sort de sa cachette. Il a tout vu de ses petits yeux affolés et larmoyants. Il n'a rien pu faire que d'assister à l'horreur depuis son trou et n'a sauvé personne aujourd'hui, si ce n'est lui-même. Dès qu'il est assuré que les hommes sont bien partis, il court vers Nivard dont le sang se vide par giclées. Il empoigne le moignon qu'il serre pour arrêter l'hémorragie. Les villageois surgissent enfin, ils cherchent les blessés parmi les morts. Certains s'attaquent au feu. Sur le chemin du sérail, on cravache des chameaux. C'est Soma et la garnison qui rentrent. Ils ont vu le feu dans le lointain. Ils ont galopé. Arrivé sur les lieux, Soma cherche un refuge à l'abri des regards pour pleurer dans ses énormes mains tandis que les hommes aident Mamouk à transporter dans la forge Nivard qui se meurt. On dégage l'établi pour l'y coucher. Le petit homme donne ses ordres, exige telle ou telle chose en même temps qu'il raconte l'horreur qu'il a vécue. On apporte les instruments du médecin, ses potions et ses poudres. La colère échauffe les cavaliers qui veulent repartir. Mamouk s'acharne pour sauver le blessé. Vers le soir, sortant de la forge, un fidèle s'écrie :

— Notre maître est mort !

La clameur se répercute à travers le sérail comme une plainte, comme un cri déchirant. Les hommes ont la vengeance dans l'âme. Sans plus attendre, ils se lancent par grappes à la poursuite des pillards. Soma sort alors de l'ombre, il se glisse dans la forge, replié sur lui-même comme un ours maté par son dompteur. Les yeux rouges, il regarde Mamouk en nage qui, affourché sur l'établi, pousse par à-coups sur la poitrine du verrier comme s'il actionnait le soufflet de la forge. Un infime soupçon de vie refait surface, aussi ténu que l'espoir. Une lutte s'engage aussitôt pour sauver cette flamme minuscule qui vacille dans la bourrasque. Pendant des heures, Mamouk opère tandis que Soma recueille avec angoisse chaque battement de cœur, chaque soubresaut. La forge est allumée. Elle éclaire la pièce par vagues. On y chauffe de l'eau, on y purifie les outils. L'artère et les vaisseaux sont suturés avec de fines aiguilles et les chairs remariées comme on ferme un sac.

La conscience de Nivard va et vient, l'homme est exsangue, au bout de ses forces, en bascule entre la vie et la mort. Il perle de sueur. On lui a glissé entre les mâchoires un morceau de bois qu'il écrase comme un os. Mamouk est épuisé. Il renouvelle les compresses, nettoie la plaie tant et plus avant d'envelopper le moignon dans un linge. Le garrot est enlevé. L'oreille collée contre le cœur de Nivard, il écoute longtemps, très longtemps, puis vient s'asseoir à côté de Soma.

Durant toute la nuit, il se lève, renouvelle l'opération et se rassied. Plusieurs fois aussi, il administre au blessé, avec l'aide de Soma, une substance jaunâtre, qui lui déborde sur le menton et sur le cou comme la panade d'un nourrisson capricieux. Au petit jour, le visage du petit homme se détend. Le pouls du verrier a retrouvé sa régularité. Retournant près de Soma, il lui dit simplement :

– Tu peux aller dormir. Il vivra !

Soma n'a pas la force de bouger d'où il est. Il ne peut s'empêcher d'imaginer Nivard se réveillant dans ce lieu où les cendres de son bonheur fument encore. Oppressé par cette pensée, il laisse échapper :

– Ce domaine est maudit, il faut partir d'ici.

Mamouk hésite un moment puis acquiesce de la tête.

– Tu as raison, il faut partir !

Le médecin a conscience du risque qu'il prend en agissant ainsi mais, quoi qu'il en coûte au blessé, il estime lui aussi préférable de quitter au plus vite cet endroit maléfique avant son réveil. Il redoute qu'une trop grande proximité de son malheur n'emporte la raison de cet homme ou ne lui enlève toute volonté de lutter pour vivre.

C'est dans cet état d'âme qu'il part le jour même pour le port d'Alexandrette. Il va y engager quelques tractations, y vendre certains objets, prendre contact avec un armateur qu'il connaît bien pour qu'il lui trouve un bateau en partance pour la Grèce ou l'Italie. Un accord sera rapidement conclu avec un Phénicien qui doit appareiller incessamment pour Thessalonique avec un chargement de bois.

Pendant ce temps-là, Soma veille le malade qui brûle de fièvre et délire. Il a fait son bagage et celui de son maître. Il a retrouvé près de la forge le précieux carquois qui contient les parchemins où le verrier a transcrit ses formules.

Le lendemain, Nivard est acheminé sur une civière à bras d'hommes jusqu'au port. Le soir même, le vent étant favorable, le lourd bateau déploie sa voilure et quitte le golfe majestueusement.

Rosal de Sainte-Croix arrive sur les lieux du drame avec ses écuyers quelques heures à peine après le départ des trois hommes.

C'est jour de deuil. On pleure les morts, le sérail fume encore par endroits. Sous la brise légère, de petits feux renaissent çà et là. Le chevalier n'a pas la force de descendre de cheval, il parcourt en fantôme les ruines de ce qui fut le palais de Khalim Rhamir et la demeure chaude d'Awen et de Nivard. Il y a du verre fondu dans les cendres, tout ce qui reste de cette coupole admirable qui les avait tant émerveillés, Geoffroy Bisol et lui-même. Lorsqu'il repasse dans la cour, il aperçoit, accrochée à un arbre, la jambe claire d'un homme sectionnée à mi-mollet et envahie par une nuée d'insectes. Sous le pied, par terre, une immense tache de sang s'épanouit comme une sinistre floraison. Rosal de Sainte-Croix en a assez vu pour imaginer ce qui s'est passé. Il traverse le portail suivi des deux soldats qui l'escortent.

En chemin, il croise la garnison rentrant victorieuse de cette chasse à l'homme qui l'a menée jusqu'à Alep. Les fidèles ont planté au bout de leurs pics les têtes des vaincus. Rosal de Sainte-Croix regarde ailleurs. Il voudrait se boucher les oreilles avec les poings lorsque les hommes lui racontent la mort d'Awen, celle des enfants, la longue agonie de Nivard et leur poursuite acharnée et expiatoire. Il a juste envie de partir et de laisser les justiciers à leur joie primaire. Comme si la mort des uns pouvait ramener les autres à la vie !

Continuant sa route, cet homme bourru et solide comme un chêne se laisse peu à peu distancer par les écuyers qui l'accompagnent pour pleurer en silence, tête baissée, ses deux enfants perdus.

Chapitre 21

Nivard reste des jours et des semaines à vaciller entre le délire et la conscience, la folie et la raison. Parfois, la nuit, sortent de lui des cris rauques asphyxiés et d'étranges rires gutturaux à peine audibles, qui ne rassurent personne sur son état. Il arrive aussi qu'il gémisse ou qu'il sanglote dans son repli avec de vraies larmes. Faible, terriblement faible, incapable de lever même un bras, l'homme rejette longtemps toute nourriture avant de se laisser faire. Mamouk et Soma ont des trésors de patience avec le malade qui demeure fermé comme une tombe et qui n'a plus d'yeux pour personne. Durant cette période, le médecin ne vit pas. Il craint le pire pour cet homme qu'il a ramené de l'enfer.

À cette étape critique en succède une autre, un peu moins alarmante, où de longues heures de prostration et d'abattement alternent avec de fugaces moments d'éveil.

Et puis, un jour, une voix cassée, raclant comme une pelle dans la caillasse, se fait entendre :

— Donne-moi à boire ! J'ai soif !

C'est le premier pas, le début d'une lente renaissance.

Au fil du temps, le visage de Nivard retrouve sa fermeté et son regard son intensité. À plusieurs reprises, il tente de se mettre debout et de marcher mais il a besoin de ses bras pour s'assurer. Il doit se raccrocher aux objets et aux gens pour ne pas tomber. Il se découvre infirme.

Une nuit, il se lève sans prendre garde et tombe de tout son poids sur son moignon fragile, qui s'éclate sur le pont du navire. Cette inconscience réapparaît plusieurs fois et Mamouk doit le recoudre. À la douleur provoquée par la perte des siens vient s'ajouter insidieusement la meurtrissure profonde de se savoir mutilé, dépendant, diminué à vie par son amputation.

Nonobstant ce handicap, Nivard de Chassepierre se ressaisit et, quand il semble à Mamouk que le corps du verrier redevient sain et que son esprit retrouve un peu de la robustesse qu'il avait auparavant, il juge sa tâche accomplie. Profitant d'une escale du navire à Éphèse, le petit homme prend modestement congé de Nivard et de Soma pour s'en retourner par les chemins vers ce qui fut autrefois la demeure exquise de Khalim Rhamir. Il part, à présent, à la rencontre d'un jeune homme innocent qui revient d'Alexandrie la tête pleine d'étoiles et de planètes et qui est à mille lieues de s'imaginer que la détresse a planté ses griffes au bout de son voyage.

La traversée sera longue et s'empêtrera du côté des îles. Les marins se plient à l'inconstance des éléments et à la fantaisie des reliefs. Leur vertu est la patience, leur force la soumission. Quand le vent tombe, ils attendent, quand il est contraire, ils louvoient, quand il pousse, ils se laissent porter, quand il se déchaîne, ils font le gros dos. Le chemin des mers est sinueux et sans cesse il faut retrouver le cap perdu, éviter les dangers, s'en remettre à sa bonne étoile, comme ce jour où un bateau pirate vint renifler de tout près leur chargement avant de passer sa route. Après mille dérives et autant de détours, par on ne sait quel miracle d'orientation, la vigie annonce un jour un port et le navire phénicien accoste à Thessalonique.

Sort de l'embarcation un homme aux cheveux blonds qu'épaule un géant nubien et qui s'aide pour marcher d'une béquille calée sous l'aisselle et attelée au genou de sa jambe coupée. Il est affaibli et porte en travers du dos un carquois de cuir épais. Il se rend en claudiquant vers un fouillis de cordes et de paniers abandonnés sur le quai par les pêcheurs et s'y installe. Autour de lui grouille le monde, vivant, affairé et pittoresque. Quelques jeunes filles passent en riant. Une fraction de regard sur l'infirme, elles gambadent plus loin. On décharge un petit bateau rempli de poissons. Les oiseaux font des rondes et se disputent un éclat d'argent. Dans l'après-midi, Soma revient avec des chevaux, des armes et un peu d'équipement. Il trouve Nivard où il l'a laissé, près des bagages. Il le perçoit moins tourmenté, le visage presque détendu. Il lui semble à cet instant que la vie peut doucement rejaillir comme une source qui retrouve son chemin après une longue sécheresse. Quand Soma est près de lui, le verrier sort de sa rêverie et lui commande de sa voix sourde :

– Partons !

Nivard a envie de reprendre la route, de s'abrutir de vraie fatigue, celle qui ne vous laisse plus le temps de penser, qui, quand la nuit tombe, vous abat comme un arbre. Depuis qu'il a quitté le sérail, il n'a plus goûté un seul vrai sommeil, de ces sommeils qui vous nettoient, vous redonnent des forces pour le lendemain. Ses yeux se sont enfoncés dans leurs orbites et délavés de chagrin. Pour le colosse au cœur d'or, le regard du verrier reste le bien le plus précieux qu'il lui a été donné d'approcher, d'aimer et de protéger. Il en a vu les œuvres, en déchiffre aisément le langage, en saisit toutes les fragilités. Depuis plus de dix ans qu'ils se connaissent, Nivard et Soma n'ont jamais conversé autrement que par les yeux, la parole étant entre eux une sorte de luxe inutile et peut-être même une entrave à la perception limpide et profonde qu'ils ont l'un de l'autre.

Soma aide Nivard à se mettre en selle. Il ne l'attache pas, car il sait que, par fierté ou par bravade, il serait rétif.

Où peut aller un homme qui a perdu l'amour et sa raison de vivre ? Que peut-il faire d'autre que de chevaucher en aveugle vers nulle part, en attendant la culbute ! Si Soma ne s'était posé en guide, Nivard partirait n'importe où, à l'est, à l'ouest, au nord, avançant sans se retourner, comme on entre dans la mer pour s'y noyer.

Nous sommes loin des fougueuses randonnées qui, dix ans plus tôt, entraînaient les deux hommes d'un coin à l'autre de la chrétienté. L'équilibre équestre du verrier est devenu précaire, et pour lui les étriers ont quasiment perdu leur utilité. Soma veille à ne pas faire des étapes trop longues, sentant quand son maître se fatigue, même si jamais il ne l'entend se plaindre.

Faisant un jour étape dans un village, les deux hommes sont invités par les habitants à partager leur nourriture et à profiter d'un gîte et d'une litière. Les enfants sont très impressionnés par le Nubien dont la stature et la couleur de peau ne les rassurent guère. Puis, faisant acte de courage, ils s'approchent l'un après l'autre du géant, sortent leur minois de derrière une poutre ou entre deux planches du fenil et s'enfuient aussitôt à toutes jambes en pouffant. Jouant leur jeu, Soma épie leurs mouvements et leur fait des grimaces, ce qui les fait rire de plus belle. Par sa bonhomie irrésistible, il va rameuter autour de lui tous les enfants du voisinage qui s'amusent comme des chiens fous. Nivard regarde la scène avec un léger sourire aux lèvres. Lorsque le calme est revenu, il se couche sur la paille et laisse échapper :

— J'avais de beaux enfants.

— Beaux, comme la princesse était belle, ajoute Soma avec audace.

261

Le fidèle écuyer évoque Awen ce soir-là, comme s'il ressentait que, petit à petit, la tragédie cédait le pas aux souvenirs heureux de jadis et que des relents de bonheur arrivaient à nouveau du ciel comme reviennent des hirondelles.

Une autre fois, après une nuit à la belle étoile quelque part en Lombardie, Soma trouve à son réveil son compagnon plongé dans le flot de formules et d'annotations de son parchemin. Il est assis à califourchon sur un arbre déraciné. Il a le souffle lourd comme chaque fois qu'une pensée l'accapare. Après de longues heures de réflexion, il remet les rouleaux en place et le fourreau sur son épaule. C'est le premier reflux de sang verrier dans les veines de Nivard depuis le drame. Soma est heureux.

Avant les premières neiges, les deux hommes sortent des sentiers tortueux qui ficellent maladroitement les montagnes et retrouvent la plaine bourguignonne avec ses chemins larges et ses soleils bas de fin novembre. Nivard a choisi son cap. Il rentre à Huy. Il veut revoir l'atelier de sa jeunesse, les fondeurs et les orfèvres, le gris des pierres et le vert des yeux de Coline, qui est resté gravé dans sa mémoire comme le sont toutes les nuances qu'il a indéfiniment modulées pour ses vitraux. Il redécouvre les cieux du Nord, austères et lourds, la pluie et le froid qui vous transpercent, l'hiver cru qui vous fait frissonner par le dehors et par le dedans.

En ce début d'année 1127, Nivard est aux portes

de Huy avec Soma. Vue de l'extérieur, la ville forti-
fiée n'a pas changé d'aspect depuis que, onze ans
plus tôt, il l'a quittée dans la somnolence du petit
jour, à croire qu'elle ne s'est plus réveillée depuis.
Dans l'enceinte c'est différent : on fête comme chaque année le départ du bonhomme Hiver, on s'attire
les bonnes grâces des éléments, on prie les saints de
se montrer favorables à la cité et à ses habitants et on
prend du bon temps avant de se mettre en carême
jusqu'à Pâques. Dans les rues, les gens courent dans
des vêtements bigarrés et les vielleux font danser leur
monde. Dans les tavernes, on boit de la cervoise à se
faire éclater la panse. Les rondes passent et repassent
joyeusement. Les jeunes gens, cachés derrière des
masques de feuilles ou de plumes, lutinent les belles
qui, se prenant au jeu, leur abandonnent l'une ou
l'autre faveur. La liesse est complète et l'excitation à
son comble.

Nivard et Soma traversent la ville en folie, dépay-
sés par tant de débordements. Nivard veut revoir la
châsse de saint Materne. Sur la place de la collégiale
s'exhibent jongleurs et autres bateleurs, boni-
menteurs et musiciens, dompteurs de puces géantes
et montreurs d'ours. Le monde va et vient, les cris,
les rires et les chansons débordent de partout.

Arrivés sous le parvis, Soma met pied à terre, attache les chevaux, aide Nivard à descendre de sa
selle, lui donne sa béquille. Deux yeux étincelants
n'ont rien perdu de la scène et un visage pointe derrière le masque de plumes et de fleurs séchées qui le
recouvre. Nivard croit entendre son prénom et se re-

263

tourne brusquement, mais il ne voit rien d'autre que la foule grouillante. Pourtant, il n'a pas rêvé. Une femme l'a appelé du bout des lèvres. Sa hardiesse l'a surprise et elle a cherché refuge à l'ombre d'un contrefort de la collégiale. Plus tard, elle éprouvera le besoin de pleurer secrètement sur lui ou sur elle-même. C'est Coline.

La grande porte de la collégiale s'est refermée sur les deux hommes, rejetant au loin le bruit de la fête. Nivard avance dans la nef. Sa béquille fait résonner les voûtes. Au fond du chœur, une porte grince sur ses gonds, trahissant la présence d'un chanoine sur le qui-vive, un tantinet suspicieux. Le gardien des lieux, arborant un air inquisiteur en rapport avec le haut privilège de sa fonction, allonge le pas en direction de Nivard. Il est bedonnant, sanguin, hirsute. Il doit être pris de la vue, car il s'approche à moins d'une portée d'haleine du verrier pour le dévisager. Soudain, un éclair de lucidité lui traverse l'esprit et lui déchiffonne les rides d'un front torturé par l'effort. Il bredouille :

— Vous êtes... Vous ne seriez pas... Est-ce que par hasard... ?

Nivard abrège sa souffrance en enchaînant :

— Je suis Nivard de Chassepierre et je viens revoir la châsse que j'ai réalisée pour cette église.

— Tout de suite, dit le chanoine subitement révérencieux.

Et il s'encourt au petit trot jusqu'à la sacristie pour

264

en revenir tout aussitôt nanti d'un abondant trousseau de clés, sonore à faire pâlir de jalousie un troupeau de chèvres. Cérémonieusement, il mène les deux hommes vers la crypte où se trouve la châsse. Une fois devant la lourde grille qui ferme le lieu, il se met à désarticuler la serrure avec véhémence jusqu'à ce que le battant se déverrouille et s'ouvre en couinant. Nivard retrouve son œuvre à la croisée des ogives, exactement à l'endroit où il avait commandé qu'elle fût placée, avec le portillon de la Vierge orienté du côté de la lumière qui filtre depuis le fond de la crypte par un soupirail étroit. Il se met alors à faire le tour du reliquaire et, lorsqu'il arrive devant le panneau frontal, il devient subitement blême, les yeux fixes comme s'il était victime d'une hallucination. Le panneton est frappé d'une étoile lumineuse éblouissante. Quelqu'un a mis la pierre à sa place.

Devant le chanoine horriblement inquiet, Nivard s'approche brusquement de la châsse. Sous les bégaiements de protestation du même chanoine, il manipule le diamant de manière qu'il s'efface à l'intérieur de l'habitacle et dégage l'orifice par lequel l'index peut accéder au mécanisme d'ouverture. En présence du gros homme de plus en plus abasourdi, Nivard ouvre le portillon. Au milieu des ossements de saint Materne, entre un crâne défoncé et un tibia jauni, sont posés les deux fragments d'albâtre de la réplique.

Conformément à sa promesse, Rosal de Sainte-Croix a bouclé l'ouvrage et rappelle le verrier à son œuvre de lumière.

Pâle comme un mort, Nivard referme le reliquaire, et la pierre précieuse, par un jeu astucieux de contrepoids, reprend alors sa place scintillante au cœur du panneau de la Vierge.

Soma n'a rien perdu de la scène. Il ressent que quelque chose d'important vient de se produire, mais il ne sait pas quoi. Son compagnon passe devant lui sans le voir et sort de la crypte tel un ressuscité en quête de ses ossements. Tandis qu'il s'éloigne, le chanoine, pour marquer le scandale, referme la grille à grand fracas. Dans la nef, Nivard s'est laissé choir le long d'une colonne. Secouant la tête, à gauche, à droite, comme s'il était souffleté d'une joue à l'autre, il ne cesse de répéter :

– Je ne peux plus ! J'ai payé trop cher !

Le tribut a été lourd et le feu de la révolte est devenu trop ardent. Comment pourrait-il encore inscrire des musiques de lumière dans les fenêtres des églises, aider les hommes à conduire leur prière vers le ciel, être le diamantaire de l'au-delà avec un corps et une âme mutilés, juste capables de brandir deux poings menaçants à la face de Dieu.

– J'ai payé, marmonne-t-il. Je ne peux plus.

Les yeux d'un verrier ne servent à rien si ce n'est à camoufler d'oripeaux de lumière un monde mal fait par un Dieu haïssable, indifférent aux hommes et à leurs peines.

– Je ne peux plus, je ne peux plus, répète inlassablement Nivard qui tient sa tête dans ses mains comme si elle allait éclater.

Il voudrait que quelqu'un d'autre reprenne son ouvrage, quelqu'un qui ne soit infirme ni de corps ni d'esprit, et qui puisse funambuler entre le ciel et l'ombre autrement que sur un pied.

Quand le visage de Nivard sort d'entre les torons de ses doigts, il est terrifiant, posé sur l'autre visage comme un masque. Soma n'aime pas ce masque qui lui fait peur. Il abrite le diable. Il se souvient d'une nuit où il a vu Nivard dans cet état pour la première fois. C'était, il y a quelques mois, pendant le voyage du retour. Des voleurs de chevaux s'étaient approchés de l'endroit où ils dormaient. L'un d'entre eux, un jeune garçon, effleura Nivard qui d'un bond s'abattit sur lui comme la foudre. Les comparses prirent aussitôt la fuite, tandis que le verrier frappait l'adolescent à coups de pierres avec une rage et un acharnement tels que Soma fut obligé d'intervenir. La tête du jeune garçon n'était plus qu'une tache de sang. Le malheureux s'en alla affolé en boulant, en trébuchant, en hoquetant de peur et de douleur et disparut dans la pénombre. Soma se tourna alors vers Nivard. Ses yeux avaient basculé. Il tomba à la renverse comme si on l'avait frappé et se mit à se débattre comme s'il était aux prises avec une force invisible et maléfique qui cherchait à le posséder.

De la même façon, aujourd'hui dans la collégiale, les yeux du verrier se révulsent et l'homme s'effondre sur le dallage de l'église, agité par des secousses profondes. Comme cette nuit-là, il sort éreinté de la lutte, avec dans le regard l'expression du désespoir.

Le combat livré, Nivard se redresse, Soma l'aide à se remettre debout, le chanoine sort de son hébétude et regagne la sacristie en levant les bras au ciel, tandis que, de leur côté, les deux hommes quittent la collégiale.

Chapitre 22

Lorsque Nivard et Soma débouchent sur le parvis, la fête bat son plein. Le jour est tombé et des flambeaux fendent la foule comme des lucioles géantes. Les cornemuseux se déchaînent, les tambourins commandent le pas des gens. Tout est sourire, insouciance, appel à la vie. Nivard a dansé sur cette place douze ans plus tôt. Il portait un masque qu'il s'était fabriqué au départ de quelques chutes de métal et de tissu. À nouveau, il lui semble entendre son nom, mais, cette fois, il entrevoit une forme humaine en bas des marches de la collégiale. Coline se découpe dans l'ombre. Il ne peut cerner ses traits, mais la devine très belle, les yeux légèrement pincés comme ceux d'un chaton. Ils avaient des reflets verts, ils étaient très doux, très enfantins.

Nivard ne se doute pas que, quelques instants plus tôt, ils étaient baignés de larmes. Une flamme qui folâtre du côté de la jeune femme dévoile un instant le frais visage teinté d'enfance de la fillette qui l'espionnait jadis.

Venant de derrière elle, un homme s'avance, muni

d'une torche de résine. Il est grand et porte un masque que sa main semble hésiter à enlever. À sa dégaine, Nivard reconnaît son frère, Guillaume de Chassepierre. Il ne lui en faut pas plus pour comprendre. À cette heure de retrouvailles, le verrier ne laisse rien transparaître de sa déconvenue, ne cille pas, arbore une mine neutre, indéchiffrable.

— Nivard... Si je m'attendais ! laisse échapper Guillaume. Quel bonheur de te revoir parmi nous !

— Salut à vous deux ! parvient-il à dire d'une voix éteinte.

À peine sorti d'un cauchemar, il bascule dans l'irréel d'une situation qu'il n'aurait jamais imaginée. Il claudique vers sa monture tel un somnambule. Il est aidé par Soma pour se mettre en selle. Guillaume l'accompagne en marchant à côté de son cheval. Il parle avec la volubilité de quelqu'un qui opacifie son embarras. Les paroles de l'homme bruissent dans les oreilles de Nivard qui n'écoute pas. Sa rêverie le ramène sans cesse à Coline.

Guillaume amène les voyageurs jusqu'à sa maison, une construction patricienne préservant son intimité derrière des obstacles de pierre et de verdure

— Cette demeure est la tienne, dit-il à son frère. Tu peux t'y établir avec ton compagnon aussi longtemps que tu le voudras !

Et la jeune femme d'ajouter avec une pointe de jubilation :

— Le lieu vous plaira. Vous verrez ! On y est bien !

Nivard accepte l'hospitalité du couple par désœuvrement et par attachement à certains souvenirs.

Il lui semble, ce jour-là, que le vide qui s'est créé en lui se comblera plus facilement dans cet environnement familier qui a été le sien jadis.

Guillaume de Chassepierre est négociant en textiles. C'est un commerçant avisé et ses affaires sont prospères. Il lui a fallu peu de temps pour se ménager une place au soleil, acquérir de la considération et s'offrir une des plus belles demeures de Huy. La ville a honoré cet homme en vue en lui confiant un poste d'échevin, mission dont il s'acquitte avec une louable générosité.

La première rencontre de Guillaume avec Coline remonte à cinq ans environ. Il était alors sans nouvelles de son frère et espérait, par le biais de maître François, qui l'avait eu comme apprenti, obtenir quelque renseignement sur ce que Nivard était devenu. Une jeune fille lui ouvrit la porte de la petite maison où habitait le vieil homme. Elle était exquise et il en tomba fou amoureux. Dès ce jour, la tendresse fraternelle de Guillaume décupla d'un seul coup et le frère absent devint le prétexte à des visites de plus en plus rapprochées.

Entre l'ancien orfèvre aux mains croches et Coline s'était établie une entente singulière, une complicité étonnante, une connivence tacite. L'un comme l'autre attendaient le retour de Nivard avec une émouvante ferveur. Quand le temps le permettait et que maître François se trouvait bien, ils partaient tous deux en promenade jusqu'à la porte de Namur qui jouxte la Meuse et d'où il est possible de voir la route riveraine jusque très loin. Sans rien s'avouer, ils rêvaient l'un et l'autre qu'ils seraient là pour accueillir le cavalier le jour où il reviendrait d'Orient.

Le drapier mit longtemps à saisir le lien qui unissait ces deux êtres purs et, au bout de deux années d'assiduité et de langueur, au moment où la santé de maître François devint chancelante, Coline, conquise par la bonté de son prétendant envers elle et le vieil orfèvre infirme, remisa dans un coin de son cœur son amour de petite fille et répondit à ses avances. Les bruits qui coururent par la suite comme quoi Nivard de Chassepierre était mort à Constantinople ou encore s'était encanaillé avec une femme syrienne confortèrent son choix.

Coline épousa Guillaume de Chassepierre en 1124, au mois de mai. Son mari l'installa en reine dans sa vaste maison. Il y accueillit aussi le vieil artisan, qui trouva en leur compagnie un refuge chaleureux jusqu'à sa mort quelques mois plus tard.

Si, depuis bientôt trois ans, Coline était comblée comme épouse, elle ne l'était pas comme mère. Dans l'entourage, l'idée affleurait petit à petit qu'elle était une terre impropre à l'enfantement. Guillaume, bien qu'il n'en laissât rien paraître, déplorait intérieurement cette barrière à l'épanouissement de leur union. La jeune épousée, meurtrie par cette défaillance de son amour, se fit examiner par les sages-femmes, qui lui trouvèrent quelque anomalie douteuse pour ne pas être en reste. Plus tard, ce fut au tour d'une connaissance de Guillaume qui pratiquait l'art de guérir de recommander à la patiente un breuvage miracle de sa composition. Cette décoction eut pour effet de vider l'estomac de Coline de façon tellement brutale qu'on eut peur qu'elle n'évacuât sa vie et son âme en même temps. Sans avoir l'air d'y toucher, Guillaume fit le tour de toutes les chapelles, allant même jusqu'à consulter un voyant à la réputation trouble afin qu'il s'assure que Coline n'était pas victime d'un mauvais sort. Il aurait ovalisé la lune pour avoir dans sa maison des enfants à qui prodiguer sa tendresse et ses biens. Il avait beau prendre le plus grand soin de ne rien laisser paraître devant elle et de garder pour lui sa déception, la jeune épouse n'était pas dupe et elle priait sainte Élisabeth de lui accorder un jour la grâce de s'épanouir comme mère et de combler ainsi le rêve de son mari.

Lorsque Guillaume ouvre à son frère et à Soma les portes de sa maison, le sentiment de Coline est partagé entre la joie et la peur. Elle est heureuse d'accueillir chez elle cette figure auréolée par son souvenir de petite fille et ses espérances de jeune adolescente, mais elle ne retrouve plus dans le visage de Nivard les yeux de l'orfèvre qu'elle a connu et appréhende le regard lointain et fascinant du verrier qui surgit d'on ne sait quel abîme et qui la dépasse. Elle regarde les deux frères et les compare. Mis à part leur haute stature, ils n'ont rien en commun. Guillaume est aussi intarissable que Nivard parle peu. Guillaume fait partie de cette portion d'humanité pour laquelle le silence est un outrage à la convivialité ; le verrier appartient à l'autre camp. La prolixité du drapier l'emporte dans des gesticulations et des mouvements parasites alors que le mutisme de son frère engendre la lenteur et la pondération de son geste. Guillaume est expansif, généreux, il est de bonne compagnie et de bon caractère, il sait rire. Quant à Nivard...

Coline voudrait savoir, elle aimerait connaître le fond de cette amertume qui saille des yeux du verrier lorsqu'ils se perdent dans le vague. Quels spectres a-t-il rencontrés sur sa route ? Irrésistiblement, il l'attire et, à la dérobée, elle le regarde avec l'innocence de sa jeunesse et de sa vie limpide de source claire. Naïvement, elle voudrait percer son secret et le secourir. Mais cet homme fait partie de ces puits insondables, de ces crevasses de l'être qui enferment leur solitude en elles-mêmes. Plusieurs fois, Coline essaie de le faire parler. Elle a beau y employer toutes les ressources de son charme encore enfantin et de sa vénusté florissante, elle en reste pour sa peine.

Par défaut, elle entreprend alors Soma, cet irrésistible colosse qui a acquis d'emblée la sympathie de la maison et qui passe son temps à rendre de menus services. Un jour qu'il plume des faisans dans la cuisine, Coline aborde subrepticement le sujet et Soma, bon enfant, lui raconte les vitraux, Khalim Rhamir, la forge. Soudain, la béquille résonne sur le plancher et Nivard apparaît dans l'ébrasement de la porte basse. Il descend les quelques marches de la cuisine, sourit à Coline, tire d'un panier une noix qu'il écale. Puis il dit, en confidence à Soma, quelques mots en langue syriaque. Le Nubien lui répond. Nivard enchaîne. Soma acquiesce de sa grosse tête bouclée. Le verrier regagne alors la grande pièce. Coline n'en saura pas plus ce jour-là.

Nivard est orgueilleux et fier et il lui en coûterait d'éveiller la pitié de Coline. Le moindre regard compatissant posé sur lui l'agresse et le met hors de lui, comme cette fois où il envoie sa béquille au visage d'un notable qui avait eu l'impudence de lui jeter une pièce.

L'homme lutte aussi par son silence contre le désir qui s'éveille en lui. Coline l'attire et sa féminité exquise occupe ses pensées. Il la dérobe par bribes quand elle passe. Il ne perd rien de ses allées et venues. Il retrouve en Coline la douceur d'Awen et la candeur de ses enfants. Son corps souple et harmonieux, ses seins fermes et pigeonnants le font rêver. N'était Guillaume, il la revendiquerait au nom de l'amour originel, celui de la meurtrière et des copeaux d'or dans les mèches blondes de l'orfèvre.

Nivard est assis devant la grande table de chêne. Il a déroulé les longs parchemins où sont inscrites les compositions de ses verres, et Coline, qui passe par là, se glisse sur la pointe des pieds derrière lui. Le verrier sent à son parfum qu'elle est là. Il aime cette présence douce. Quand, avec sa voix câline et son air mutin, elle lui demande ce que signifient tous ces mots et ces chiffres, il ne résiste plus à lui parler de

275

ses verres, de ses fours, de la coupole en vitrail, de couleurs et de lumière. Coline l'écoute avec émerveillement, le regarde admirative, incapable de ne pas fléchir devant ces yeux passionnés qui l'ensorcellent. Elle est délicieusement fragile, comme sont les bourgeons éveillés par la sève. Nivard s'arrête soudain de parler pour la contempler. Elle est debout devant lui, ses cheveux brillent dans la lumière. Il entoure alors de ses bras la taille de la jeune femme et pose sa tête blonde contre son ventre. Piégée dans ce collet de chair, Coline croit entendre une voix sans timbre qui lui souffle :

— J'ai besoin de toi !

Elle frémit comme une biche culbutée en pleine course et qui se relève étourdie. Affolée, elle brimbale sa chevelure comme pour dire à Nivard :

— Ne me prends pas, je suis à Guillaume.

Dénouant son étreinte, le verrier laisse échapper sa captive qui disparaît en courant vers sa chambre.

Au repas du soir, les yeux de Coline sont encore un peu rouges. Nivard a honte de s'être abandonné de la sorte et d'avoir laissé transparaître son désir. Guillaume de son côté est tellement préoccupé par une histoire de bateau chargé de laine anglaise qui s'est perdu en mer qu'il ne remarque rien d'anormal. En revanche, Soma, sous son air de jovialité et de bonhomie, soupçonne ce qui s'est passé. Il a un mauvais pressentiment et, s'il n'était sous l'autorité de son compagnon, il l'inciterait à reprendre la route au plus vite.

Le lendemain, Nivard sent Coline à la fois plus

proche et plus distante. Quelque chose est différent. Elle n'a rien dit à Guillaume, car le comportement de ce dernier à l'égard du verrier n'a pas changé. Elle part dans l'après-midi à la collégiale et ne revient que dans la soirée. Elle y a rencontré un prêtre, elle a prié. Elle n'a plus peur de Nivard à présent, bien qu'il lui faille rassembler ses forces pour maîtriser les élans de son cœur. Elle aime Nivard, elle aime aussi Guillaume, elle a choisi Guillaume. C'est dans ces limites-là qu'elle restera secourable au frère de son époux.

Naïve est Coline qui ne sait pas encore qu'il y a des êtres qu'on peut aider et d'autres qu'on n'aide pas, qu'il est des blessures que l'homme dans son orgueil garde pour lui seul dans la coquille close de sa vie. Naïve est Coline qui s'imagine que le verrier l'a prise par la taille pour lui dire qu'il avait besoin d'elle. Il l'a prise parce qu'il la désirait, parce qu'il estimait qu'elle était à lui de droit comme de cœur et parce que, dans sa folie, il espérait se ressaisir par une autre aspérité de ce bonheur que le sort lui avait cruellement arraché.

Durant le mois de décembre 1127, Guillaume fait son bagage.

— Je m'en vais pour quelques jours, dit-il à Coline. Le bateau que j'attendais mouille enfin au large de Bruges. Il a été très endommagé par une tempête et de nombreux ballots de laine de la cargaison sont avariés.

Pendant l'absence de son mari, comme chaque soir, Coline fait monter de l'eau dans sa chambre par une servante aussi pansue que ses brocs, une matrone au verbe agaçant, à la mine altière mais au cœur d'or. Dans la pénombre de la pièce, la brave femme aide sa maîtresse à se déshabiller, à se laver, à se vêtir pour la nuit. Selon un rituel établi, elle lui apporte ensuite un face-à-main en argent, défait sa superbe chevelure qui déferle jusqu'au creux de ses reins et la coiffe. Après quoi la servante se retire, une cuvelle sur la hanche. Son pas s'est évanoui depuis longtemps dans la pénombre du vestibule que la jeune femme est encore à se mirer avec coquetterie.

Dans les reflets mouvants du miroir, Coline aperçoit soudain une présence étrangère quelque part derrière elle. Le temps de se retourner, les brocs sont renversés, le face-à-main envoyé aux cent diables. Comme le jour où Nivard capture la fillette en sautant du toit, tout va aller très vite. L'homme bondit sur Coline comme un carnassier, il est fort. La jeune femme est sous lui, elle se défend sans se défendre vraiment, elle crie sans parvenir à émettre le moindre son, elle résiste puis ne résiste plus. Elle laisse le fauve à sa voracité, abandonnant ses reliefs à sa gourmandise. Il lui fait mal, poignant dans ses seins, son ventre et ses cuisses comme un affamé qui n'arrive pas à rassasier sa faim. Il la pétrit, il la gobe, il la dévore goulûment, désespérément. Sa respiration est puissante, elle souffle en rafales. Un éblouissement... et l'homme s'effondre sur elle dans un râle.

Coline se met alors à sangloter. Nivard se replie piteusement, il cherche sa béquille. Il regarde sa victime affalée dans un coin de la chambre conjugale : elle est secouée de chagrin, misérable. De son ventre s'échappe la semence. Tout a été trop loin, trop fort, plus loin et plus fort qu'il ne l'aurait voulu. Le rêve s'est cassé comme un verre trop sec. Il n'y a plus de mots ni de caresses pour effacer la souillure. Il peut partir, chassé par lui-même, reprendre sa vie d'errance.

Avant de se bannir, il revient à Coline, lui relève la tête doucement des deux mains pour voir ses yeux une dernière fois, mais elle les garde clos. Il murmure :

– Je ne voulais pas !

Mais elle ne répond rien.

Alors, il gagne l'écurie et, sans aide, il selle son cheval. Il se sert du râtelier et des palplanches qui séparent les bêtes pour se hisser sur sa monture. Comme un voleur, il quitte la ville, prend n'importe quelle route et galope dans l'amertume de la nuit. Il est son propre exil, un bateau aux amarres tranchées qui se saborde.

La route s'est resserrée et pénètre dans un bois. Le froid est vif, térébrant. Entre les arbres, on devine à peine le chemin. Troublé par le martèlement des sabots, un sanglier quitte précipitamment sa bauge et croise la course du cheval en provoquant sa dérobade. Nivard perd l'équilibre et, dans sa chute, se heurte violemment la tête contre une souche. Il gît sans connaissance.

Chapitre 23

Quand Nivard revient à lui, il claque des dents. Soma est à ses côtés avec son bon visage qui invariablement sourit. Pareil à ces grands arbres qui se dressent en sentinelles aux portes des maisons, il s'enracine à nouveau dans la vie de son maître. Il a allumé un feu et fait bouillir de l'eau. Ce jour-là plus que jamais, Nivard a peine à comprendre ce qui pousse cet être simple et bon à se dévouer à lui corps et âme et à s'inscrire aussi aveuglément dans la tragédie de son existence. Soma s'est posé sur sa route comme un ange protecteur et, depuis plus de dix ans, il lui a tout sacrifié pour un salaire de souffrances et de violences. Nivard serait mort à cette heure si cet homme ne l'avait servi aussi fidèlement que s'il était son roi. Il sait qu'aujourd'hui le colosse l'appellera « maître » comme au tout début de leur rencontre, installant entre eux cette distance hiérarchique comme un signe inconscient de sa désapprobation. Il sait aussi que les reproches n'iront pas plus loin. Il a retrouvé sa lourde pèlerine et s'y blottit pendant que de grosses mains s'occupent de sa blessure à la tête.

– Comment va le maître ? fait Soma une fois le pansement terminé.

Nivard ne sait que répondre. Il ne souhaite pas parler de lui. Seuls comptent le sanglot de Coline et la peine qui attend Guillaume à son retour après cette trahison. Il a honte de cet homme qu'il était hier, capable de voler le bonheur aux gens pour venger sa détresse. Il vomit ce personnage veule, il en a mépris et dégoût.

– J'ai fait le mal, confie-t-il à Soma.

C'est au tour de ce dernier de faire comme s'il n'avait rien entendu.

Une fois Nivard moins accablé par le froid, Soma demande au maître quelle destination il a choisie.

– Clairvaux en Champagne ! commande-t-il.

Le verrier est remis en selle et ils se retrouvent à chevaucher ensemble comme s'ils étaient attelés dans la vie au même timon.

Le voyage paraîtra long à Nivard et, plus il s'éloigne de la maison hospitalière et généreuse qui les avait accueillis, plus il a conscience de sa lâcheté. Il s'est enfui comme un vandale qui a commis un sacrilège, comme un profanateur. Cent fois il tourne bride, cent fois il hésite et puis repart. Bien qu'il se juge impitoyablement, il ne peut accepter l'idée que la plaie qu'il a infligée à Coline et à son frère doive se refermer sans lui. Il voudrait enlever les macules de cette page fraîchement écrite, la reblanchir. Il apprend douloureusement à endosser l'infamie. Il ne reviendra plus à Huy.

Nivard et Soma arrivent à Clairvaux un matin glacial du mois de janvier 1128. Une impalpable neige chassée par la bise souligne de fines lanières blanches chaque obstacle de la route. L'abbaye est posée sur un long et mince filet immaculé. Elle s'est grossie de nouvelles bâtisses construites dans la même sobriété. Elle écrase davantage la vallée.

C'est Guy, un frère de l'abbé, qui est à l'accueil, et il annonce aux deux hommes que Bernard s'est rendu à Troyes où se tient un concile destiné, entre autres choses, à fixer les règles de l'ordre du Temple en tant que confrérie religieuse de moines-soldats issue de Cîteaux. Il énumère les participants à cette assemblée comme on fait l'inventaire du trousseau d'une mariée : deux archevêques, dix évêques, quatre abbés mitrés bénédictins, quatre cisterciens, quelques scoliastes et une foule d'autres personnages chargés d'assister dans sa tâche le cardinal Mathieu d'Albano, légat du pape. Suger est là en sa qualité d'abbé et en tant que représentant de Louis le sixième. Sont aussi présents la majorité des templiers. Bernard de Fontaines, bien que malade, participe aux discussions. Il aurait volontiers cédé sa place à un autre si le légat n'avait réclamé avec insistance sa présence éclairée.

Nivard part sur-le-champ pour Troyes avec Soma. Le surlendemain, ils sont aux portes de l'évêché. Le verrier est tendu. Il a des comptes à rendre et des exigences à formuler. Il sait qu'il aura à affronter des personnages redoutables et qu'il devra être aussi fort qu'eux. Il est porté par sa détermination. Il laisse Soma dans le porche tandis qu'il s'enfonce seul, armé de sa béquille, dans les dédales du palais et gravit comme il peut les larges escaliers à la recherche de la salle capitulaire. Dans les antichambres envahies de novices, de scribes au repos, de prélats et autres chanoines, on sort les yeux des bréviaires pour suivre ce martèlement intempestif qui perturbe le recueillement du saint monde et on interroge à voix basse l'un ou l'autre pour savoir qui peut être cet escogriffe blond délesté d'une jambe et portant un carquois sur l'épaule, comme s'il revenait de chasse.

Campé devant l'entrée de la salle où se tient le concile, un cistercien oblong et austère, de l'abbaye de Clairvaux, joue son rôle de cerbère.

– Il est malvenu d'interrompre une séance pendant son déroulement, explique-t-il à voix basse.

Tout en parlant, il examine avec attention cet étranger dont le visage ne lui est pas inconnu. Il arrête soudain sa remontrance, fait quelques pas de côté comme s'il avait été écarté par une main invisible, laissant la voie libre au verrier. La porte s'ouvre alors toute grande sur la vaste pièce bordée de part et d'autre de stalles surélevées et flanquée sur le fond d'une estrade haute, installée pour la circonstance. Y siègent, comme s'ils rendaient justice, l'abbé de Clairvaux, le légat Mathieu d'Albano et six templiers. En face d'eux et dans les stalles, hauts dignitaires ecclésiastiques, théologiens, canonistes et clercs participent aux débats.

Sans faiblir, Nivard traverse l'allée dans le tapage

d'une discussion enflammée concernant ce point apparemment controversé de la règle où il est question de la tonsure des chevaliers. Geoffroy Bisol, en poilu et chevelu devant l'Eternel, proteste de sa voix aigre tandis que Payen de Montdidier ne voit pas d'un si mauvais œil le sacrifice des quelques rares frisettes qui le couronnent encore. La discussion s'étouffe lorsqu'un chevalier se lève, suivi de deux autres, puis d'un quatrième... Un homme revient de l'enfer. Il a troué le cercle des conciliaires et se dresse devant tous, aussi raide que le tuteur qui le soutient. L'assemblée est sidérée. Nivard de Chassepierre est mort à Antioche il y a deux ans avec sa famille. Il a été pleuré et vengé par ses fidèles. Son sang a abreuvé un figuier. Rosal de Sainte-Croix a arpenté les lieux le lendemain du drame et a recueilli de la bouche des témoins l'effroyable récit. L'émoi est terrible. L'architecte regarde médusé, sans oser y croire, ce fils resurgi des géhennes de sa mémoire.

De son côté, le verrier se laisse choir sur les genoux, pose sa béquille, se défait du carquois de cuir qu'il jette devant lui en disant d'une voix blanche :

— Je demande à l'Ordre qu'il me rende ma parole !

Une légère houle agite les rangs. Elle porte les voix de ceux qui s'indignent ainsi que les questions de ceux qui cherchent à comprendre ce qui se passe. Couvrant la rumeur, Hugues de Payns intervient sans surseoir en disant :

— En tant que maître de l'Ordre, je rejette cette demande.

Les regards se défient, intenses l'un comme l'autre.

— Ce n'est pas d'un infirme que vous avez besoin pour vos œuvres mais d'un saint, distille le verrier avec rage. Il y a dans ce fourreau tout ce qu'un homme doit savoir pour réaliser les vitraux que vous attendez.

Rosal de Sainte-Croix laisse entendre sa voix aussi tendre que ferme :

— Il y a dans ton regard tout ce qu'un homme doit souffrir pour approcher la lumière de Dieu, c'est ce regard-là qu'il nous faut, pas celui d'un saint !

— Je n'ai pas le droit de boucler vos églises de ma révolte et de mes interrogations. Je ne peux prétendre à cette tâche. Je vous enjoins de comprendre et d'accepter mon choix. Je suis en disgrâce. Dieu est hors de ma portée.

— Quoi que tu dises, Nivard, et quoi que tu penses de toi-même, tu es l'initié, le détenteur, coupe Rosal de Sainte-Croix. C'est toi seul qui possèdes l'héritage, toi seul qui détiens la note et personne d'autre ne peut œuvrer à ta place.

— Je serais mort, vous auriez trouvé quelqu'un d'autre.

— Tu n'es pas mort, intervient Godefroid de Saint-Omer. Tu n'es plus mort comme nous le croyions tous. C'est bien la preuve que Dieu te choisit pour accomplir cet ouvrage.

— ...A cloche-pied ! ajoute l'homme avec dérision.

Suger s'est levé. Il descend dans l'allée, ramasse le fourreau et le tend à Nivard en disant :

— On ne demande pas au verrier de marcher, mais de voler. Je t'attends à Saint-Denis dans huit ans.

Après un court silence, il s'adresse à l'assemblée :
— Je vous propose de suspendre la séance pour aujourd'hui, je me vois mal discuter tonsure après cela.

Les participants au concile ont quitté la salle capitulaire. Rosal de Sainte-Croix reste seul avec Nivard. Il n'en revient pas ! Le verrier avait été pris, lui aussi tout à l'heure, d'une sorte de vertige, alors que les templiers l'abordaient chaleureusement comme un frère retrouvé. Il ignorait qu'on le tenait pour mort, Mamouk et Soma ayant toujours occulté ce départ hâtif d'Antioche et tout ce qui pouvait toucher de près ou de loin à son malheur. D'être ainsi perçu comme un miraculé marqué du sceau divin l'envahit d'un sentiment étrange et troublant. Il ne comprend pas cette Église fanatique, élitiste et exclusive qui, d'un côté, n'hésite pas à tuer ceux qui n'embrassent pas sa foi et qui, d'un autre, accepte sans sourciller de faire œuvrer pour elle un homme qu'elle devrait rejeter au nom de ses principes. Nivard s'est mis en retrait de cette Église-là. Il ne pratique pas. Il a menacé des deux poings le Dieu chrétien, tué des humains selon sa propre justice, aimé deux femmes interdites et violé l'une d'elles et, malgré cela, on attend de lui qu'il devienne l'Adepte, le diamantaire de l'absolu, l'artisan suprême à qui le grand œuvre est confié, on lui demande d'être le grand accordeur de la lumière dans ces instruments de la musique céleste que seront les cathédrales de demain. Il vacille sur sa béquille de bois, il accueille avec distance Rosal, que submerge ce bonheur inespéré de retrouver en vie ce fils perdu. Il évite Bernard de Fontaines qui, pour clôturer la séance conciliaire du jour, a trouvé de bon ton de rappeler ce verset de saint Jean : « Si le grain de blé tombé en terre ne meurt pas, il reste seul. Par contre, s'il meurt, il porte beaucoup de fruits. »

En d'autres circonstances, le verrier lui crachait au visage.

Nivard ne suivra pas la discussion de fond qui amène Bernard le cistercien à s'opposer à Hugues de Payns et ses compagnons. L'abbé marque des réticences très vives à l'égard du nouvel ordre et, par respect du lien de parenté qui le rattache à deux promoteurs du projet, prend prétexte de sa mauvaise santé pour quitter Troyes et laisser à Jehan Michiel le soin de consigner les 72 articles de la règle du Temple. Il ne peut souscrire aux visées sous-jacentes à la croisade des templiers.

— Votre règle, dit-il en aparté à son oncle André de Montbard, est un feuillage pour cacher le tronc.

Il redoute ce monachisme militant et pragmatique, lui qui préconise dépouillement, rejet du faste et salut dans la prière et la mortification. Il faudra des années pour que le moine réhabilite ces pieux chevaliers, allant alors jusqu'à les citer en exemple dans ses sermons et dans ses lettres.

Loin des querelles d'Eglise, Nivard et Soma partent pour Augsbourg. Soma ne tarde pas à s'apercevoir qu'il chevauche au côté d'un autre homme. Rien qu'à sa façon de tenir en selle, de mener son cheval, de mordre la route avant de s'y aventurer, rien qu'à sa manière de regarder droit devant lui, de cabrer la tête, il ressent que son compagnon s'est repris et qu'il se raccroche à l'ancienne force qui sommeillait en lui. Nivard se meut comme quelqu'un qui prend son cap et qui ne compte pas s'en écarter. Il n'est plus ce poids qu'on tire comme ce fut le cas pendant deux ans. La pugnacité de cet homme intrépide et passionné qui avait suscité l'admiration et la tendresse du géant dès leur première rencontre douze ans plus tôt refait surface, et Soma en éprouve du bonheur. Il sait, à présent, que la vie peut se refondre dans la passion du verre et qu'à la période douloureuse qui a clos son apprentissage du métier va succéder pour l'artisan le plaisir éprouvé par la mise en œuvre de son savoir.

Parmi les signes qui marquent son retour à l'indépendance, le plus éloquent est la mise au point par Nivard d'un système plus commode qu'une béquille pour arriver à se déplacer sans perdre l'usage d'un bras.

Alors qu'ils sont bloqués à Nancy par le mauvais temps, la fortune des rencontres met les deux hommes en rapport avec un sellier nommé Antoine Taillebride, qui eût pu très bien s'appeler Antoine Taillebavette, tant il avait besoin de cailleter avec le monde. Il aborde Nivard sans vergogne, l'assaille de questions indélicates sur son état, lui raconte sa vie, lui offre à boire et discourt de son métier. Une lueur se met alors à briller dans les yeux du verrier. Il demande à l'artisan s'il accepterait de lui fabriquer deux manchons de cuir épais, l'un pour son moignon, l'autre pour sa cuisse. Il en ferait lui-même les moules et l'aiderait dans la mesure de ses possibilités.

— Viens chez moi, s'exclame le sellier, j'en fais mon affaire.

Bientôt les hommes sont à l'atelier. Antoine forme le cuir. De concert, ils imaginent un système de boucles et de clavettes pour fermer le cuissard. Une fois les fourreaux terminés, Nivard les rivette sur deux solides lattes de frêne qu'il positionne l'une à l'intérieur de la jambe et l'autre à l'extérieur. Cela fait, il ligature les bois ensemble au ras du sol. L'appareil le fait terriblement souffrir et Nivard a besoin d'une canne pour soulager la douleur. Peu satisfait de cette expérience, il envisage alors de tailler un bois à la forme de son genou fléchi pour remplacer le manchon inférieur. Le résultat, bien que plus probant, ne le satisfait pas encore.

— Je dois trop serrer le sanglage pour conserver mon équilibre, dit-il, et ça me fait mal.

Le verrier ne désarme pas. Emporté par son obstination foncière, il en vient à évider un morceau de bois tendre et à le tailler avec le plus grand soin afin d'y introduire sa jambe. Il fait ce travail avec la délicatesse de l'orfèvre qu'il fut, sous l'œil interrogateur et quelque peu dubitatif du sellier qui ne manque pas de cultiver son scepticisme auprès de Soma. Antoine Taillebride fait partie de ces hommes qui ont un avis sur tout et qui attendent toujours le moment où ils pourront clamer solennellement : « Je l'avais bien dit ! » ou encore « Si on m'avait écouté... » pour se faire valoir. Il a trouvé en Soma un confident privilégié, qui met autant de bienveillance à accueillir ses confidences que Nivard met de patience à sculpter son emboîtement. Le colosse peut rester des heures à regarder son maître à l'œuvre. Bien qu'il ait des doigts de magicien, Nivard devra s'y reprendre par deux fois avant d'obtenir un résultat valable. Lorsqu'il approche de la forme, il marque d'un peu de suie les endroits saillants de sa jambe amputée pour repérer précisément, en introduisant le moignon dans le bloc qu'il creuse, les points sensibles où il doit enlever davantage de matière. Recommençant l'opération maintes et maintes fois, il finit par obtenir un négatif presque parfait de son moignon. À force de patience, vient un temps où, lorsqu'il s'appuie de tout son poids dans le moule, la douleur lui semble moins vive.

– C'est mieux ! Quand les chairs se seront affermies, cela deviendra supportable.

Il entreprend alors le ponçage de l'appareil, en combat toutes les aspérités, jusqu'à ce que le bouleau soit douci comme une soie. Sous le conseil de l'intarissable sellier, il gante l'emboîtement avec un morceau de parchemin soigneusement encollé et épinglé afin d'éviter que le bois ne se fende, il y attache le cuissard et, une fois le pilon bien arrimé à sa jambe, il risque un pas, suivi d'un autre, suivi d'un troisième... Il avance à travers l'atelier sans l'aide d'une béquille. Il marche devant ses compagnons en joie.

Chapitre 24

Augsbourg, au tout début du printemps.

Arrivé dans la ville, Nivard se rend d'emblée à la cathédrale avec Soma. Il veut voir les vitraux que Guido Maier a inscrits dans les fenêtres. Une pluie incessante semble avoir nettoyé la place de son monde. Tout en attachant son cheval, le verrier a les yeux rivés sur l'envers des panneaux qu'animent des soudures encore luisantes. Il n'y a pas longtemps que l'église est vitrée. Nivard fait quelques pas le long du bâtiment. Il a pris de l'aplomb et sa jambe de fortune fait de plus en plus corps avec lui. Sa foulée inégale et sa démarche rythmée de saccades ébranlent son épaule et convulsent son torse. Il ressemble à ces tombereaux dont les roues ne sont plus rondes et qui bringuebalent sur les chemins. En dépit de ce pas grimaçant, l'homme est resté souple et son côté gauche compense activement la faiblesse de son côté droit. Il parvient à se mettre en selle sans aide et, grâce à un aménagement astucieux de ses étriers, il peut à nouveau chevaucher presque normalement.

Après avoir gravi les marches du parvis en traînant

son pilon de bois, Nivard pénètre dans l'édifice. La lumière de la nef est ambrée et propice au recueillement. Guido Maier a suivi son idée première, qui était de placer les prophètes et les apôtres de part et d'autre du vaisseau et, dans le chœur, le Christ couronné, entouré des rois d'Israël. Une foule de personnages raides et pincés se cadrent dans leurs ajourements respectifs comme s'ils étaient sur le pas de leur porte. Chacun d'eux aura droit aux égards du verrier. L'artisan prend son temps. Il parcourt chacune des phrases latines que les taiseux déroulent sur leurs vêtements galonnés d'une profusion de taches vives. Ils se ressemblent tous et, pourtant, il n'est pas un visage qui se confonde avec un autre ni un drapé ou un couvre-chef qui n'ait quelque petite particularité propre. Certains de ces très gourmés bonshommes prêtent à sourire par leur excès d'austérité et la cocasserie de leur accoutrement. D'autres sujets moins réussis ont la grâce de corbeaux qui se seraient affublés de plumes de paon. Nivard aime cette naïveté et cette générosité primaire, un tantinet empotée, qui correspond si bien à la nature profonde de Guido Maier. Le brave homme aura les mêmes yeux ahuris, la même gaucherie le jour où on lui ouvrira les portes du paradis.

Passant de panneau en panneau, Nivard savoure les couleurs. Il connaît l'essence de chaque verre qui se trouve là, il en extrait mentalement les composantes, comme un fin bec détaille les ingrédients d'une sauce. Il débusque les coquetteries de métier du verrier allemand qui fait de l'épate avec certains tons surgis accidentellement du ventre de ses fours. Il lit les fenêtres à livre ouvert, avec la sagacité d'un artisan expérimenté. Il se retrouve dans son élément et se délecte.

Du côté de la crypte, on entend un remue-ménage et des sifflotements, parfois même des bribes décousues de chansons qui n'ont rien à voir avec la liturgie. Un homme est à son ouvrage et sa bonne humeur explose par intervalles à travers l'église entière. Les personnages hiératiques des vitraux, qui ont déjà l'air d'avoir avalé un fanon de la baleine de Jonas, roulent des yeux terribles, comme s'ils allaient descendre des fenêtres pour congédier le perturbateur qui ose, dans ce lieu saint, entonner des refrains de taverne.

Nivard et Soma ne voient pas les choses de la même manière. Qui dit sifflement dans une église, dit peinture ou plafonnage. Ces deux métiers prêtent à siffloter, allez savoir pourquoi ! Le verrier entraîne son compagnon dans la crypte basse posée sur des colonnes à peine plus hautes que lui. Il y a bien là, couché sur un échafaudage, à ras du plafond, un convers qui peint, en y prenant un plaisir incommensurable. Il est entouré de ses pots et de ses chats, ne sachant, dans sa position inconfortable, s'il trempe ses pinceaux dans ses pots ou s'il barbouille ses chats. Il parle tout haut, tout seul, sans faire attention à personne. Il représente sur les voûtes, de haut en bas, tout ce qui lui passe par la tête, le paradis, l'enfer, les monstres, les saints martyrs, la vie de Jésus, le bon vin et la bonne chère, dans une profusion telle que

293

son visage se trouve aussi maculé que le sont sa palette et ses murs. Il remarque finalement les deux hommes en se tordant la tête à l'envers et, par toute une série de contorsions et de prouesses reptiliennes, il s'extirpe de cet échafaudage bancal et encombré, non sans pousser quelques petits geignements pour accuser l'inconfort de sa position et la fragilité de ses omoplates. Une fois debout, il leur adresse la parole comme s'il les connaissait depuis toujours. Devant le peu de répondant de ses visiteurs, il se risque dans une autre langue, dont il connaît des rudiments aussi délabrés que lui-même. Émaillant de latin ses gestes et ses mimiques, le peintre arrive à décrire presque éloquemment son bestiaire et son univers religieux personnel, où s'entremêlent sans frein scènes pieuses et fantasmes en tout genre. Le malicieux bonhomme s'amuse de sa canaillerie. Il tire par la manche les deux étrangers vers la nef et gesticule en direction des vitraux, comme pour signifier qu'il n'est pas étranger à leur réalisation, soit qu'il en a été l'inspirateur, soit qu'il est l'auteur des parties peintes. Dans sa conversation décousue, il sert du Guido Maier par-ci, du Guido Maier par-là et, sans un bruit suspect et inattendu venant de la crypte, il serait toujours là.

Nivard et Soma profitent de l'aubaine pour s'éclipser, laissant à ses chats et à ses peintures renversées ce fresquiste fanfaron, auteur du Passionnaire de Stuttgart, dont les miniatures ont abondamment inspiré le maître verrier de la cathédrale.

Les deux hommes trouvent Guido Maier dans sa maison. Le pauvre homme y est cloué par une crise de goutte et fait la sieste, les pieds immergés dans un baquet d'eau tiède. Si la maison n'a pas connu d'extension depuis le passage de Nivard et de Soma, Guido Maier, quant à lui, a doublé de volume et a viré au rouge cramoisi. Du poil gris s'est glissé dans ses cheveux et dans sa barbe, rendant ceux-là moins blonds et celle-ci moins rousse. Sa femme, qui a fait entrer les voyageurs, se voit contrainte par les lois de l'hospitalité à sortir de sa somnolence un mari enfin réduit au silence après plusieurs nuits blanches et des lamentations dont elle a fait les frais. Le réveil est pénible, marqué de modulations scabreuses sur le thème du ronflement. Le brave homme émerge en cillant et contorsionne douloureusement ses traits avant de laisser éclater sa joie quand il reconnaît Nivard de Chassepierre et Soma. Très péniblement, il se lève pour se rasseoir aussitôt, se trouvant prisonnier de sa cuvelle. Il jette des filets dans le fond de sa mémoire pour en ramener les épaves d'un chaotique patois roman, qui n'a plus atteint le niveau de sa salive depuis une bonne décennie. Il est heureux de les revoir et de retrouver, à travers eux, ce pays qui reste une plage d'or dans ses souvenirs ; il leur ouvre les bras, secoue sa maison, veille à ce qu'on les installe comme des princes dans les chambres désertées par ses grands enfants mariés et parents à leur tour.

— Qu'est-ce que tu attends pour apporter un siège, hurle-t-il soudain à sa femme en regardant de ses yeux ronds le maigre bout de bois qui tient lieu de jambe à Nivard.

La vie tourne, on en fait le récit, on interroge. Certaines questions brûlent la langue du verrier d'Augsbourg, comme celle de savoir ce qui a valu à son ancien apprenti de se trouver aujourd'hui mutilé. La réponse de Nivard est aussi louvoyante que la question. Il esquive. Comme toujours, il résiste à parler de cette amputation. Il donne ce jour-là une explication évasive et juste assez éloquente pour que Guido Maier ne revienne plus sur le sujet.

Si Guido Maier a changé, il est fort probable que ce dernier en pense autant de Nivard. L'âpreté s'est inscrite dans ses traits et l'absence est devenue son refuge. Soma, par contre, est bâti pour se modifier au rythme des falaises. Il a gardé le même sourire éclaboussé d'ailes blanches et le même rire éparpillé d'oiseaux de mer.

Le verrier bavarois a contracté la morosité de l'âme, il a pris un coup de tristesse, à moins que ce ne soit cette saleté de goutte qui lui mine le cœur. Il broie du noir et on l'entend davantage conter ses malheurs que ses joies. Il est amer à l'égard de ses deux fils, qui n'ont pas la passion du verre dans le sang. L'un préfère se battre, tandis que l'autre tient un petit commerce sans envergure. Il en veut à sa femme d'avoir brisé leur filiation de verriers en ne relevant que les aspects négatifs du métier. Pour clore le chapitre des jérémiades, il parle de Gaëlle, la cadette de ses quatre filles. Cette enfant fait son désespoir, car elle a repris à elle seule toute la tradition familiale et, contre les lois de la nature et les attributs de la féminité, elle souffle le verre au milieu des vauriens qui se roussissent la carne dans le voisinage des fours, elle réalise des vitraux au risque de se couper les veines et de s'empoisonner par le plomb et, pour comble, elle pousse le vice jusqu'à les placer elle-même, en s'exposant alors à une chute mortelle. C'est le monde à l'envers. Guido Maier, pour qui la femme idéale est avant tout une épouse soumise, une mère patiente, une économe avisée, une nourricière pas chiche, une couturière pas trop maladroite et une chrétienne pas trop bigote, est désespéré. Gaëlle ne répond à aucune de ces qualités. Le pauvre homme est meurtri par cette tare familiale qui s'est manifestée là où il ne fallait pas et s'inquiète pour l'avenir de son enfant qui ne trouvera pas un homme assez fou pour l'épouser. À entendre Guido Maier et à imaginer la jeune personne en fonction du tableau qu'il en a brossé, celle-ci doit être une sorte de cheval et, qui plus est, un cheval de labour, une de ces femmes hommasses qu'on rencontre parfois dans les auberges, les poings plantés sur les hanches, et dont la tape amicale vous couche sur votre table comme une escalope sur l'étal d'un boucher.

Nivard et Soma écoutent avec compassion les doléances du verrier quand une jeune femme se glisse dans la pièce. C'est Gaëlle. Elle doit avoir dix-sept ou dix-huit ans tout au plus, de grands yeux bleus comme son père et des cheveux très blonds qu'elle ramasse derrière sa nuque dans un chignon. Elle est toute fine, presque fluette ; ses seins menus pointent

297

haut sur sa poitrine. Elle porte une blouse échancrée, très ample, de souffleur de verre, qui doit appartenir à Guido Maier et qu'elle serre à la taille par une large ceinture. Elle est mignonne et avenante !

Nivard ne reconnaît pas l'enfant qui avait escaladé les échafaudages de la cathédrale et qu'il parvint à rattraper au vol dans sa chute entre ciel et terre. Guido Maier se charge de lui rappeler cet événement, qui demeure une des grandes émotions de sa vie. Sa gratitude n'a pas faibli. Il prend Gaëlle à partie pour lui raconter pour la millième fois l'épisode, alors que sa cadette verse du lait dans l'écuelle d'une chatte maigre qui paresse près du feu. La jeune femme, malgré les apparences, n'est pas insensible à ce récit ni à ses protagonistes. Cela transparaît à la manière dont elle propose aimablement du lait aux deux hommes et à la façon dont elle se retire avec son bol plein en guignant du côté de Nivard, pour aller se glisser dans un coin d'ombre où elle peut boire à l'aise et dévisager le verrier sans être vue.

Guido Maier revient à la charge. Avec la délicatesse qu'on lui connaît, le voilà qui louange devant ses hôtes, simultanément dans les deux langues, ses trois autres filles qui ont fait de bons mariages et qui ont des positions en vue dans la région. Gaëlle fait mine de ne rien entendre. C'est quotidiennement que son père émoustille sa susceptibilité en alignant face à elle le trio de ses sœurs dans un combat inégal. Ramassée sur elle-même, le menton enfoncé derrière ses bras croisés, elle attend docilement la fin des récriminations, auxquelles elle a décidé une fois pour toutes de ne plus réagir.

Lorsqu'on sonde un peu, on sent bien qu'au-delà des remontrances dont il accable journellement sa cadette, Guido Maier est plus proche d'elle que de ses autres enfants. Il a beau jouer les pères contrariés et mécontents, il fond devant Gaëlle, se retrouve en elle, est ébranlé jusqu'aux larmes par tout ce qui émane d'elle. Le verre est leur passion à l'un comme à l'autre et, entre deux reproches, il est des trêves délicieuses et des complicités profondes où, ensemble, ils parlent vitraux et audaces de lumière. Ces moments privilégiés laissent le verrier songeur face à l'avenir qui sera le sien le jour où Gaëlle se rangera et où il se retrouvera seul et sans allié dans un métier qui est sa vie et pour lequel sa famille n'a que peu de considération.

Nivard et Soma laissent Guido Maier se décharger sur eux de ce poids qui lui pèse sur le cœur. Ils arrivent à pic au plus noir de la détresse du maître verrier d'Augsbourg. Ils sont l'eau au moulin de ses confidences.

Quand le sac est provisoirement vidé et que le bonhomme se fatigue à force de ruminer ses problèmes, Nivard exprime à son tour les raisons qui le poussent à revenir dans cet endroit renommé pour la qualité de son travail et la compétence de ses verriers. Il trace en larges lignes son cheminement et l'évolution de ses recherches en matière de verre. Il souhaite être confronté à des églises et demande à Guido Maier de les embaucher, Soma et lui, comme simples artisans pendant quelques saisons dans ses ateliers.

— Pour le moment, dit-il, je ne souhaite rien d'autre que de reprendre une canne et de travailler.

Guido Maier proteste. Il ne veut pas qu'un homme parlant le latin et connaissant les Écritures devienne le manœuvre d'ouvriers ignorants qu'il a formés sur le tas. Il proclame haut et fort que ce serait du gâchis de ne pas utiliser le savoir-faire d'un maître artisan, qui a dirigé sa propre verrerie en Orient. Il conclut en décrétant :

— J'ai des travaux intéressants en commande et j'en mettrai un sans attendre sous ta responsabilité.

Il redevient d'un seul coup le Guido Maier du premier jour, celui qui s'emporte, qui s'offusque, qui s'enflamme comme un feu de paille, qui donne sa chemise et voudrait donner davantage encore, qui cherche désespérément un récipient plus vaste que la cuvelle sous ses pieds pour contenir les débordements de son cœur.

Voyant son père ressuscité et barbotant dans son eau tiède en état de surexcitation, Gaëlle, qui n'a pas compris la conversation, croit opportun de lui demander s'il veut tuer son monde ou s'il extériorise son bonheur, nuance qui n'est pas toujours décelable par ceux qui sont proches du verrier, même les plus avertis. Avec force gestes et vociférations, Guido Maier fait part à sa fille de la proposition insensée de Nivard. Gaëlle se replie alors satisfaite, à l'ombre des pierres, là où personne ne peut voir son regard s'illuminer comme une fenêtre de four dans la nuit.

Chapitre 25

Chose promise, chose due. Il ne se passera pas un jour avant que Guido Maier confie à Nivard son premier travail : l'habillage des fenêtres de l'église abbatiale du monastère bénédictin de Tegernsee. La commande est ancienne et l'évêque de Bavière en personne a expédié, il y a peu, au verrier d'Augsbourg un courrier agacé où il priait celui-ci de s'activer sans délai, faute de quoi il se verrait dans l'obligation d'appeler pour cet ouvrage les artisans rhénans. La menace est grave et suffisamment vexante pour que Guido Maier se ronge les ongles et s'arrache les cheveux par touffes. C'est une porte ouverte à l'ennemi, une intrusion dans sa chasse gardée. Il lui faut réagir au plus vite mais il est malade et incapable de bouger.

Nivard tombe du ciel. Le temps pour Guido Maier de digérer cette largesse de la Providence et le verrier étranger, à peine arrivé, repart avec Soma et Herbert, le contremaître augsbourgeois, pour Tegernsee. Ils ont dans leurs bagages un coffret contenant les échantillons des verres de la fabrique, quelques croquis, parchemins et accessoires de dessin, des instruments de mesure et un tel fatras de recommandations qu'un cheval supplémentaire eût pu prendre place dans l'expédition rien que pour les porter.

Rendus à l'abbaye, les trois hommes font les frais d'un accueil glacial et suspicieux.

– Ce n'est pas trop tôt ! se borne à dire l'abbé.

Guido Maier est en disgrâce. Quant à ses deux émissaires assez peu bavarois d'apparence, ils n'enlèvent pas la confiance des moines et ne sont admis que de justesse. Qu'à cela ne tienne, le verrier se fait conduire à pied d'œuvre. Il découvre l'abbatiale, une bâtisse déjà ancienne, non loin d'un lac de montagne limpide et apaisant. Les fenêtres de l'église sont obturées à l'aide d'un amalgame de matériaux hétéroclites, allant du simple plancher au fragment de toile huilée, sans oublier des débris de vitraux rudimentaires grossièrement historiés, montés sur bois et n'ayant pas résisté aux caprices du temps. C'est dans ce désordre de colmatages successifs qu'il faut repenser la vitrerie de l'église et percevoir en finesse la lumière.

Bravant les réticences de la communauté, Nivard fait dégager les fenêtres des misères dont on les a affublées pour retrouver la transparence du ciel et la pierre virginale. Ce déshabillage met progressivement en clarté fresques et boiseries ensevelies dans cet étouffoir. L'homme s'installe sur le lieu pour s'en imprégner. Rien ne peut être omis par le verrier dans ce délicat travail d'harmonisation qui lui est commandé. Nivard observe tout, prend note de tout, affûte à longueur d'heures, patiemment, sa perception. Il a son temps.

L'abbé est au comble de l'exaspération lorsque, pointant sa tonsure dans la bâtisse, il découvre le verrier qui tamponne de son pilon les dallages de la nef en long et puis en large avec l'indolence d'un cultivateur qui attendrait que des pousses sortent d'entre les interstices de la pierre. Nivard a besoin de cette solitude et de ce silence. Il a renvoyé Soma dont les chantonnements le distrayaient. Avec Herbert, le colosse apprend à pêcher la truite et à capturer des écrevisses.

Quand l'église paraît familière au verrier, il se décide à en esquisser les vitraux, à appeler telle ou telle teinte dans la gamme de Guido Maier, à commencer ce lent pesage, ce jeu subtil d'approche et de recul qu'est la coloration d'un lieu de recueillement. L'artisan n'a plus pratiqué son art depuis longtemps et il s'en ressent. De plus, la luminosité est autre dans ce pays du Nord et certains tons qu'il affectionnait lorsqu'il travaillait en Syrie lui paraissent ici sans grâce.

— La lumière est plus basse, rumine le verrier. Elle pénètre en douce ! Elle marque loin ! Il va falloir ruser !

Parfois, il lui semble qu'il a tout perdu, que les tonalités lui échappent, qu'il lui est impossible de concrétiser les figures qu'il projette. Il lui faut refaire le chemin, reprendre degré par degré l'ascension, compenser par l'imagination la palette de

Guido Maier, qui est pauvre et rudimentaire comparée à ce qu'était la sienne. Les échantillons de verre laissent des abîmes vertigineux entre deux nuances et Nivard se réfère sans arrêt, dans ses attributions de teintes, aux longs parchemins sur lesquels se trouvent rassemblées les compositions de ses couleurs à lui.

Sur la table que le maître verrier s'est fait amener, des fragments colorés voisinent avec les rouleaux déployés, maintenus aux quatre coins par des pierres. Des livres latins rigides partagent le territoire avec les croquis enlevés et délicatement annotés qui laissent transparaître ce qu'il adviendra bientôt des fenêtres de l'église Saint-Quirin de Tegernsee.

Ce beau fouillis va attirer un jour un petit bénédictin à la mine fureteuse. À l'insu de Nivard, le curieux vient renifler dans ses affaires et semble si intéressé par ses documents qu'il ne s'en détache même pas à son retour.

— Ajouter du safran de mars, puis par trois fois du cuivre calciné, mélanger et tenir vingt-quatre heures en fusion..., susurre le moine comme s'il disait ses prières.

Il n'a pas le loisir d'aller plus loin. L'aune que Nivard utilise pour prendre mesure des baies s'abat sur lui sans sommation à l'instant où il se retourne, la face réjouie, pour complimenter le maître sur son projet. Le bâton se brise sec sur les côtes de l'indiscret. Sous le choc, ce dernier s'en va bouler comme un lièvre à l'autre bout de la table. Secoué par un petit rire nerveux qu'il n'arrive pas à contrôler, il se tâte douloureusement. Plus surpris qu'indigné, il entreprend alors de se relever. À peine est-il debout, le voilà qui retombe par terre, empêtré qu'il est dans les torsades de son scapulaire et de sa soutane, en pouffant de plus belle. Le petit homme est aussi gesticulant que Nivard est immobile. Il agite une barbe rare et filasse qui pendouille en mentonnière comme un linge mouillé. Sa tonsure hurlupée s'égaille par épis, donnant au personnage une petite note comique. Ses yeux sont vifs, très vifs et formidablement malicieux. Quant à son sourire, il est plus en gencives qu'en dents à l'exception d'une incisive étincelante qui s'aventure hors de sa bouche, comme un sein crevant le corsage d'une nourrice.

Le moine s'excuse platement :

— Pardonnez-moi, je n'ai pas voulu vous offenser ! Tout au plus prendre la température de votre travail.

Nivard reste imperturbable tandis que le religieux, dans un francien parfaitement maîtrisé, se croit obligé de dire qu'il vient du monastère d'Helmershausen, qu'il s'intéresse au vitrail et qu'il connaît rudimentairement le métier. Devant l'immobilité du verrier, il bat sa coulpe une fois encore avant de lui expliquer qu'il est à Tegernsee pour étudier les verres anciens de l'abbatiale. Il n'obtient pas davantage de réaction lorsqu'il pérore sur les peintures à froid appliquées sur les vieux vitraux et qui se sont écaillées à la longue ou qu'il incrimine les barlotières en bois supportant les pannetons, qui ont pourri avec le temps. Malgré les efforts désespérés qu'il déploie, le bénédictin ne parvient pas à amorcer le moindre dialogue ni à éveiller le plus infime intérêt chez le verrier. Il a devant lui un portail qu'il ne traversera pas. Après des assauts répétés, le moine finit par battre en retraite en se palpant les côtes et en renouvelant une dernière fois ses excuses. Quand il est en passe de franchir le seuil de l'abbatiale, Nivard fait quelques pas dans sa direction et lui lance :

— Que je ne vous prenne plus à fouiner dans mes affaires. Il n'y a rien à prendre ici !

Et au moment où il referme précautionneusement la porte sur lui, le bonhomme croit entendre :

— Si j'avais eu un bois plus lourd, je l'aurais massacré.

S'estimant quitte à bon compte et finalement chanceux dans sa mésaventure, le bastonné regagne sans tarder sa cellule pour y allonger sa carcasse meurtrie.

Comme la race caprine à laquelle il semble très honorablement apparenté, le moine ne désarme pas et, quelques jours plus tard, il contre-attaque à sa manière en se risquant à nouveau, comme en marchant sur des œufs, dans les parages de l'église. Il veut en savoir plus long sur cet homme qui a en sa possession la plus étourdissante moisson de formules en rapport avec le verre et la couleur qu'il ait rencontrée de sa vie. Beaucoup plus qu'il ne l'a laissé entendre à Nivard, le moine d'Helmershausen est réputé du Rhin jusqu'au Danube pour être un maître incontesté dans tout ce qui touche de près ou de loin aux arts du feu.

Le coup de bâton est peu de chose à côté de ce que son orgueil a encaissé l'autre jour. Il ne dort plus, il ne mange plus, il ne prie plus depuis qu'il a vu, de ses yeux vu, l'espace de trois battements de cils, ce document sans précédent.

En échange de quelques conseils précieux en matière de pêche à la truite, il obtient de Soma les premiers éclaircissements sur Nivard de Chassepierre et l'origine de son art. Après s'être assuré qu'il n'est pas à portée du verrier une bûche ou quelque autre objet pouvant mettre son existence en péril, le moine, démangé par sa curiosité insuffisamment satisfaite, revient à la charge plus mielleux que jamais avec, dans une boîte, quelques fragments des anciennes verrières. Il veut mettre l'artisan à l'épreuve en lui posant d'innocentes questions quant à la coloration de certains verres. Pour pimenter la chose, le bénédictin, Dieu lui pardonne, a poussé le vice jusqu'à glisser parmi les débris ramassés aux bas des fenêtres deux morceaux provenant de ses fours : l'un à base d'urane, l'autre de sulfure d'arsenic.

Il trouve Nivard avec Soma et Herbert paressant sous un soleil tiède aux abords du lac. Le verrier se prête au jeu et débusque la finauderie en prélevant du bout des doigts parmi les chutes, comme s'il tirait des châtaignes au milieu des noix, les couleurs pirates dont il donne sans hésiter à son interrogateur la composition précise, de l'une comme de l'autre. Puis, regardant dans le blanc des yeux le moine interloqué, le verrier énonce, amusé :

— *Theophili presbyteri et monachi, diversarium*

artium schedula. Trois parts de fourberie pour une part de mystère. Vous êtes un fieffé roublard.

Le piégeur est piégé. Là-dessus, Nivard se laisse glisser sur le dos. Le soleil est bon sur son visage. Il rit intérieurement d'avoir confondu ce petit homme, auteur d'un remarquable traité rassemblant ses connaissances de peintre, d'orfèvre et de verrier. Une copie de cet ouvrage savant se trouvait dans le chariot des chevaliers du Temple. Quand il ouvre les yeux, le renommé moine Théophile s'est éclipsé en douce avec sa boîte à malice.

Les projets réalisés par Nivard seront bientôt soumis à l'assentiment de l'abbé et des moines de la communauté. Si l'envolée des vitraux et l'habileté de l'artiste ne sont pas contestées, il n'en va pas de même des thèmes traités, qui ne s'inscrivent pas suffisamment dans le sens d'un panégyrique fracassant de la foi. Pas de Christ souverain, mais cet homme perdu, en proie à la peur, qui erre dans le jardin des Oliviers. Pas de crucifié glorieux ni d'apôtres en majesté. Tout ici est incertitude, doute, disgrâce et trahison. Adam est exilé, David est criminel, Pierre est renégat et Thomas est sceptique. Les théologiens du monastère font la grise mine devant les phylactères latins peu exaltants que l'homme a prélevés dans les Saintes Écritures et, sans un plaidoyer enthousiaste de Théophile appelé dans cette discussion pour son avis autorisé en la matière, Nivard de Chassepierre aurait été amené, plus que probablement, à faire quelques concessions complaisantes en faveur d'une représentation de l'Eglise empanachée de mitres et de couronnes. Au terme d'une interminable polémique sur le fond, le projet est accepté et le coût de l'ouvrage établi avec Herbert, ainsi que les délais d'exécution. Il ne reste plus alors aux trois hommes qu'à regagner Augsbourg pour annoncer la nouvelle à Guido Maier. À présent, Nivard songe avec appréhension à la phase suivante du travail, celle de la mise en fabrication de nouvelles teintes qui risquent de peser très lourd dans l'escarcelle du maître augsbourgeois. On n'est plus en Syrie où une seule tonalité justifiait le départ d'un homme au bout du monde.

À leur retour de l'abbaye de Tegernsee, les trois hommes retrouvent sur le pas de sa porte un Guido Maier rétabli, les pieds secs, la mine épanouie et l'humeur resplendissante. Il s'est fait du souci, mais il n'en dit rien. Il attire son monde à l'intérieur de sa maison, dégage la grande table et, sans attendre, demande à voir les projets.

– Le grand moment ! dit-il avec la délectation d'un gourmet affûtant ses couteaux devant un cuissot de chevreuil.

Nivard dispose soigneusement et dans l'ordre les croquis des fenêtres telles qu'elles vont être disposées dans l'abbatiale. L'atmosphère tourne au recueillement. Guido Maier, frisant ses moustaches, parcourt les dessins sans mot dire en secouant positivement la tête. Il en relève chaque annotation, inspecte chaque courbe en homme de métier qu'il est.

Le tracé est souple et les scènes sont traitées avec un souci draconien de ne pas alourdir inutilement de plomb le sujet. Les esquisses passent et repassent entre les mains du verrier d'Augsbourg.

– On reconnaît la patte de l'orfèvre ! dit-il à Nivard, sans doute à cause de cette façon qu'il a de travailler les lisières et les fonds comme s'il s'agissait de cloisonnés ou de décors ciselés.

Après avoir été désorienté dans un premier temps par le côté historié des vitraux et leur relative complexité, il les trouve vite riches et intéressants, même si sa sensibilité propre va dans le sens d'une représentation plus statufiée des Écritures.

Ce silence singulier empreint de respect et de chaleureuse curiosité est tellement peu dans les mœurs du tonitruant Bavarois que toute la maisonnée se croit obligée d'abandonner un moment les travaux en cours pour pointer le nez dans cette pièce studieuse, figée dans un calme aussi inhabituel qu'intrigant. Gaëlle s'est glissée derrière son père. Pour elle aussi, ces crayonnages apportent quelque chose de neuf, de saisissant, de jamais vu. Ils recèlent une puissance narrative étonnante et sont formidablement porteurs d'émotion. Rien à voir avec Augsbourg. C'est autre chose, un autre langage, une autre ferveur.

À la dérobée, elle regarde Nivard. Il l'impressionne avec ce feu qui sommeille derrière son front, cette tourmente prisonnière de lui-même. Elle sent l'homme possédé par la force, la terre éperdue qui rappelle la semence à la vie. Le regard de Nivard croise le sien. Gaëlle a chaud et froid. C'est le verrier qui détourne les yeux le premier, qui se dérobe. Il ne veut rien prendre, rien voler, rien éveiller, être juste un passeur de lumière sur sa barque de verre.

Guido Maier brise le silence comme on ouvre une volière encombrée d'oiseaux.

– Belle besogne ! s'exclame-t-il. Nous allons fêter cela !

Et tandis que Soma et Herbert débarrassent la table des projets pour apporter à boire, Guido Maier reprend dans son meilleur patois d'oïl :

– Belle besogne, je me réjouis de voir ça !

Chapitre 26

Il est urgent de compléter la palette, faute de quoi on va se mettre en retard, pense Nivard après avoir feuilleté les verres de couleur dans les casiers. Il manque de tout et plusieurs teintes sur lesquelles il comptait dans son attribution sont épuisées, à se demander si la verrerie tourne encore.

– À son rythme, mais elle tourne, proteste Guido Maier piqué dans sa susceptibilité de bon ouvrier.

Nivard est peu rassuré. À en croire la poussière qui a élu domicile dans les rayons, il est fort à craindre que l'activité batte de l'aile ou qu'elle vivote paresseusement depuis la mise en place des vitraux de la cathédrale, en attendant des jours meilleurs.

Au dire d'Herbert, Guido Maier se décourage. Il voit son terme approcher et vit sur ses réserves depuis qu'il s'est fait à l'idée qu'aucun de ses enfants ne reprendra l'affaire familiale. Des fours de Günzburg, un seul est encore en activité et les canons ont cédé la place à des objets soufflés utilitaires, beaucoup moins prestigieux.

Après avoir longuement et péniblement tenté de

négocier avec Guido Maier pour obtenir qu'il lui fournisse les ressources nécessaires à la reconstitution d'une gamme de couleurs suffisamment étoffée pour réaliser correctement les fenêtres en commande, Nivard doit se rendre à l'évidence : le verrier augsbourgeois n'est plus prêt à sacrifier la rondeur de sa bourse au panache de ses vitraux.

— À quoi bon rallumer les fours ! s'exclame Guido Maier. Les verres qui me restent sont assez bons pour les vitraux en commande !

— Je ne peux rien tirer de vos tons ! répond Nivard. Il y en a tout au plus une dizaine qui conviennent au lieu.

— Pourquoi se donner du mal ? De toute façon, les moines n'y verront que du feu !

La réaction de Nivard est immédiate. Il éclate d'un seul coup, jette à ses pieds les cartons de Tegernsee et part chercher son bagage pour quitter Aubsbourg sur-le-champ. Guido Maier ne sait comment rattraper sa bévue, il court après son hôte, souffle, sue, implore, s'agenouille presque devant lui, en jurant ses grands dieux qu'il pourvoira aux dépenses de la verrerie dans la mesure de ses faibles moyens.

Nivard, qui sent bien que condamner cet homme au déni de son amitié le meurtrirait davantage qu'un coup d'épée, revient sur sa décision. Le lendemain, il part pour Günzburg avec Soma.

Là-bas, la verrerie a pris un terrible coup de vieux. Les toits ont la pelade, les abords sentent le délabrement. Seule, une des trois cheminées s'active encore. Il est grand temps de reprendre les choses en main. Dans le bâtiment, quelques têtes connues dont on cherche vaguement la trace dans la mémoire. Hermann Brock a pris la place de contremaître. Ce n'est pas étonnant car c'est un souffleur hors pair. Quant à Arnold de Chambésy, il est toujours là, pareil à lui-même et plus débonnaire que jamais. Les anciens font aux plus jeunes le récit exalté du combat des colosses à coups de canne rougeoyante et de verre en fusion. C'était le bon temps qu'on regrette ! Si fugace qu'ait été leur passage à Günzburg, l'image des deux hommes est restée. On leur parle en confiance, en y mettant la lenteur qu'il faut pour qu'ils comprennent. On évoque Guido Maier, dont la santé ne vaut plus un sou. Il est devenu le grand absent, celui qu'on est fatigué d'attendre. Hermann Brock est heureux d'apprendre que Nivard de Chassepierre apporte un travail autre que la bibine quotidienne où on aligne coupes, vases, flacons et gobelets pour des marchands souvent peu scrupuleux en matière de paiement. À voir sa mine, il est partant pour l'aventure. Il sera l'allié précieux dont Nivard a besoin pour apprécier les capacités de chacun et mobiliser les gens.

Période bénie. Au bout de quelques semaines de flottement, la verrerie est reconstituée et les fours remis en activité. La fabrique expanse à nouveau ses canons de verre et, surprise, elle offre aux regards étonnés des anciens de nouvelles teintes qu'on ne lui connaissait pas. Le verrier étranger, qu'on attendait à l'œuvre, fait ses preuves. Les souffleurs les plus réticents s'inclinent devant cet homme qui possède la maîtrise de l'art. La vie reprend sa lutte. Les tas de bois se poussent à nouveau aux portes des fours. On tamise la cendre de fougère, on pile sur le porphyre le verre grec, on monte haut les pyramides blanches de sable lavé dans lequel les enfants de la clairière ont plaisir à nicher leurs histoires, on passe et on repasse au feu et puis à l'eau les composantes du verre pour obtenir la fritte qui est à l'origine des mélanges qui entreront en fusion. La forge se remet à carillonner à la cadence de deux marteaux compères et inséparables, l'un porté par le bras de Soma, l'autre par celui d'Arnold. Nivard s'expose le cuir du côté des fours qui, pareils à des jongleurs géants, entremêlent leurs torchères éblouissantes. L'artisan recadre sa vie dans la passion de son métier. Il le retrouve avec bonheur au bout de trois années noires. Il se sent comme ces bateaux qui ont chaviré et qu'on remâte pour sillonner à nouveau l'océan.

Dans cette communauté de verriers, Nivard est immédiatement ressenti comme le chef. C'est à lui qu'est confiée la tâche de résoudre les problèmes techniques autant que les problèmes humains. On le veut solide, on le croit solide, sans penser un instant que, derrière cette apparente robustesse, se cache une peine inconsolable et la présence des morts, plus absorbante que celle des vivants. Awen est cette image qui revient sans cesse. Elle est là quand il regarde le fleuve où les femmes lavent le sable penchées sur de grandes bobèches flanquées de trous. Elle accompagne les rires des enfants qui s'éclaboussent. Elle porte chaque teinte nouvelle hors des fours. Elle ferme ses paupières quand il tombe de fatigue sur sa couche.

La verrerie, avec son village, ses gens, ses bruits et ses odeurs, réveille sans arrêt les souvenirs de Nivard. Un jour, il est troublé par un petit garçon un peu rêveur dont le visage et les yeux lui rappellent un de ses enfants. Une autre fois, il se brûle et Reinette, la femme d'Arnold, soigne sa blessure ; il retrouve soudainement le geste d'Awen dans sa façon de lui bander la main.

– J'ai le mal qui me reprend, avoue-t-il un jour à Soma.

À une autre occasion, il lui dit encore en montrant son pilon :

– J'ai rêvé que ma jambe était un trident dont les pointes me rentraient dans le corps.

Soma écoute. Il est assez fin pour deviner que la verrerie syrienne où Nivard a œuvré dans la joie pendant sept ans sommeille en dessous de la verrerie de Günzburg comme une nappe d'eau souterraine et que chaque moment de bonheur et de contentement qui émane aujourd'hui de son travail le ramène inexorablement à sa solitude et aux êtres chers qu'il a perdus, comme si les années d'errance et d'éloignement ne pouvaient l'abstraire de ceux qui auparavant partageaient sa vie.

316

Les familles qui composent la fabrique se regroupent par professions et par affinités. Les souffleurs se retrouvent très souvent entre eux, tout comme les charbonniers se mêlent de préférence aux charbonniers et les potiers aux potiers. Chaque cellule a ses règles et ses protections, l'important étant de veiller à ce que la cohabitation soit possible et à ce que chacun se trouve bien dans son travail et dans sa vie. L'équilibre de la verrerie est harmonieux, malgré une légère entorse qui la différencie de toute autre. Elle compte parmi ses souffleurs un élément féminin : Gaëlle, la fille cadette de Guido Maier.

Arrivée à Günzburg quelque temps après Nivard et Soma, la jeune femme reprend sa place près des fours parmi les blouses grises trempées de sueur. Elle est à la fête dans ce cérémonial fait de lenteurs étudiées et de gestes précis. Elle est heureuse de vivre cette fertilité formidable de la matière, qui engendre tons sur tons. Gaëlle est partout : à l'enlèvement des creusets, à la préparation des pontils, au banc, à la refente des canons et à leur planissement. Elle est une note de gaieté et de fraîcheur dans cette corporation de gens rudes qui se donnent muscles et poumons à leur art. Elle plaît aux hommes, ils la dorlotent, la taquinent, la prennent sous leur haute et noble protection. Nivard est d'emblée frappé par la robustesse de la jeune femme qui s'acquitte sans difficulté apparente de travaux pénibles généralement réservés aux hommes. Il est surpris aussi par cette façon qu'elle a de s'extasier dès qu'une couleur est en charge d'une nuance subtile. Gaëlle a les yeux taillés pour les jeux de transparence et l'ajustage minutieux de la couleur. Elle a, comme Nivard, une attirance innée pour la lumière. Mais sa lumière à elle se reçoit dans les bras comme une accolade, embrasse fronts et bouches comme un baiser. Elle allume les quinquets des enfants, fait rire les torrents, dénude l'aurore et drape le crépuscule. C'est une lumière amoureuse, qui s'enfonce loin dans ses yeux très bleus et qui l'illumine jusqu'au tréfonds du cœur. Gaëlle aime Nivard. C'est écrit sur son visage. Depuis le premier moment, elle l'aime et il le sait. Elle rêve de s'inscrire dans son sillage et il le devine. Elle voudrait partager sa folie et il le craint. Parmi les habitants du site, on fait courir un peu vite le bruit d'une idylle qui se noue entre la fille de Guido Maier et le verrier étranger. Comme toujours, les langues sont trop vives et l'imagination se fait reine pour associer les gens et inventer de belles histoires.

Nivard devrait intervenir, prendre à part Gaëlle et lui dire... Mais que peut-il lui dire ? Il n'a jamais su parler. S'il ouvre la bouche, les mots sont ses ennemis et lui tendent des pièges. Il préfère se taire et laisser au temps le soin de faire pour lui ce lent travail d'estompe.

L'usure sera longue, trop longue pour que les choses ne s'abîment pas, trop longue pour que n'affleure la tristesse.

La première rumeur gagne Augsbourg, mettant Guido Maier aux anges, les nouvelles qui suivent le rendent chagrin. Le pauvre homme ne comprend pas qu'on puisse refuser de la tendresse à sa petite et lui briser le cœur. En accord avec sa femme, il décide, malgré sa santé défaillante, de se rendre jusqu'à Günzburg pour interroger Nivard et débrouiller cette situation qui le désole.

Une fois sur place, il reçoit un accueil ardent qui l'amène à regretter d'avoir raréfié ses visites. On lui fait les honneurs du lieu avant de le laisser rejoindre Nivard qui s'est retranché dans son domaine, une cahute toute simple, bordant le Danube, où il vit solitaire, en marge de la fabrique. Il porte encore sa blouse de souffleur de verre détrempée de sueur. Son pilon est enlevé et il soigne sa jambe en sang. Il fait trop chaud près des fours pour ce moignon moite, étouffé dans cet emboîtement serré de bois et de cuir. Quand, surpris, le verrier aperçoit Guido Maier, il s'empresse de cacher sous un linge son membre mutilé et immonde, comme s'il camouflait la lèpre. Il a honte de cet amas de chairs et d'os qui lui pend lamentablement sous le genou comme un sexe mort. Il est en laideur et en dégoût de lui-même pour accueillir et écouter l'homme qui vient pleurer le désarroi de sa fille ravissante, exquise et fraîche, son enfant qui ne demande qu'à l'aimer et à être aimée. Nivard souffre, il sait qu'il ne trouve pas les mots pour dire, qu'il ne possède pas le don de coudre les arguments pour expliquer les méandres de son cœur, qu'il n'est pas et qu'il ne sera jamais capable de mettre en voix la profonde honnêteté de son refus. Pour ne pas blesser Guido Maier en opposant le silence à ses questions, il laisse échapper sa parole comme un collier qui casse et dont chaque perle se brise sur le sol.

— Guido Maier, je voudrais que tu saches mon deuil : une femme qui était ma joie et les trois merveilles d'enfants qu'elle m'avait donnés. Je ne puis me détacher d'eux. J'ai leur sang tiède collé sur mon visage et sur mes mains, et leur peau greffée à la mienne. Même morts, ils accaparent mes pensées. Ils ont ma tendresse, jusqu'à la culbute. Je les guette tous les jours du côté de la lumière... simplement les retrouver dans un carré de ciel... quelque part.

Nivard de Chassepierre soupire lourdement comme s'il lui fallait expulser dans un souffle les paroles qui le consument. Il attend la réaction de Guido Maier, particulièrement silencieux. Il le sent gauche, secoué, plus maladroit que jamais. Avec un effort extrême, le gros homme se remet debout, trouve son équilibre. Il clôt l'entrevue en disant, avec une petite gêne, qu'il respecte le sentiment du verrier et que s'il avait su... Bien qu'il s'efforce de donner le change, il a le cœur à l'envers et se retire en s'épongeant le front et en accusant la chaleur de l'accabler.

Quand il reprend le harnais pour Augsbourg, il embrasse sa fille en lui glissant dans le creux de l'oreille :

— Patience, ma Gaëlle ! Laisse faire le temps !

Sa mine est rassurée, confiante, optimiste.

Guido Maier, ce matin-là, n'a aucun doute. La vie reprendra le dessus.

De longs mois passent, engouffrant l'hiver et rappelant les délices du printemps. Nivard est amené à quitter la verrerie pour se rendre en Saxe avec quelques hommes, afin d'en rapporter du cobalt sulfuré et du manganèse pour étoffer la palette du côté des bleus, des mauves, des violets et des verts. Il rentre de ce voyage fatigué et moyennement satisfait de ce qu'il a pu collecter. À son retour, les familiers de la verrerie quittent leurs chaumières et viennent en grappes à la rencontre des voyageurs. Tout le monde est là pour entendre les nouvelles, tout le monde, à l'exception de Gaëlle. Quand Nivard de Chassepierre interroge autour de lui pour savoir où elle se trouve, on lui répond qu'on l'a vue peu avant son retour. Le temps de décharger le chariot, de parler avec les hommes, de calmer sa faim, de secouer la poussière de ses vêtements et de reprendre son bagage, la nuit tombe sans que Gaëlle se manifeste. Le verrier se retire dans sa solitude, mais l'inquiétude le taraude et l'empêche de dormir. Il finit par se relever, attache son pilon à sa jambe et, jetant sa pèlerine sur les épaules, il traverse sans bruit la clairière jusqu'à l'annexe où Gaëlle a élu domicile dans la concession d'un vieux couple.

Le loquet n'est pas mis et une légère lueur filtre aux commissures des planches. Nivard pousse la porte et pénètre dans la petite maison. La pièce est éclairée de chandelles en suif qui frémissent à la venue de l'étranger. La jeune femme attend le voyageur. Elle s'est déshabillée et repose nue sur sa litière, les yeux grands ouverts. Ses cheveux sont défaits. Sa respiration est courte et on peut lire dans son regard l'imploration, la langueur et l'inquiétude. Nivard s'assied près d'elle. Il la trouve belle et ne peut s'empêcher de la contempler, comme on regarde aux points d'eau les biches qui viennent boire. La féminité de Gaëlle éveille sa puissance. De sa large main, il lui parcourt le visage. Elle y fait son nid. Elle l'appelle ailleurs, mais la caresse résiste à descendre jusqu'à ses seins, son ventre, sa floraison, ses jambes. Pas de capture sauvage, pas d'assaut brutal, pas de bouche gourmande ni d'empoigne gloutonne, juste une main posée sur son front, une main de père. Nivard enlève sa pèlerine, il en couvre Gaëlle qui frissonne pour ne pas pleurer. Les mots pour une fois secourent le verrier. Miraculeusement, ils arrivent jusqu'à lui et franchissent le pas de ses lèvres. Il pense : « Quelqu'un parle à travers moi. » Les chandelles s'éteignent les unes après les autres, mais sa voix reste coiffée d'une étoile.

Le petit jour commence à poindre quand Nivard traverse la brume en direction de son gîte. Un chien grogne et puis se tait.

Inconsolable, Gaëlle épanche sa tristesse dans cette pelisse d'homme qui garde inscrites dans son tissage de laine les traces d'un amour sublime et désespéré, octroyé sans partage à une rivale noire.

Chapitre 27

Un beau jour débarque Théophile, petit moine sec, de la famille des chèvres de montagne, auxquelles il emprunte le physique et la voix surtout quand il parle le latin, chose aussi naturelle chez lui que l'éternuement chez le commun des mortels. Le petit homme fait dans la clairière une entrée tapageuse, alors qu'il s'était juré d'être le plus discret du monde et de se présenter devant les verriers sur la pointe des sandales pour obtenir plus commodément l'hospitalité. En cause, une querelle incendiaire entre le religieux, sa mule réfractaire et son ânesse outrée et brayant d'avoir été affublée par l'olibrius de deux caisses lourdes comme le plomb. Le bénédictin, excédé par la mauvaise volonté de ses bourriques, les injurie, assez vertement il faut le dire, en empruntant son vocabulaire tangent à la langue de Plaute et d'Horace pour ne choquer personne.

Dans la fabrique les têtes se pointent et on informe Nivard de l'arrivée d'un énergumène nommé Théophile. Le verrier lève les yeux au ciel sans équivoque et poursuit sa besogne avec des pensées peu avouables dans la tête. L'individu l'agace et il n'a aucune envie de le voir rôder dans son fief. Un chevrotement en bas de la passerelle : c'est le fléau qui se manifeste. L'artisan, perturbé dans son travail, interpelle un de ses hommes à qui il confie l'ouvrage en cours et part accueillir l'intrus sans débordement, pour ne pas dire sans joie. Il n'en est pas de même pour le bénédictin, qui revoit Nivard avec un plaisir immense et sincère. Autant, à Tegernsee, Théophile était attiré par son côté énigmatique, autant, ici, il est frappé par l'ascendant que cet être rude semble avoir sur ses gens. Il est le maître et ça se sent. Il est l'âme de la verrerie et cela se voit au premier coup d'œil.

Rien qu'à voir la mine de l'homme qui vient à sa rencontre, Théophile perd toute illusion sur l'alliance fructueuse qu'il espérait nouer avec le verrier et entrevoit d'un seul coup la bataille ardue qu'il devra mener pour arriver à ses fins : le remaniement de son second livre traitant du verre avec descriptions approfondies, ton après ton, des méthodes et des formules de coloration. Soucieux de ne pas précipiter les choses et de ne pas aborder à un mauvais moment le vif du sujet, il se borne à demander l'hospitalité au sein de la fabrique. Ce premier pas consenti, les autres suivront sans difficulté.

Nivard de Chassepierre devine ce que cherche Théophile et, s'il manifeste quelques réticences, elles portent moins sur la curiosité technique du savant que sur la prétention de son travail. Que peut-il faire, sinon déflorer un métier qui est loin d'être abouti, figer sur parchemin un parcours où Nivard se cherche continuellement et se cherchera vraisemblablement jusqu'à la fin ? La tâche du verrier le rend humble parce que la lumière lui rappelle sans cesse qu'elle est insaisissable, tandis que la pratique de l'écrivain est arrogante parce qu'elle englobe les choses dans une vérité arrêtée.

Théophile sait pertinemment que ce n'est pas avec des recettes qu'on touche à l'essence d'un art et que la technique est un domaine creux et méprisable quand elle est fermée sur elle-même, mais il a l'audace d'écrire parce qu'il est habité par le besoin de sauver quelques bribes précieuses de connaissance, nécessaires à l'évolution d'un métier qui le fascine.

Ces deux hommes sont comme les deux faces adossées d'une pièce de monnaie qui ne peuvent ni se rencontrer ni se voir. L'un défend le corps de la matière et l'autre l'esprit.

Nivard, s'il a peur des mots et du message fermé des livres, écrit directement dans le ciel avec les notes graves, les notes aiguës, les notes sévères de la gamme. Il compose un ouvrage illimité, qui commence par la première mesure divine en faveur de la création, *Fiat lux*, et qui n'arrivera jamais à son accomplissement, aussi longtemps qu'il y aura des hommes. Ce sont des milliers de pages que l'artisan corrige dans sa tête, des pages de vent, des pages de rien du tout, qui passent par ses deux orbites, par le tiroir de ses paupières, par l'éphémère et mortel regard qui est le sien. Le verrier cherche à devenir un délicat décrypteur de l'écriture céleste, celle qui module les jours et les saisons. Il se fait artisan du vertige lumineux. Un vitrail musicalement juste et souverainement écrit a le verbe si riche qu'il n'est pas d'écrivain qui puisse prétendre le décrire ou le posséder par l'analyse. Les seuls qui ont le pouvoir d'en approcher la grâce sont les poètes et les musiciens. Awen était parfaitement accordée au diapason de la lumière, elle portait les couleurs dans ses poèmes et dans son chant tandis que Théophile est juste bon, pense Nivard, à colporter des données, sans en percevoir la subtilité profonde. Son attirance pour le vitrail est asexuée, froide, technique. Il procède en médecin qui ausculte un malade méthodiquement et sans appétence, pour le seul plaisir de pratiquer son art.

Le verrier entend Khalim Rhamir s'exclamer : « Il faut être amoureux pour bien œuvrer en lumière. »

Nivard est renvoyé à lui-même. Il a le cœur si sec et il est si loin des vivants. Est-il vrai que l'amour est la clé de tout art authentique ? Est-il vrai que sans générosité il n'y a pas d'émotion qui se communique ? L'homme a mal d'être et sent de plus en plus que son ouvrage devra passer par l'oubli de lui-même, qu'il sera cet artiste que l'absolu traverse en l'effleurant à peine, qu'il vient d'ailleurs et qu'il glisse vers ailleurs. Il se perçoit comme le sillage qui s'évanouit derrière la barque et se noie dans l'oubli. Pas d'empreinte, pas de corps, pas de signature. Tout cela doit disparaître ou, plutôt, ne jamais apparaître.

Un matin, Nivard qui se lave devant sa cahute aperçoit Théophile armé de sa corne d'encre, de plumes d'oie et de vélin. Le verrier l'invite à venir près de lui, ce que le moine s'empresse de faire.

— Tu as commencé à écrire ? demande-t-il au petit moine.

— Quelques pages tout au plus, ce n'est pas facile.

— Tu ne mettras mon nom nulle part et tu ne diras rien de moi ! commande-t-il.

— Comme vous voudrez, répond Théophile surpris en retournant côté bure la page d'en-tête de son livre, où sa signature est écrite en lettres géantes.

— J'insiste, conclut Nivard en s'essuyant le visage.

Le bénédictin le regarde partir en claudiquant du côté des fours. Il voudrait comprendre.

Cela fait près de deux ans que les hommes se consacrent à la fabrication de plaques de couleur et que Guido Maier regarde avec horreur fondre son pécule.

— Nivard a sorti de ses fours assez de verre pour couvrir toutes les abbatiales de Bavière, se lamente-t-il.

Outre cela, il est grand temps que le verrier se rende à Tegernsee avant que l'abbé ne perde patience et ne revienne sur sa décision. Gaëlle intercède une fois encore auprès de son père pour qu'il consente une nouvelle libéralité en faveur de cette palette qui, avec le temps, est devenue son cauchemar. Il n'ira pas plus loin. L'homme est au bout de ses ressources. Il est allé jusqu'à vendre certains de ses biens et, afin de poursuivre la fabrication des couleurs à Günzburg, a même consenti à céder pour un prix dérisoire une grande quantité de verres légèrement irisés qui se trouvaient encore à Augsbourg. En réalité, il est aux abois et déshabille saint Pierre pour habiller saint Paul.

Informé par Gaëlle de la situation, Nivard réunit ses gens pour leur annoncer la mise à l'arrêt momentanée des fours et le départ pour Tegernsee de ceux qui veulent participer à la réalisation des vitraux. Dans la verrerie, l'équilibre bascule. Les terres défrichées sont partagées entre les habitants. Certains quittent le site pour chercher fortune ailleurs. En quelques semaines l'endroit devient méconnaissable à l'exception de la forge qui fait à présent sonner ses marteaux sur des houes, des pics et des socs de charrue. On rapatrie les verres à Augsbourg. Après quoi, en lente procession, l'atelier migre vers Tegernsee. Les hommes marchent autour des roues des charrettes afin de leur faire éviter les irrégularités du chemin. Bien que les verres soient emballés dans de la paille avec le plus grand soin, on entend parfois le bruit cristallin d'une plaque qui se brise. Une grimace des verriers ponctue la fracture, comme si chacun de ces accidents leur tailladait le cœur.

La caravane arrive à pied d'œuvre au plus fort de l'été, grise de poussière. L'abbé, qui n'espérait plus l'arrivée des artisans, en oublie le coup de crosse qu'il leur réservait. Les verriers établissent leurs quartiers dans un petit bois bordé par le lac. Le contenu des chariots est déchargé dans l'église momentanément abandonnée au chantier. La forge de l'abbaye revient à Soma et à ses apprentis. Quant à Nivard, il s'établit dans la sacristie où les fenêtres basses lui permettent de consulter facilement et à satiété ses échantillons. Les protections des fenêtres sont enlevées, de grandes tables sont disposées dans la nef avec, entre elles, des forges de campagne. Les plaques sont soigneusement rangées et annotées par teinte. Tout est paré pour passer au blanc les établis de bois afin d'avoir un support clair pour y reproduire à l'échelle et le plus fidèlement possible les compositions de Nivard. Les références des verres sont transcrites sous la surveillance du maître verrier. Les fins pinceaux, la craie liquide, les feux, les fers, les pierres dures et les grésoirs, tout un petit monde d'outils se met en place pour la coupe. À l'extérieur de l'abbatiale, des hommes construisent un four à grisaille pour recuire les fragments de vitraux qui seront peints. Ailleurs encore, c'est de plomb qu'il s'agit et de lingotières...

Toutes les péripéties du voyage n'ont pas réussi à semer les bourriques de Théophile et leur maître barbichu, qui n'en finit de remanier son second livre et d'en étoffer le douzième chapitre traitant du verre de couleur sous le titre *De diversis vitri coloribus*. Il court en tous sens, agace les hommes par ses questions, leur prend la clarté quand ils peignent, leur bouche le passage quand ils cherchent un morceau de verre, en un mot, il exaspère son monde.

Gaëlle arrive beaucoup plus tard sur le chantier. Elle est restée à Augsbourg au chevet de son père qui s'est trouvé mal suite aux émotions des derniers mois et qu'il a fallu aliter. Quand elle arrive à Tegernsee, elle peut annoncer à tout le monde que Guido Maier va mieux et qu'il a recouvré sa tonitruance coutumière. Heureuse de revoir ses compagnons de travail, elle découvre dans cette abbatiale rigide et respectable un atelier de vitrail insouciant et jovial. Ses affinités l'entraînent du côté des fours. Le feu est son élément.

Lointainement, Nivard la protège. Gaëlle, tout aussi lointainement, veille sur lui. C'est elle qui apaise les conversations houleuses dont Nivard est immanquablement la cible. L'homme peut être cassant, capable de briser les gens avec une férocité effrayante. Il ne tolère pas la médiocrité, ne pardonne pas la faiblesse. Qu'il plaise ou qu'il déplaise, il est ce chef de file, imposant sa sentence et traçant sa voie sans détour.

Sous l'œil impitoyable du maître, les vitraux de Tegernsee prennent tournure et semblent prometteurs aux quelques moines qui s'aventurent de temps à autre entre les tables. Tout semble aller pour le mieux et on commence tout doucement à avancer des dates de clôture du chantier. Sauf imprévu, les verrières seront en place pour la Pentecôte. On s'en réjouit.

Mais voilà qu'un soir, après une longue et éprouvante journée passée à peindre le verre, Nivard quitte le chantier et part errer en solitaire du côté de la route qui mène au village. Il a les yeux encrassés de fatigue d'avoir trop fixé la lumière. Il a besoin de les laver dans les gris tendres du chemin. Il a gardé ses habits de travail. Il fait bon et il marcherait longtemps encore si sa jambe ne se rappelait à lui et ne l'obligeait à s'asseoir. Il a mal. Il se détache quelques instants de son pilon. Alors qu'il le réappareille et s'apprête à repartir, deux cavaliers arrivent à sa hauteur, deux gentilshommes de la région, jeunes et excités, qui rentrent éméchés d'on ne sait quelle gogaille. Un des lurons effleure Nivard et sans raison lui décoche en passant un vicieux coup de pied dans le ventre. La riposte du verrier ne se fait pas attendre. Il se détend d'un bond, happe le cavalier et le jette en bas de sa monture. La chute est lourde et, lorsque le jeune homme se relève pour corriger le manant qui a eu l'impudence de le désarçonner, il s'aperçoit qu'il n'a pas affaire à un serf. Pour ne pas perdre la face, il le provoque en duel afin de se faire quitte de cet affront. Ivre de colère, Nivard relève le défi. Il rencontrera son rival vendredi en huit, à l'aube, dans les vergers du seigneur de Wallberg.

Sottise des hommes ! Le verrier n'a plus porté l'épée depuis des années, mais il est exercé à manipuler avec adresse les lourdes cannes appesanties de verre en fusion. Il se battra !

Les jours qui suivent, Nivard prend Soma à part pour croiser le fer avec lui. Il réapprend à se mettre en garde, à parer et se fendre. L'arme ne pèse rien au bout de son bras. Par contre, il se déplace mal et se couvre mal. Soma est inquiet et enfreint la promesse qu'il a faite à Nivard de ne parler à personne de cette rencontre. Le bruit fait vite le tour des artisans. Les cœurs sont serrés à l'approche de l'affrontement.

Le jour dit, parmi les pommiers en fleur, deux groupes d'hommes s'avancent l'un vers l'autre. Soma accompagne Nivard tandis que plusieurs cavaliers entourent le fils du comte de Wallberg. Il pleut ce matin-là. La fine cotte de mailles que porte le verrier lui glace la peau. De loin, les deux adversaires se jaugent avant de tirer leur épée. Nivard se campe sur sa bonne jambe tandis que le jeune homme déferle sur lui avec une sauvagerie inouïe. Chocs d'épées, volte-face, moulinets, esquives. Nivard pare les coups avec vigueur mais le combat est inégal. Il est raide et de plus son pilon s'enfonce dans la terre meuble. Il ne tiendra pas devant cet assaillant qui a pour lui l'agilité et la vigueur de la jeunesse. Un coup d'épée lui déchire l'épaule. Nivard est perdu. Ramenant toutes ses forces, il se sert de son arme comme d'une massue. En frappant, sa lame se brise, le mettant à la merci de son agresseur. Dans l'instant qui suit, une première estocade transperce le flanc du verrier. Une seconde se prépare lorsque les deux mains énormes de Soma arrêtent le bras meurtrier et, comme s'il s'agissait d'une brassée de bois sec, le géant en colère craque en deux le poignet de cet homme déloyal. Il est outré et les témoins du jeune seigneur le sont autant. Nivard ne bronche pas. Il lutte comme ces grands arbres qui résistent à la cognée des bûcherons. Son sang lui fait une tiède caresse. Il ne tombera pas. Plus loin peut-être, mais pas ici ! Soma le sait.

Il aide son compagnon à se remettre en selle. Ensemble, ils repartent vers l'abbaye, tandis que dans le verger le fils du comte de Wallberg tient sa main pantelante, en pleurnichant de honte et de douleur, comme un femmelette.

À Tegernsee, l'atelier est désert. Les artisans sont sur la route et ils se mettent à courir lorsque, de loin, ils voient Soma portant le blessé dans ses bras. Une femme n'a pu contenir son cri et ses pleurs. Portée par ses vingt ans, elle laisse le fleuve étranglé de son amour submerger les rives.

Chapitre 28

Dans l'abbatiale, on dresse les échelles, et des pannetons commencent à trouver leur place dans les baies, sous l'œil attentif d'un verrier blême, à peine capable de se tenir debout. Les images se complètent, élément par élément. Cette phase du travail exalte les artisans. Ils peuvent enfin apprécier en pleine lumière la qualité de leur ouvrage. Rien n'échappe à leur œil critique, ni un orfroi mal raccordé, ni une lisière un rien flambée, autant de détails que personne d'autre qu'eux ne remarquera et qui pourtant égratignent leur orgueil de bon ouvrier.

C'est le temps où Nivard mesure la distance qui sépare la vision intérieure qu'il avait des vitraux et leur matérialité. Il lui semble qu'il a devant lui tout autre chose que ce qu'il avait imaginé. Il se sent comme un archer qui a raté la cible, il voudrait retrouver le ciel, tout effacer, repartir d'une fenêtre vide sur le jour. Les compositions qu'il croyait solides lui paraissent sans consistance et il trouve sans grâce certains jeux de couleurs dont il attendait impatiemment la féerie. Malgré l'enthousiasme qui règne autour de lui et les compliments souvent enflammés des moines et des gens de passage, Nivard se ronge. Quelque chose lui a échappé. La lumière s'est laissé conduire par la main comme une enfant sage, mais, une fois hors de portée des hommes, à dix ou vingt pieds de haut, elle lui fausse compagnie. D'en haut, elle nargue le verrier, elle le toise avec insolence. Elle le rejette, pour ne plus appartenir qu'à elle-même.

Capricieux, rusé, pactisant avec les insaisissables fluctuations de l'heure, de la clarté et des saisons pour s'échapper sans cesse, le vitrail est la forme la plus sauvage de l'art, la plus imprévisible. Le vitrail n'est que folie, métamorphose, floraison illusoire, jeu d'algues échevelées dans une rivière de lumière.

Dans le domaine du verre et de la transparence, celui qui se croit dompteur est dompté. Pendant de longues journées, Nivard regarde les vitraux qu'il n'a jamais faits, les couleurs qu'il n'a pas choisies, la lumière qui n'est pas celle qu'il souhaitait. Il enrage.

— La prochaine fois, se dit-il en lui-même, les dents serrées, la bride sera plus courte.

Il tiendra cette bête irréductible et arrogante au ras des nasaux. Il la marquera sur le front de son fer. Tel est le défi du verrier.

Alors que l'abbatiale Saint-Quirin se boucle et que les moines se succèdent pour louanger la maîtrise de son art et la beauté de ses vitraux, Nivard est déjà ailleurs, dans des églises vierges, trouées de fenêtres nues. Il veut du ciel pour sa revanche. On l'attend à

Friesing pour vitrer l'église épiscopale Saint-Boni-face. Il y est sans délai, fouettant l'espace de son regard et bridant plus étroitement la lumière. Après quoi, c'est l'abbé de Saint-Pierre près de Giesing qui reçoit les artisans en son moutier. Nivard raccourcit, là-bas, la longe d'une palme. Chez les moniales de Ratisbonne, il musèle encore certains tons et des fenêtres lentement s'apprivoisent. On le retrouve avec ses hommes, à Schwarzach, à Alspirbach, à Fribourg-en-Brisgau, à Spire où il fait la vie dure aux couleurs qui lui résistent. Il a hâte d'être à Wissembourg pour domestiquer ses ambres et ses verts. Il est intraitable, accroché par les yeux à cette crinière rebelle de lumière qui fouaille les airs en tous sens pour éviter qu'on ne la capture.

Pendant que les verriers implantent leur chantier dans l'enceinte du monastère bénédictin de Wissembourg, Hugo, le second fils de Guido Maier, débarque soudainement dans l'église. Il arrive d'Augsbourg et demande à voir sa sœur. Sur son visage se lit la raison de sa visite : Guido Maier est mort. C'est un déchirement pour Gaëlle et une meurtrissure pour tous. Nivard, lui aussi, est attristé par la nouvelle. Il aimait cet homme qui avait le cœur à l'étroit dans sa large carcasse et la bonté contrainte de n'avoir que deux mains pour se prodiguer. Il fait appeler Gaëlle, bien qu'il sache qu'il ne trouvera rien à lui dire. Elle est une part de l'arbre, la part jeune, celle qui se trouve entre le cœur et l'écorce. Elle souffre de cet

arrachement. Quand elle paraît devant lui, toute menue dans son habit de voyage, avec son joli et triste
visage et ses yeux résolus, il a de la peine. En taci-
turne qu'il est et en artisan qui s'exprime avec ses
doigts, Nivard préfère le geste à la parole. Il s'approche de Gaëlle et lui pose l'envers de la main sur la
joue. La fille du verrier d'Augsbourg recueille cette
caresse comme une aumône. Elle se mord les lèvres,
fronce les sourcils. De sa voix sourde, il se surprend à
lui dire :

— Reviens-nous vite !

Gaëlle se dérobe. L'homme ne la verra pas pleurer.

Nivard réalise les vitraux de l'abbatiale de Wissembourg. C'est une belle bâtisse aux proportions
agréables et aux ouvertures généreuses. Il y consacre
plus d'une année. Il est sans nouvelles de Gaëlle et
son étonnement se transforme à la longue en inquiétude. Quand il s'aperçoit que les hommes partagent
son sentiment, il appelle Soma et l'envoie à Augsbourg. Entre-temps, il termine sa commande et, une
fois les vitraux en place, il s'en va prendre congé de
l'abbé.

— Savez-vous comment vos hommes vous surnom-
ment ? asticote le religieux.

— Oui ! J'ai entendu ! Ils m'appellent « l'Adepte ».
Quelqu'un leur a mis cela dans la tête...

— Nombreux sont ceux qui disent que vous êtes en
train de transmuter en or le ciel plombé de Bavière.

— Je fais un travail d'artisan, pas d'alchimiste !

– Théophile prétend néanmoins...

– Théophile prétend n'importe quoi, éclate Nivard. Cet homme a pratiqué mon art. Il devrait garder la tête froide et cesser de rendre occulte ce qui ne l'est pas !

– J'aime mieux cela ! Je vais pouvoir rassurer mes moines qui se demandent si vos vitraux sont œuvres d'ange ou de démon !

Lorsque le verrier se retire, l'abbé lui lance :

– N'empêche ! Ce surnom vous restera !

Reprenant son bâton de pèlerin, Nivard migre avec son monde pour Strasbourg, où plusieurs fenêtres de la cathédrale lui sont confiées. Soma réapparaît un mois plus tard et, à sa manière de passer en biais et tête basse la porte de la pièce où le verrier travaille, Nivard devine que Gaëlle n'est pas avec lui. Le colosse s'accroupit près de son maître et raconte.

À Augsbourg, on croyait la jeune femme rendue à son chantier.

Gaëlle a en effet quitté la demeure paternelle il y a dix mois sous la bonne garde d'un convoi de marchands bavarois qui remontaient sur Cologne en passant par Spire. La consternation est générale. On craint le pire. Le rappel est battu, la famille est réunie, on envisage toutes les solutions imaginables pendant que la femme de Guido Maier s'abandonne à son chagrin. Les chances de retrouver la jeune fille sont minces, pour ne pas dire inexistantes. En désespoir de cause, Hugo, le frère de Gaëlle, propose à

Soma de refaire la route avec lui jusqu'à Spire et d'interroger autour d'eux.

S'arrêtant à tous les relais, à toutes les auberges, questionnant villageois, clercs et seigneurs, ils ne trouvent personne qui se souvienne d'une frêle femme blonde aux yeux très bleus et à la ligne souple. Ils enquêtent auprès des gildes, des hanses, des corporations, sans que quiconque leur donne le moindre renseignement ni sur Gaëlle ni sur les marchands qui l'accompagnaient dix mois plus tôt.

Ayant fait l'impossible, Hugo et Soma repartent chacun de leur côté, bredouilles et appesantis de tristesse.

Souffrance que tout cela ! Nivard bat sa coulpe. Que n'a-t-il envoyé Soma plus tôt à Augsbourg ! Que n'a-t-il réagi au premier signe d'inquiétude, quand il était peut-être encore temps. Il s'en veut d'être ce mur que l'amertume recouvre comme un lierre et contre lequel les vies se brisent. Il se sent de plus en plus prisonnier d'un puits profond qui ne lui donne à voir qu'un rond de ciel et à entendre que l'écho de son cri. Il est seul, sans regard à porter ailleurs que sur son rêve de lumière, un rêve qu'il vomit quand ses blessures se rouvrent et qu'il maudit l'âpreté du sort.

– Nous partons demain, fait Nivard au colosse.

Soma ne dit rien. Il acquiesce de ses yeux bienveillants qui perçoivent où s'accroche la peine et qui s'inquiètent de savoir quels ravages elle fera.

Les longues semaines pendant lesquelles ils patrouillent réveillent la colère de Nivard. Dieu est aveugle et sourd et l'abandonne à son impuissance.

Ils sillonnent indéfiniment les mêmes contrées en ré-pétant inlassablement les mêmes questions.

Un jour à Heilbronn, un mendiant les oriente vers un marchand d'épices ambulant qui demeure dans cette ville quand il n'est pas sur les routes. Nivard et Soma trouvent l'homme occupé à ranger ses poti-quets de terre cuite sur des étagères. Des feuilles et des herbes sèchent plus loin sur des claies. L'odeur est forte et monte à la tête. Nivard est pris pour un acheteur et interroge le commerçant sur ses pro-duits :

— Qui te ramène le safran de Perse ? demande le verrier.

— Ce sont les Vénitiens ! Je me rends là-bas deux fois l'an.

Et, en confiance, le petit boutiquier à la lèvre grasse et au visage ingrat se met à parler de ce commerce qui le mène parfois jusqu'à l'embouchure du Rhin. Un jour, il est à Ratisbonne, un autre, à Ulm ou à Spire ou ailleurs encore. Pour éviter les mauvaises rencontres, les marchands s'entendent en-tre corporations pour voyager ensemble. Dans leur groupe, ils sont drapiers, foulons, parfumeurs, négo-ciants en vins, brasseurs de bière... Tous bavarois ! L'homme en a trop dit ou pas assez.

— En mai, l'an passé, tu étais à Augsbourg avec tous ces gens, intervient le verrier.

Le bonhomme se gratte la tête. Il pioche dans sa mémoire !

Nivard ne lui laisse pas le temps de répondre.

— ... et vous avez offert votre protection à une

jeune femme blonde qui se rendait à Wissembourg, une certaine Gaëlle Maier.

L'homme a un mouvement de recul, qui n'échappe ni à Nivard ni à Soma. Après ce moment d'hésitation, il part dans des mensonges aussi gros que lui, jouant l'étonné, affirmant ses grands dieux qu'il n'y avait dans ce voyage que les habitués. Il ment mal, résiste mal au regard qui le transperce. Les mots s'empâtent dans sa bouche, il bégaie, il est moite, il cherche à fuir. Soudain Nivard l'empoigne comme un sac, il a sorti sa dague et colle la lame froide contre la gorge du boutiquier :

— Maintenant, c'est la vérité que je veux entendre ! ordonne-t-il.

L'homme se rend. Il parle d'un soir, d'une beuverie après un marché faste, d'un certain Stauffer qui était brasseur quelque part du côté de Bamberg. Il avait amené des femmes dans le campement. La ripaille prit mauvaise tournure. La plupart des filles s'esquivèrent. Stauffer essaya en vain de les rattraper et on le vit revenir en tirant Gaëlle par les cheveux.

On reconstitue sans peine la scène. Les vêtements arrachés, des mains, des coups, des ventres nus, des bouches molles empestant le vin ou la bière, et tout ce à quoi le verrier préfère ne pas penser.

Le marchand raconte le lendemain. Nivard voudrait qu'il se taise, que sa honte le fasse crever, qu'il se transforme en statue de sel au milieu de ses pots d'épices. Il imagine Gaëlle entre les chariots et les flacons vides, roulée en boule, racrapotée comme une gousse, tout abîmée de marques bleues et rouges, griffée, écorchée, ensanglantée, rêves cassés, lumière éteinte dans le regard, grand vide dans la tête.

Ce matin-là, le bonhomme joue son bon Samaritain, Dieu lui rende justice. Il pense qu'avec une couverture sur les épaules, la jeune femme aura moins froid. Mais voilà qu'elle jappe comme un petit animal dès qu'il s'approche. Elle a peur. Chaque fois qu'il avance, elle recule. Ça lui fend le cœur, le pauvre homme !

Stauffer, qui dégrise, veut achever le travail. Il sort son épée.

— Ce n'est pas dans mes habitudes de laisser la besogne à moitié faite, dit-il.

Et c'est là que s'interpose encore le petit commerçant. Il obtient que la femme ait la vie sauve et qu'elle soit confiée aux moniales d'Heidelberg.

Comme un seul homme, les marchands bavarois, Stauffer en tête, frappent à la porte du monastère. Ils ont ramassé ce petit oiseau malade sur la route. Personne n'a vu d'où il est tombé. Ils ne savent qu'en faire !...

L'épicier d'Heilbronn se redresse, il est en sueur. L'homme qui le menaçait tout à l'heure a rengainé sa dague. Il est assis au milieu des pots, le visage dur, et ni l'odeur du musc, du poivre ou de la moutarde, ni tous les parfums confondus de l'entrepôt ne lui paraissent assez forts pour rivaliser avec le récit écœurant qu'il vient d'entendre.

Comme si le fer n'était pas plongé assez profondément dans la plaie, Nivard de Chassepierre part pour Heidelberg avec Soma. Il ira jusqu'au nid de l'oiselle. Pour un cil d'espoir, il ferait n'importe quel chemin.

Un matin, il suit une moniale dans un cloître ensoleillé. Il a dû insister pour qu'on le reçoive, mais, une fois dans l'étau des murs, il a envie de s'enfuir. L'abbesse qui vient à sa rencontre est séduisante et sereine. Son sourire rayonnant ne suffit pas à distraire Nivard de cette angoisse qui lui noue le ventre.

Dans le couloir qui mène à la cellule où la fille de Guido Maier végète depuis un an déjà, l'impact de son pilon de bois sur les dalles se mêle aux battements de son cœur.

La petite pièce où il est amené est sombre. En entrant, il ne voit pas Gaëlle tout de suite, mais seulement une paillasse roulée contre un mur de la chambre. Dans le coin que masque la porte, il y a une forme humaine ramassée comme les doigts dans un poing. Au verrier qui s'avance vers cette forme, l'abbesse croit prudent de dire à voix basse :

— N'approchez pas davantage, vous allez l'inquiéter !

Nivard s'immobilise puis, avec difficulté, se met à la hauteur de Gaëlle. Dans cette position basse, sa jambe raide lui fait mal. Il s'accoutume à l'obscurité et à la douleur. À l'endroit de la tête de la jeune femme, il reconnaît la grande tache blonde de ses cheveux et ses mains repliées sur elle. Du bout des lèvres, il murmure son nom, croyant peut-être qu'il va

343

la réveiller. Mais rien ne frémit au vent de sa voix. Il reprend avec plus de force sa supplique :

— Gaëlle, réponds-moi !

Pas de réaction. Il implore, va vers elle et la prend par les épaules en tonnant son nom. Elle cache sa tête dans ses poings, elle crie, elle tremble, elle a peur ! Nivard a vu un instant son visage, ses yeux d'absence, vidés de leur flamme. Il est brisé.

Il se déplace en glissant sur le sol jusqu'au mur opposé à la jeune femme et s'y adosse. L'abbesse s'efface dans le silence.

Le soleil promène une plage de lumière entre leurs deux solitudes. La tache vivante s'approche de Gaëlle. Elle sera sur elle en fin d'après-midi. Elle s'évanouit sur la porte quand le soir tombe. Nivard se relève et quitte ce mouroir où Gaëlle tient la place d'une musette. Il lui faut chercher son chemin dans le noir. Quand il apparaît à la porte du monastère, Soma l'attend. À lire dans ses yeux, il espérait lui aussi quelque chose qui ressemblât à un miracle.

Quand Nivard quitte Heidelberg, sa colère est plus sourde.

Chapitre 29

S'il y a un homme heureux sur la terre ce jour-là, c'est Théophile. Il voyage sous la pluie, mais ça ne l'empêche pas de chanter l'office sur la route avec ardeur et avec une telle profusion de notes fausses que ses bourriques en ont les oreilles retournées et la tête basse. Il quitte Hirsau, où il a peaufiné son ouvrage, et se rend au monastère d'Helmershausen, dont il dépend. Quelle tête vont tirer les moines de sa communauté quand il leur mettra sous le nez son traité remanié, enrichi de ce qu'il a pu puiser durant ces dernières années dans les trésors de connaissance et de savoir-faire de ce génial praticien du verre dont il a promis de taire le nom ! Il va les épater tous, autant qu'ils sont. Il faut dire que l'abbaye d'Helmershausen est portée sur les arts du feu. Elle compte des orfèvres dans ses rangs et, comme on sait, de retable à vitrail, il n'y a pas loin. Théophile est un transfuge. Comme Nivard de Chassepierre, il fut *aurifaber* avant d'être verrier. Il a fait en quelque sorte le même chemin et s'en trouve honoré.

Cela fait des semaines qu'il pleut et que le voyageur veille à ce que ses manuscrits ne prennent pas l'eau. Pensez, quelle perte ce serait pour le moine, pour l'abbaye, pour la postérité, pour l'humanité entière ! Songeant à l'œuvre impérissable qu'il vient d'écrire, Théophile sort le flacon pansu où il tient son vin et arrose l'événement comme il se doit.

— Et une gorgée pour l'artisan du grand œuvre ! lance-t-il à sa mule.

Devant le mutisme désapprobateur de son palefroi de misère, il se tourne vers l'honorable consœur de l'animal :

— Longue vie à l'Adepte ! dit-il à son ânesse qui, croulant sous ses caisses, le regarde de biais avec de gros yeux soumis.

Le moine s'étrangle d'émotion. N'est-ce pas à une lettre écrite par Rosal de Sainte-Croix qu'il a emprunté cette appellation souveraine ? Le mot de l'architecte se trouvait dans le carquois de Nivard avec ses formules.

— D'accord ! concède-t-il à ses bourriques obtuses. J'ai péché par indiscrétion, mais c'était pour la bonne cause !

Le remords écartèle Théophile et, griserie aidant, le voyageur devient de plus en plus chagrin. Ses pensées tourbillonnent autour de cet homme grave et séduisant, brûlant sa fièvre dans ses vitraux. Dieu ! Que le petit moine aurait aimé s'en faire un allié, voire un ami ! Au lieu de cela, il lui a fallu jouer à cache-cache, ruser, épier, soudoyer les fondeurs, extorquer des renseignements et même, Dieu lui pardonne, recopier, à l'insu de l'auteur, certaines formules de son parchemin. Il en est confus et, face à l'incompréhension de ses bourriques, en appelle à la clémence du Tout-Puissant pour avoir, parce qu'il le fallait bien, abusé un tantinet de la confiance du verrier.

– *Absolve me, Domine,* ne cesse de répéter Théophile en regardant le ciel, les yeux pleins de repentir et la larme ruisselante sous la stalactite de sa barbichette.

– Pour ma pénitence, je dirai cent patenôtres !

Indisposé par le moinillon qui lui liquéfie les oreilles avec une prière vieille de mille ans, Dieu condamne le pécheur à une mortification diluvienne en faisant pleuvoir sur sa tête des trombes d'eau et en lui barrant la route par le Main en crue.

– *Fiat voluntas tua, Domine,* susurre le religieux d'une voix contrite.

La rivière violente et large ressemble à Nivard. Elle arrache les ponts, recouvre les gués, emporte les barques des passeurs. Le pénitent doit endurer ce châtiment céleste et attendre comme Noé la fin du déluge.

Quand la colère du ciel paraît se calmer, Théophile se risque prudemment dans le courant. Avec un bâton, il tâte le fond. L'eau lui arrive aux genoux. Il s'aventure précautionneusement dans les flots avec ses bourriques, dont les oreilles chauvies trahissent l'inquiétude. Le lit de la rivière est trop profond par endroits. On ne passe pas aujourd'hui. Théophile se plie au mauvais sort qui s'acharne contre lui et s'apprête à faire demi-tour, quand son ânesse verse dans le remous, l'entraînant dans sa chute avec sa mule. Ils ont beau lutter tous les trois, se débattre, crier entre deux tasses, le cours d'eau les emporte avant de se refermer sur eux et de les engloutir.

Seuls surnagent quelques feuillets épars, quelques livres qui se désintègrent et quelques plumes à l'embout noirci qui se disséminent nonchalamment sur l'onde.

Le Rhin est énorme et la pluie accompagne Nivard et Soma jusqu'au pied de la cathédrale de Strasbourg. Les artisans y sont à l'arrêt. Ils attendent le maître verrier pour commencer le travail.

Deux templiers attendent eux aussi le retour du voyageur : un homme vieux et un homme jeune. Ils sont arrivés quelques jours plus tôt. Le plus âgé s'approche de Nivard. C'est un beau vieillard robuste au poil blanc et à la face travaillée comme une pierre de Bretagne. Dans son visage coulent des yeux de tendresse. Nivard de Chassepierre le reconnaît et part aussitôt à sa rencontre. Dans le vaisseau de la cathédrale, ils se plantent l'un en face de l'autre comme les deux mâts d'un grand et puissant navire alourdi de voilures. Après un moment, ils s'embrassent et Rosal de Sainte-Croix laisse échapper les mots affectueux qui lui chauffent le cœur :

– Mon fils, mon cher fils !

Revoir le templier, c'est retrouver Awen, inoubliable princesse noire, c'est raviver les brillances des années heureuses qui vous font cligner des yeux comme quand, au sortir des sapinières, on regarde les soleils qui vous éclaboussent, c'est retremper sa mémoire dans le rêve étourdissant de Rosal, l'architecte de l'impossible légèreté, l'homme qui, comme Nivard, revêt le nom de sa quête. Comment nommer autrement que « Rosal » ce personnage cherchant à transmuter les roues de la fortune romane en somptueuses roses de pierre et de lumière ?

— Rosal, rosiériste de l'absolu, où en sont tes floraisons d'ogives ? laisse échapper le verrier.

— Elles sont lentes à prendre racine, répond le templier, et je me fais vieux. Et toi, enfant de Chassepierre, où en sont les pierres de tes châsses ? rétorque le vieil homme en inversant avec malice le nom de son compagnon.

— Comme dans la parabole, je prépare la fête. Je dresse les tables. Mais j'ai beau sortir de mes fours le meilleur de moi-même pour contenter les gourmandises célestes, j'ai beau me torturer l'esprit à bien poser mes verres en friandises sur des nappes blanches, l'Invité est introuvable ou, plutôt, je m'épuise à le chercher.

— Tu es trop près pour le voir, lui dit simplement le templier. Il te faut redescendre, te poser, replier les ailes. Méfie-toi de la lumière, plus on la fixe, plus elle aveugle.

Un moment se passe avant que Rosal reprenne avec le sourire :

— Je te dis cela et je devrais me taire. Le feu qui me consume n'est pas différent du tien et, si je suis venu ici, c'est pour t'appeler sur les fenêtres du

Mans, de Saint-Denis et de Chartres... L'ouvrage est en route. Je n'en verrai que le commencement et toi à peine un peu plus. Nous sommes des archers. Il nous faut bander l'arc à la limite de la rupture pour que la flèche s'envole et ne retombe pas.

Avant d'entreprendre la construction de la cathédrale de Sens, Rosal de Sainte-Croix veut retourner aux sources de la transparence et de la couleur pour se mettre au diapason de l'orfèvre-verrier dont il guida les pas jadis et qui, aujourd'hui, inscrit ses images de lumière parmi les étoiles. L'homme jeune qui accompagne le chevalier n'est autre que Bérenger de Noyon. Il fait partie de ces élus qui auront demain la charge du savoir et qui maintiendront la course de la flèche. C'est un lion en marche.

Les deux templiers quittent Strasbourg le lendemain. Ils veulent arpenter l'une après l'autre les églises de Bavière où l'Adepte a exercé son art. Ils repasseront par la cathédrale quand les vitraux seront plus avancés. Rosal est comblé par ces retrouvailles avec ce fin artisan de la lumière. Il est heureux de le retrouver à l'œuvre. Il revoit Nivard affrontant, à Troyes, l'assemblée conciliaire que le retour du verrier tenu pour mort frappa de stupeur. Tout en lui était alors déchirure, mutilation de corps et de cœur, abandon. Après cette irruption fracassante, le revenant avait disparu aussi sauvagement qu'il était arrivé. Sa révolte ouverte avait marqué les esprits et nombreux étaient ceux qui, n'ayant pas apprécié son

350

arrogance vis-à-vis de l'Eglise et de ses représentants, l'attaquaient ouvertement. L'architecte avait tenu bon. Il avait même été jusqu'à s'abandonner à une colère mémorable à l'encontre de certains détracteurs qui prétendaient qu'on ne le reverrait plus.

Après le concile de Troyes, Rosal resta sans nouvelles de son protégé pendant dix ans. À la longue, la disparition de Nivard l'inquiéta et, sans en informer personne, il envoya maintes fois ses hommes à sa recherche. Tous revinrent bredouilles après avoir sillonné le royaume de haut en bas. Où était-il passé ? L'idée effleura le templier que le verrier était retourné en Syrie. Il se tourmentait d'avoir perdu sa trace. Lorsqu'il travaillait sur la basilique Saint-Denis à la reconstruction du chœur, l'architecte ne savait plus trop que dire à Suger qui ne se privait pas d'aviver son tracas en lui rappelant à chaque rencontre :

— Il sera bientôt temps d'aller quérir votre verrier prodige pour qu'il réalise mes vitraux.

Il répondait alors à l'abbé :

— J'y pense bien.

Pour sûr qu'il y pensait. Il n'en dormait plus, et quand il pouvait éviter le moine, il faisait le détour. Un jour, il vit Suger arriver droit sur lui pour lui annoncer :

— Il paraît que l'Adepte est à Wissembourg et qu'il y fait des merveilles.

Ce mot « Adepte » fit tinter la tête du templier comme un battant de cloche. Le surnom ne trompait pas. Il était porté par la rumeur et revenait comme un vent du large des chantiers où Nivard dressait ses vitraux. Sa renommée faisait son chemin. Sa maîtrise franchissait l'espace à pas de géant. Le verrier était vivant. Il avait surmonté l'épreuve.

Submergé de joie, Rosal de Sainte-Croix aurait bien serré le bénédictin dans ses bras, et c'est au prix d'un effort énorme qu'il s'aligna sur la froideur du moine et revêtit la mine la plus détachée du monde. Suger parti, il quitta le chantier sur-le-champ avec Bérenger de Noyon.

En route, il ne pouvait s'empêcher de penser à ce verrier, cher à son cœur, en équilibre précaire entre une jambe et une béquille, qui s'était recomposé une palette de verres et qui allait de chapelle en église réaliser ses vitraux. Quel tour de force était le sien ! Soma était-il toujours à ses côtés avec son visage bon enfant, ses chantonnements et son rire ? Il espérait retrouver Nivard déchargé de son chagrin, rappelé à la tendresse par la vie, vivant un amour assez intense pour recouvrir le passé d'un fin linceul...

Lorsque, après dix ans d'éloignement, Rosal revoit le verrier dans la cathédrale de Strasbourg, il est en face d'un homme marqué au fer par la souffrance mais animé d'un regard exceptionnellement intense.

Lorsqu'il découvre ses vitraux en parcourant la Bavière avec Bérenger de Noyon, il y perçoit blessures et cris prisonniers dans des ronces de plomb, il y saisit le doute et la révolte, il y ressent l'attente et la soif. Il parcourt fenêtre après fenêtre avec une émotion croissante. Il marche avec ferveur sur les pas de l'Adepte. C'est du beau langage, celui qui va au-delà des mots, qui ne livre que l'essentiel, qui fait parler les taciturnes, les écorchés, les mal-aimés des Écritures, qui travaille les questions et non les réponses.

– Je connaissais ses qualités de verrier, dit-il à son compagnon de voyage, je suis conquis aujourd'hui par la puissance de son imagerie.

Bérenger de Noyon est saisi par la lumière qui chante et qui donne vie à la pierre. Il goûte les épanchements de couleurs qui font chatoyer les murs et irisent les boiseries. Il boit à cette source intarissable et magique. Il découvre que le vitrail doit couronner les élans souverains de la pierre, qu'il en est l'onction, l'indispensable auréole, le verrou de la charge, l'aboutissement de l'œuvre.

Après un périple qui les amène de Tegernsee à Saint-Quirin, de Saint-Quirin à Giesing, Ratisbonne, Schwarzach, Alspirbach, Fribourg, Spire et Wissembourg, les deux templiers rentrent à Strasbourg, éblouis l'un comme l'autre par l'éclat de cette quête de lumière. Le souffle du verrier les a traversés. Ils pressentent que demain ce souffle sera capable de gonfler toutes les voiles des nefs et des vaisseaux de prière d'Occident.

Dans la cathédrale, Nivard travaille trois fenêtres : une sur Salomon, une autre sur la résurrection de Lazare et, pour la troisième, il a choisi de raconter l'épisode de la fille de Jaïre. Les panneaux de ce vitrail sont prêts à la pose alors que les autres sont en cours de découpe. Avant de repartir pour Sens, les templiers vivront la mise en lumière de ce coin de ciel où une formidable variété de bleus et de mauves fait écrin à de rutilants dorés clairs. La ligne du vitrail est sobre et les lisérés sont vifs et perlés. Nivard détaille la scène en plusieurs tableaux astucieusement imbriqués. La chevelure de l'enfant miraculée est blonde et sa robe est grise comme une blouse de verrier...

Après Strasbourg arrive l'heure du choix. L'Adepte part pour Le Mans. Certains artisans vont le suivre tandis que d'autres préfèrent regagner la Bavière avec Hermann Brock. C'est la fin d'un cycle et une période de transition difficile. Quelques-uns se tâtent, partagés qu'ils sont entre l'envie de rester avec Nivard et la crainte de se trouver en pays étranger, trop loin de chez eux. Nombreux sont ceux qui voient avec amertume, voire rancœur, l'atelier se diviser.

— Rien ne sera plus comme avant ! disent-ils.

Un matin gris, une partie des artisans traverse le Rhin et s'en retourne vers l'est alors qu'une autre s'enfonce vers l'ouest. Nivard et Soma partent en éclaireurs pour Le Mans, tandis qu'Aymon de Moselle est chargé de mener sans délai le convoi à bon port.

Aymon de Moselle est un homme long et maigre comme la faux de la mort. Il a environ quarante ans et en paraît bien davantage à cause de ses cheveux déjà gris et de son dos voûté. Ses énormes mains lui ont valu le surnom de « la patoche ». Il a une force terrible, qu'à le voir on n'imagine pas. Cela fait près de deux ans qu'il s'est joint aux artisans d'outre-Rhin du temps où ils travaillaient aux vitraux de Wissembourg. C'est un homme adroit, fuyant dans le travail une infortune secrète. On ne sait rien de lui sauf qu'il fut souffleur quelque part en Lorraine et que le verre est sa terre d'ancrage. Il achemine le convoi avec la fermeté qu'il faut jusqu'à pied d'œuvre. Dans la cathédrale du Mans, il retrouve Nivard entouré de croquis et d'échantillons de couleurs. Dès que le verrier l'aperçoit, il lui confie :

— Tout est à faire ici, je n'ai pas les teintes qu'il me faut.

Et, montrant sa palette, il ajoute :

— J'ai besoin de beaucoup plus de bleus et de rouges, mais je ne veux plus du rouge au cuivre, je veux du rouge à l'or, coloré dans la masse.

L'artisan ne sait quoi répondre. Il ne connaît pas l'alchimie des verres comme l'Adepte, mais il éprouve le besoin de hocher la tête comme pour dire :

— Nous attendons les ordres du maître.

Nivard n'est pas resté inactif le temps qu'arrivent ses ouvriers. Il s'est rendu à Saint-Denis, dont on couvrait la toiture, s'est arrêté à Chartres avant d'aller au Mans. Il a le vertige. Les couleurs tournent et retournent dans sa tête et il ne sait par quel bout les prendre. Le temps est court et les espaces à vitrer sont immenses. Il lui faudrait une armée ou un siècle devant lui pour couvrir ces fenêtres.

– D'abord les fours et le verre, pense-t-il.

Il faut déceler et fabriquer les teintes de l'harmonie. Chartres n'est pas Saint-Denis et Saint-Denis n'est pas Le Mans. Il songe à la forêt de Senonches et aux bords de l'Eure où, vingt-cinq ans plus tôt, Gautier de Chartres avait une verrerie dans laquelle il fabriquait des plateaux d'assez belle qualité. L'endroit lui paraît idéal, tant par la proximité des trois chantiers que par ses ressources en bois et en eau. Il décide de s'y rendre avec Soma.

Gautier de Chartres est mort et l'homme qui a repris l'affaire s'appelle Gabriel de Longny. Loin d'avoir l'envergure de son prédécesseur, il arrive à grand-peine à maintenir l'activité ancienne, se plaint amèrement de la conjoncture qui rend le métier de plus en plus difficile, alors que c'est sa passivité qu'il devrait mettre en cause. Il s'offusque de la proposition que fait Nivard de lui reprendre plusieurs fours pour y fabriquer de la couleur : il est hors de question pour Gabriel de Longny d'accueillir les verriers d'outre-Rhin dans ses murs. Lorsque Nivard lui apprend que Suger est parmi les payeurs, sa mine change, il devient moins catégorique et demande un temps de réflexion.

Quelques jours plus tard, les hommes de Nivard s'installent sur le site. Une partie de la verrerie leur est concédée. C'est un premier pas.

Chapitre 30

Gabriel de Longny n'a pas cédé à Nivard le meilleur de son outil et se montre aussi peu coopérant que possible. Le verrier serre les dents. Il n'aime pas ce jeu d'entraves gratuites, fruit de la mesquinerie. Il fait le gros dos et s'attelle à la restauration des fours pourris qu'on lui a si généreusement abandonnés. Avec ses hommes, il abat un travail de titan pour les remettre en état et en améliorer la conception. Autour d'eux, le mépris est la règle et le quolibet le mets quotidien. Il faut une sacrée réserve d'humilité et de patience pour ne pas éclater.

Un jour, l'avanie est à son comble : le chantier a été saccagé et les creusets façonnés par les nouveaux arrivants ont été brisés. Excédés, les artisans d'outre-Rhin en colère descendent en masse pour se battre contre les ouvriers du clan adverse. Ils en sont quittes pour des coups, des bleus et des bosses. Nivard fulmine. Il attrape Gabriel de Longny à la gorge et le colle sans ménagement à un mur en disant :

— Ou bien tu nous laisses travailler, ou bien tu

nous chasses, mais je ne te donne pas le droit de casser mes gens.

Une trêve fragile s'ensuit, permettant à l'Adepte d'embraser ses fours et d'ajouter ses panaches au ciel de la verrerie. Très vite, les souffleurs du cru en viennent à remiser leur agressivité vis-à-vis de l'atelier étranger qui développe une activité intense au sein de leur fabrique et, quand ils voient de loin les canons immenses balancer dans les airs, ils ne savent plus très bien ce qu'ils doivent penser des intrus qu'ils regardaient hier avec dédain.

Nivard a repris ses parchemins. Il procède avec Aymon et Soma à la préparation des mélanges. Il pense qu'il ne viendra pas à bout du travail qui lui est demandé sans rallier à sa cause tous les verriers du site et des régions voisines. Il a besoin de Geoffroy Bisol, l'homme des deux soleils, l'alchimiste. Il part pour Sens, où sont les templiers.

Le poil de Bisol est devenu blanc comme neige et la partie accidentée de son visage se marque moins dans ses traits vieillis. L'étrange chevalier a toujours ce regard double qui désarçonne et cette voix aigre qui stridule. À Sens, il a décelé les lignes de force, les courants telluriques du lieu, et veille à ce que l'énergie captée habite la pierre et charge la cathédrale en construction dont Rosal est maître d'œuvre, avec Bérenger de Noyon. Il attendait la venue de Nivard et devine la raison de sa visite. L'Adepte vient chercher minéraux et sels, natron d'Égypte et cendres de salicorne que Geoffroy Bisol, comme convenu quinze ans plus tôt, a engrangés pour lui quelque part. Rien n'est laissé au hasard dans le plus étourdissant défi jamais lancé en Occident à la gloire de Dieu et des humains. À Sens, ce jour-là, les trois forces sont en présence, la trinité des hommes : les racines, le tronc et le feuillage de l'arbre de lumière. Dans leurs veines coule la même sève, un sang d'éternité.

Dans la verrerie de Senonches arrivent des chariots. Nivard appelle Soma pour lui annoncer :
– J'ai l'or pour fabriquer la note rouge de la gamme. Elle doit rallier les verriers du site. Nous la ferons ensemble dans le secret.

Un scintillement de dents blanches, une lueur dans les yeux du colosse. Il a vu éclater cette couleur en Syrie. C'est la magie pure, le soleil de midi derrière les paupières closes. Il faut saisir le ton quand il passe, sous tel feu bien spécifique, et le conduire jusqu'au bout de la cuisson en suivant un labyrinthe compliqué dont seul l'Adepte possède le cheminement. Au moindre écart, le verre vire et chavire, devenant une variante plus ou moins heureuse de la note, mais pas elle.

Sans attendre, ils se mettent au travail. Le verrier cherche la voie, s'égare, retourne sur ses pas, recommence. Un jour, il piège dans un souffle cette boule d'un rouge éblouissant. L'objet refroidit sans se dépourvoir de l'intensité du feu qui l'habite. Nivard tend la canne alourdie de son fruit vermeil à

Soma qui s'encourt du côté des fours de Gabriel de Longny. Le Nubien est fier et tient son trophée comme un guerrier qui aurait abattu de son javelot une étoile filante en pleine course. Les verriers quittent des yeux leur paraison et abandonnent leurs cannes pour descendre les uns après les autres près de Soma. L'objet passe et repasse entre leurs mains et miroite dans la lumière. Ils sont muets d'admiration et s'inclinent devant le maître artisan qui a eu l'habileté d'enlever au soleil couchant un bouton de son manteau. Gabriel de Longny est détrôné.

Les premiers charrois de verres soufflés partent pour Le Mans avec les tons de l'harmonie méticuleusement choisis pour le lieu par l'Adepte. Les maîtres verriers du Poitou, qui ont blanchi les tables et qui reproduisent à l'échelle les dessins des fenêtres, attendent le verrier avec impatience. Ils ont hâte de se trouver confrontés aux couleurs qui tamiseront les ajourements de la cathédrale nouvellement reconstruite par Guillaume de Passavant. Nivard a parcouru l'édifice en tous sens, à ne plus savoir marcher. On a vu l'Adepte à cheval dans le lieu saint, ou promené d'un bout à l'autre de la bâtisse sur les épaules d'un colosse noir. Aujourd'hui, il apporte sa partition lumineuse et distribue les plaques de verre à chaque fenêtre, comme on dépose des présents aux pieds des rois. Il impose les fonds, donne les tons des lisières, des filets ornementaux et des drapés, propose aux artisans les fleurs cueillies par lui dans ses fours, en leur laissant le soin d'en faire les bouquets. Il n'a pas eu le temps d'historier lui-même les verrières du Mans. Il s'est borné à en tracer les lignes de force, laissant à l'atelier poitevin le soin d'en conduire le détail. Il reviendra une fois mis en chantier les vitraux de Saint-Denis, que Suger réclame avec insistance.

— Voilà l'homme qui se fait désirer, lance Suger d'entrée de jeu, en voyant arriver le verrier mosan. Vous boudez votre plus ardent défenseur.

— Je ne couvre pas le ciel avec des nuages, répond Nivard.

Ce rien d'insolence amuse l'abbé.

Surprenante personnalité que ce moine, subtile alchimie que cet enfant du peuple qui est le conseil privilégié du roi, qui est à la tête de l'ordre des moines noirs et dans le sillage des templiers et qui rêve de splendeurs de pierre, d'orfèvrerie fine et de vitraux étincelants.

Il promène le verrier à travers son abbatiale et lui expose avec minutie les thèmes des vitraux qui garniront les fenêtres des sept chapelles donnant sur le chœur. Nivard a beau écouter de son mieux, la logorrhée théologique de Suger le fatigue et le discours du bénédictin, qui l'emmène dans toute une série de rapprochements compliqués où s'entremêlent Ancien et Nouveau Testament, ne rejoint pas sa sensibilité. Il connaît lui aussi les Écritures mais il y poigne à main nue pour y trouver des réponses simples à des questions simples sur le destin des hommes et sur Dieu. Il cherche à débroussailler et non à enchevêtrer les cho-

ses. Il combat son doute au travers des témoignages
de ceux qui ont douté, sa révolte au travers de ceux
qui se sont révoltés, sa solitude au travers de ceux qui
se sont trouvés esseulés et brisés, comme Job, d'avoir
perdu l'amour.

Durant des mois, les deux hommes se rencontrent.
À chaque entrevue, les projets de vitraux sont posés
sur la table et discutés longuement. On barre, on ra-
ture, on déplace, on cherche l'équilibre.

Entre-temps, il y a la verrerie, où Nivard doit en-
fanter les couleurs qui feront vibrer le chœur de l'abbatiale, il y a les vitraux du Mans, qui ont besoin de
l'assentiment du maître et de ses lumières, il y a les
problèmes humains, quelquefois déchirants. Comme
ce jour où les artisans verriers traînent de force, tel
un malfaiteur, Aymon de Moselle au pied de
l'Adepte. L'homme est lépreux et n'en avait rien dit.

— Qu'on le mette dans une ladrerie avec les gens
de son espèce, crie une voix.

Nivard se lève d'un bond, il tonne :

— Qui a dit cela, qui a osé ?

Pas de réponse dans les rangs.

— Allez-vous-en ! commande-t-il.

Les hommes se regardent puis se retirent, laissant
leur chef seul avec Aymon.

Nivard fait asseoir l'artisan, qui est resté digne,
juste un peu plus voûté que d'habitude. Sa blouse de
verrier est déchirée et on peut voir les souillures de la
maladie. Ses grandes mains lui pendent comme des
étoles pastorales, les meilleures mains du chantier.

— Ça fait combien de temps ? questionne Nivard.

— Bientôt cinq ans, répond l'homme.

— Tu ne souffres pas trop ?

— Quand je travaille, je n'y pense pas.

— Tant que je serai là, tu seras des nôtres.

Aymon de Moselle acquiesce de sa longue tête osseuse mais le salut qu'il fait à Nivard quand il se retire est un signe d'adieu. Il quitte la verrerie dans la nuit, sans se faire voir, comme un voleur. Il ne reviendra plus.

Suger est content des projets de l'Adepte. Il les montre au jeune roi, en explique longuement la symbolique. Louis VII bâille. Mis à part le vitrail racontant le prétendu voyage de Charlemagne en Terre sainte, les panneaux représentant ses ancêtres et quelques scènes éparses un peu croustillantes comme celle qui traite de saint Vincent sur sa rôtissoire, rien n'inspire le monarque, moins intéressé à l'art sacré qu'à l'art chevaleresque. Il ne s'est d'ailleurs pas gêné pour combattre l'un avec l'autre.

« Le roi verra les choses différemment lorsque les verrières seront en place », se plaît à penser le bénédictin, qui commence à trépigner d'impatience.

Le temps passe et il est las d'attendre le bon vouloir du verrier. L'homme traîne les choses en longueur. Exaspéré par ces préparatifs qui n'en finissent pas, Suger expédie à Nivard un courrier impérial lui demandant de se contenter des verres qu'il a et de débuter sur-le-champ la réalisation des vitraux. La réponse de l'Adepte est brève et cassante :

« Je ne commencerai pas avant d'avoir les tons de l'harmonie ! » écrit-il.

Piqué au vif, l'abbé de Saint-Denis confie plusieurs fenêtres à un atelier picard réputé. Il s'en mordra les doigts. Le travail sera médiocre et sans âme, les couleurs bâtardes et l'interprétation du dessin sans grâce.

Un jour, les charretées de verres arrivent à l'abbaye avec les artisans. Nivard est enfin prêt. Suger le reçoit froidement. Il n'a pas oublié l'affront qu'il a reçu, à moins qu'il n'adopte cette attitude pour devancer d'éventuelles critiques sur les verrières mises en place par les Picards. La gifle qu'il destinait à l'artisan lui revient en pleine figure quand il voit l'homme de métier s'approcher sans un mot des vitraux. Son supplice durera aussi longtemps que le regard de l'Adepte pèsera sur eux. Il s'attend que Nivard les fasse jeter en bas des fenêtres. Au lieu de cela, il s'entend dire simplement :

— Il faut déplacer ces verrières, leur exposition n'est pas juste. Elles manquent de rouges pour se trouver où elles sont.

La disposition sacro-sainte de Suger est cassée. C'est sa pénitence.

L'atelier auquel sera confiée la réalisation des vitraux du chœur de Saint-Denis est situé à Paris et dirigé par Roger de Lorette, un maître verrier ayant appris son métier sur la Loire. Il compte parmi ses hommes quelques bons ouvriers et quelques apprentis au talent prometteur. Nivard met en route la réalisation des verrières. Il suit la besogne de près, veille à la reproduction fidèle de ses projets et en attribue méticuleusement les tons. À peine est-il lancé dans ce travail qu'on l'appelle à Chartres en même temps qu'à Heidelberg où Gaëlle Maier est en train de mourir. La plaie se rouvre. Nivard envoie quérir la fille du verrier d'Augsbourg. Il la veut près de lui. Il prend accord avec les moniales d'Argenteuil pour qu'elles l'accueillent dans leur moutier. Il part ensuite pour Chartres avec Soma, parcourt la cathédrale en chantier jusqu'à épuisement, recourt aux épaules du colosse pour terminer son tour au grand étonnement des chanoines et autres prélats. Après quoi, il remonte jusqu'à la verrerie, prépare des mélanges, se rend jusqu'à la cathédrale du Mans qui commence à se vitrer. On a placé l'ascension de la Vierge. Le vitrail est souple et priant. Il est l'œuvre d'un artisan des environs de Poitiers, Roland de Gâtine. L'Adepte retient son nom. C'est un bon. Le maître verrier poitevin signale qu'il sera bientôt à court de verres. Certaines teintes étaient très fragiles et il y a eu beaucoup de casse. Nivard prend note des tons, parcourt les tables avec le souci de dépister l'un ou l'autre dérapage. Les vitraux lui paraissent en bonne voie. Il quitte Le Mans pour Senonches.

Il est à bout. Sa vie se consume par l'intérieur et il le sait. Il voudrait arrêter un moment cet épanchement de lui-même, s'asseoir, se placer quelque part devant n'importe quoi, une branche de saule qui frémit sous la brise, un plan d'eau qui fait des auréoles, une fourmi sur un brin d'herbe. Il aspire à retrouver Gaëlle rien que pour la regarder vivre, épier la naissance d'un geste, lui parler de tout, sans retenue, jeter des mots contre le miroir de son silence et puis se taire et attendre. A-t-elle toujours les yeux vides, est-elle encore ce petit animal qui crie dès qu'on l'approche ? Peut-être se lève-t-elle parfois pour se placer sous le soleil ou pour poser ses mains à plat sur la pierre tiède. Elle est plus vivante que lui dans son emmurement. On peut être seul avec des gens aux quatre coins de sa vie. On peut, comme Aymon le lépreux, se noyer d'ouvrage pour combattre son mal et sa solitude. Pendant des années, Nivard n'a fait que travailler sans relâche, du lundi au lundi, pour atteindre l'impossible lumière et l'oubli de lui-même. Aujourd'hui, il s'épuise, il se tarit. Il se perçoit comme le lit desséché d'une rivière qui ne se souvient plus qu'elle a charrié du sang, de la sueur et des larmes. Il a oublié qu'il a été enfant dans les bras d'une mère et amant comblé par l'amour d'une femme. Il se sent sec et osseux de tous les feux contre lesquels il s'est battu. Il se dit avec amertume :

— Il faut passer le message avant la cendre.

De retour à la verrerie, l'Adepte ressort les parchemins de son fourreau et se met de suite à l'ouvrage avec Soma pour composer les verres dont on a besoin au Mans.

Chapitre 31

Un matin, on entend dire dans la verrerie qu'un cheval a disparu. Peu après, Nivard s'aperçoit que le fourreau qu'il garde précieusement près de lui depuis une vingtaine d'années a été dérobé lui aussi. Parmi les verriers c'est le branle-bas. On se réunit, on crie au sacrilège, on identifie le voleur : un certain Antoine de Jouy. C'est un garçon de bonne lignée, le plus jeune souffleur de la verrerie : beaucoup de charme, assez de séduction et de talent pour mettre à feu les cœurs des belles, assez de cynisme pour les réduire en cendres après le jeu. Les femmes le trouvent beau, brillant, irrésistible ; les maris le jugent bellâtre, fat, inconsistant.

— Il a dû se laisser corrompre ! disent ses défenseurs.

Quant aux autres, ils vont lui faire passer le goût du pain. Ils courent aux chevaux et partent à sa poursuite. À chaque bifurcation, deux cavaliers prennent le chemin de dérive. Après s'être dispersés à tous les vents sans résultat, les hommes se regroupent autour de Nivard.

– Il va chez les Anglais, dit le verrier. Nous le rattraperons sur la route de Rouen !

Deux jours plus tard, Antoine de Jouy, qui a chevauché à un train d'enfer et qui s'imagine hors de danger, aperçoit au loin un homme planté sur le chemin comme un monolithe. Il reconnaît l'Adepte. Aussitôt, il fait volter sa monture et s'enfonce dans les bois. Le piège est en place. La fronde de Soma tourne en sifflant. La pierre frappe le cheval sous l'oreille. L'animal culbute et, dans sa chute, verse le cavalier. Antoine de Jouy tombe face contre terre.

Lorsqu'il reprend connaissance, quelqu'un éponge son visage ensanglanté. Il a mal. La nuit s'est faite autour de lui, épaisse et grasse, une nuit sans lune, noire comme le fond d'un terrier, une nuit dont on ne ressort que lorsque la vie bascule. Il est aveugle et ce ne sont pas les larmes qui peuvent nettoyer les yeux morts. Les hommes emmènent Antoine de Jouy avec eux. Personne n'avait souhaité pareil châtiment. Les épaules de Soma lui pèsent comme un pont de pierre. Nivard a le visage aride des terres sans eau, son cœur est un bois sans sève qui ne réagit plus. Il a repris son carquois et rentre en solitaire pour ne plus avoir dans l'oreille les gémissements de cet homme qui pleure la lumière perdue. Il éprouve à nouveau le besoin de revoir Gaëlle, de se raccrocher à cette poussière de vie, à cette blondeur sans âme qui peut le ramener par un seul cheveu à la source de lui-même, pour autant qu'elle existe encore.

Il va la voir à Argenteuil quelques semaines plus tard, une fois soufflés les verres manquants de la cathédrale du Mans. La chambre est toute petite, une mansarde morne et obscure, à peine meublée. C'est là que la vie de Gaëlle glisse d'heure en heure dans le sablier de l'oubli.

Durant toute cette période où il travaille pour Suger aux vitraux de Saint-Denis, Nivard partage son temps entre l'atelier de Roger de Lorette, riche en couleurs, en plaisanteries de toutes sortes, en bruits familiers du verre, et cette cellule grise où Gaëlle s'amenuise jusqu'à la transparence. Il décompte les grains de sable. Il ne sait lui-même ce qu'il espère ou ce qu'il cherche. Il se raccroche à quelque chose d'aussi insaisissable que la lumière : cette âme prisonnière d'un corps éteint, cette présence immatérielle qui appartient au monde des ombres et qui l'aide à retrouver ses morts. Gaëlle est devenue sa confidente. Il lui parle de la douceur de Blanche de Chassepierre, de la tendresse alchimique d'Awen la Noire, des yeux de Matthan, des rires cristallins de Tamar et de Tirça... Il lui parle des heures avec une abondance qui ne lui ressemble pas. Ce sont des graviers qui dégringolent dans le lit abandonné d'un torrent sec. Quand il n'a plus rien à épancher, il fixe la masse inerte ou regarde les murs. Il les connaît par cœur et ne s'en lasse pas.

Un jour, les panneaux de trois chapelles du chœur de l'abbatiale Saint-Denis sont chargés dans un chariot. C'est la fête pour les plus jeunes artisans qui vont enfin voir leur travail en pleine lumière. L'Adepte est parmi eux pour ce corps à corps. Il a, comme chaque fois qu'il place des vitraux, le regard de la mesure. Il porte dans les yeux le fléau du juge, le balancier de l'équilibre. Il a longuement jaugé la clarté adverse éclairant abondamment le chœur. C'est elle la rivale, il en a approché les subtilités, en connaît les points forts et les failles, il est prêt à la combattre.

Après la pose du vitrail contant l'enfance du Christ, l'arbre de Jessé pousse dans sa verrière, étoffant ses branchages de la généalogie d'un Dieu. Le ciel se referme sur la chapelle, tandis que l'acuité de deux pupilles pèse la charge lumineuse des verrières avec intensité. Nivard ne voit personne fors un halo muselé de lumière. Il est absorbé par son ouvrage quand il entend près de lui une voix qui lui dit :

— Dieu est derrière tes œuvres de verre aussi bienveillant qu'un père.

Le timbre n'est pas inconnu à Nivard. Il est vibrant et clair comme une aile de cygne. C'est l'intonation de Bernard, l'abbé de Clairvaux. Quand l'Adepte détache son regard de la fenêtre, en direction du cistercien, il découvre un homme que ses macérations ont rendu malade et décharné. Il ne tiendrait pas debout sans ce frère qui, à ses côtés, lui sert de tuteur. Nivard pense :

— Il se laisse pourrir sur pied mais ses yeux n'ont pas faibli.

Que va lui dire ce moine qu'il ne veut pas entendre ? Que sa prière est belle, limpide et douloureuse comme la vie ? Que lui n'a pas besoin pour atteindre le ciel de tous ces artifices de sable et de poussières ? Qu'il attend le jour où tout l'amour qui sommeille en Nivard éclaboussera le ciel ? C'en est trop pour le verrier. Pas aujourd'hui ! Il était, il y a quelques heures, à l'abbaye d'Argenteuil, au chevet de Gaëlle. Il y a aidé une moniale à faire son lit, a tenu la mourante un instant dans ses bras. Elle pesait à peine plus lourd qu'un chagrin de plume et ça lui brisait le cœur. Il fallait des vitraux à placer dans la lumière pour désobscurcir ses pensées et non les boniments d'un abbé sentencieux tout aussi prêt à casser un homme en lui jetant des sorts qu'à le secourir.

— Par bonté, messire l'Abbé, laissez-moi à mon ouvrage, demande-t-il à Bernard de Fontaines.

Il se referme dans ses fenêtres qui se bouclent, comme on se replonge dans un livre qu'on ne veut pas quitter. Il ne verra pas le moine se retirer.

Gaëlle meurt deux jours plus tard. C'est un coin de transparence qui s'en va. Nivard retourne à ses fours et à ses feux près de Senonches, laissant aux artisans de Roger de Lorette le soin de commencer les vitraux des dernières chapelles de Suger. C'est à Enguerrand de Coucy qu'est confiée la mise à l'échelle des projets de l'Adepte. C'est un garçon qui n'a pas vingt ans, avec un joli visage tamponné de taches de rousseur et des yeux en amande. Comme Roland de Gâtine, c'est un passeur de lumière, un vrai.

Les orfèvres mosans auxquels l'abbé a confié le soin de doter son nouvel édifice des splendeurs dont il rêve doivent arriver d'un jour à l'autre à Saint-Denis. Suger intercepte le verrier dès son retour sur le chantier et l'interroge sur le savoir-faire de ces gens. Il ne peut mieux tomber. Nivard lui parle avec une certaine nostalgie des ateliers de son pays, dont la tradition est séculaire, et d'artisans qui travaillent à merveille aussi bien les métaux précieux que les matières de moindre prix comme le bronze et le laiton. Sur la Meuse, les orfèvres maîtrisent les techniques de moulage à la cire, de repoussage, d'émaillage ; ils se plaisent à sertir des pierres dans leurs ouvrages, à dorer, à vernir, à nieller leurs pièces. Nivard raconte à l'abbé les retables qu'il connaît, les fonts, les croix, les calices finement ciselés, les châsses brillant des feux de l'or, de l'argent, des gemmes et des pierres précieuses. Il parle de tout sauf de lui. Il évoque devant Suger certains de ses anciens compagnons, les meilleurs. Le moine en a l'eau à la bouche. Il a fait le bon choix.

Nivard, quant à lui, appréhende l'arrivée des orfèvres, qui raviveront par leur présence l'amertume de la faute qu'il a commise jadis et qu'il ne s'est jamais pardonnée.

L'Adepte repasse par le chœur de l'abbatiale. Les verriers de Roger de Lorette ont déplacé à sa demande les vitraux des Picards dans une des chapelles extrêmes. C'est un moindre mal. Il lui faudra ruser pour que l'harmonie de l'ensemble ne soit pas déforcée par cette note plus faible. Nivard cherche l'unité.

Pour qu'un luth sonne bien, il faut qu'il fasse corps et qu'il n'ait aucun défaut. La moindre fêlure, et la vibration meurt. Il en est de même pour une église et, en particulier, pour ce déambulatoire qui est demi-circulaire. Dans cette caisse de résonance qu'est le chœur de Saint-Denis, il faudra accepter la présence d'un bois d'une autre essence parmi les nervures. L'ensemble sera patiné jusqu'à ce que tout se fonde dans l'ouvrage.

Le verrier a recomposé certaines teintes, qui sont des mains tendues aux tonalités des fenêtres picardes. Aucun mépris, aucune volonté de lapider ces vitraux dont la prière est maladroite mais sincère. Pour l'Adepte, la règle n'est pas d'imposer son regard mais de travailler humblement, dans le respect d'un lieu, à l'unité d'une lumière.

Nivard retrouve ensuite l'atelier de Paris, la chaleur de Roger de Lorette, la timidité juvénile d'Enguerrand de Coucy, le franc regard et les bonnes mains des artisans. Les dessins sont enlevés, élégants, certains fonds sont à la coupe. Les deux fenêtres voisines des vitraux picards attendent impatiemment que l'Adepte en détermine les tons. L'homme part sans tarder pour Saint-Denis avec croquis et échantillons de couleur. La journée est belle, très ensoleillée. C'est le plein été et la fraîcheur de la bâtisse est bienvenue au verrier, dont la jambe est sensible aux fortes chaleurs. Il se fait placer un banc et une table devant les baies virginales, dispose ses verres, ses des-

373

sins, ses mines, son lait de craie et ses pinceaux, puis se met à l'ouvrage.

Vers la fin de l'après-midi, les orfèvres mosans envahissent l'abbatiale. Ils viennent principalement de Liège et de Huy. Ils ont fait la route sous un soleil accablant. Distrait par ce remue-ménage, Nivard dévisage ces gens dont les regards s'éparpillent dans tous les recoins de l'édifice. Il cherche parmi ce monde les têtes connues. Un homme se place devant lui à distance, leurs yeux se croisent. Il faut un instant à Nivard pour faire correspondre la tête vieillie avec la tête jeune gravée dans sa mémoire. Il reconnaît Amaury de Flémalle, son meilleur ami du temps où il était orfèvre à Huy.

L'artisan vient à sa rencontre d'un pas retenu. Il est accompagné d'un adolescent qui reste en retrait dans l'ombre des colonnes. Ce sont les retrouvailles, les mains qui s'enchevêtrent. Elles se sont acharnées et parfois abîmées sur les mêmes ouvrages, elles se sont jointes à celles de Renier de Huy pour préparer la coulée des fonts de Notre-Dame, elles se sont ennoblies par la matière et embellies à force de rappeler au beau les choses et les gens.

Amaury de Flémalle a abandonné Huy pour Liège mais est resté fidèle à sa vocation d'orfèvre. C'est un homme très doux, un peu timide. Il a le teint blême des dinandiers de longue date qui s'empoisonnent à petit feu avec les oxydes auxquels ils sont continuellement exposés. Son front dégarni et limpide contraste avec une broussailleuse barbe grise d'apôtre. Amaury a gardé ses yeux d'innocence.

Qu'y a-t-il derrière ces visages érodés par les ans ?
Quel a été le chemin de chacun ? Les deux compagnons évoquent d'abord le passé avant d'aborder
avec précaution le présent.

– Combien d'enfants as-tu ? interroge Nivard.

– Trois fils et trois filles ! répond l'orfèvre. Tous
robustes et en bonne santé.

– Et Aude ?

– Toujours la même ! Avec parfois le besoin de
s'asseoir un peu... Que veux-tu ! Les années pèsent !

Et il corrige avec un sourire :

– Je ne peux pas me plaindre ! La vie nous a pré-
servés !

Nivard se tait. Pendant qu'Amaury lui parle, il
quitte en pensée Saint-Denis pour se perdre dans les
ruelles de Huy, sur les bords du Hoyoux, sur les rives
de la Meuse. Il revit les coulées de bronze, les foyers
étourdissant la nuit de leur lumière folle, et puis le
moule que l'on brise pour découvrir le trésor enfoui.
Il revoit Coline, petite fille. Il voudrait s'arrêter là,
ne pas la retrouver femme au côté de Guillaume.
Malgré cela, elle passe devant lui, repasse, il sent ses
yeux inquiets posés sur lui. Elle traverse de long en
large ses souvenirs, obsédante comme le remords.
Osera-t-il parler d'elle, demander des nouvelles de
Guillaume, son frère ? Amaury doit savoir ! La ville
n'est pas bien grande et les langues sont vivaces et
même parfois scélérates. Il sent une gêne chez ce
compagnon de jadis, un grain de sable dans les roua-
ges de leur complicité d'antan. Il rassemble son courage. Il ne s'esquivera pas cette fois comme le lâche

qu'il a été un jour. Fixant Amaury de ses yeux francs, il lui demande brusquement :

– Quelle est cette chose qui te retient ?

Amaury s'échappe du regard qui l'agrippe pour puiser dans la besace qu'il porte sur son flanc un courrier roulé et cacheté. Il le remet au verrier en lui disant d'une voix mal assurée :

– Prends et lis, ce sera mieux ainsi.

Le sceau imprimé dans la cire est celui des Chassepierre. Nivard le fracture et il a mal. Comme l'adolescent tout à l'heure, il part s'isoler dans la pénombre, s'assied parmi les pierres éparses d'un autel en construction pour dérouler le parchemin et en prendre connaissance. Cette lettre est de Guillaume.

A toi, Nivard. Je suis brisé. Coline est morte. Elle a été renversée par un attelage en revenant de la collégiale. Nous l'avons accompagnée, Clément et moi, à Chassepierre jusqu'à la chapelle où reposent les défunts de notre famille. C'était il y a trois mois.

Clément, c'est ton fils arraché par la violence au ventre de Coline.

Tu devines sans mal la peine que j'ai dû surmonter. Quand l'enfant s'est annoncé, j'ai d'abord exigé qu'il se perde, mais sa mère a voulu le garder. Il est né et Coline a choisi de l'appeler Clément pour exorciser le mal et implorer le ciel à la miséricorde. Dans ma détresse, j'ai voulu me contraindre à le rejeter, mais tu me connais ! Je n'ai pas de violence en moi ni de méchanceté qui tienne, je me suis laissé attendrir par le petit et je n'ai pu résister à l'aimer comme mon propre fils.

À la veille de sa mort, ma Coline a révélé à Clé-
ment que tu étais son père. Elle a parlé de toi avec
une inflexion que je n'oublierai jamais. Clément est
resté muet un long moment. Puis il a voulu voir ta
châsse.

Aujourd'hui, il a retrouvé ta trace. Il veut te
connaître. Je ne puis lui refuser ce droit !

Que cet enfant soit notre réconciliation. Adieu !

Craintivement, le garçon blond sort de l'ombre et
s'avance vers Nivard. Rien qu'à voir sa charpente, on
devine déjà le gaillard qu'il sera d'ici quelques années. Il a le visage grave et volontaire, allumé par de
magnifiques yeux de jade. Il hésite à aller plus loin
quand il voit son père poser la lettre près de lui pour
rapprocher son visage de ses grandes mains. Le bar-
rage craque. La vieille écorce se fissure de partout.
Le cœur de verre de l'Adepte se brise et se remet à
battre du sang. Ce sont des années de souffrance qui
remontent d'un seul coup sous ses paupières, des années d'incessantes sécheresses. Nivard respire de ce
souffle lourd et sonore des hommes qui portent en
eux les vents du large et du désert. Il entend en lui le
galop sourd qui annonce ces averses torrentielles
remplissant d'un seul coup les méandres secs des terres brûlées. À la source tarie de ses larmes, les cra-
quelures de l'argile se gorgent d'eau, s'abreuvent par
l'intérieur. La pluie remonte de la terre. Les déluges
sont en marche. Nivard relève la tête vers Clément,
l'appelle. Quand il est près de lui, il l'attire dans ses

bras, l'enlace comme il avait un jour enlacé Coline et, la tête perdue dans le bliaud de l'enfant, il pleure comme pleurent les hommes et les montagnes jusqu'à plus soif, dans le noir de leurs visages enfouis. L'adolescent pleure lui aussi devant ce désarroi qui le dépasse. Il ne se dérobe pas. Il glisse ses mains dans la chevelure de son père. Ils se referment l'un sur l'autre, remplissant de leur chagrin ce vide laissé par Coline. D'une voix nouée Nivard laisse affleurer ces mots d'Isaïe :

– *Omnis vallis implebitur*. Toute vallée sera comblée.

Chapitre 32

Clément de Chassepierre procède, avec les artisans de Roger de Lorette, à la pose des derniers vitraux du déambulatoire de Saint-Denis. Il a suivi leur réalisation d'un bout à l'autre et il ne lui a pas fallu longtemps pour passer de l'observation à l'action. Les doigts lui brûlent. Il regarde et aussitôt il veut essayer. Avant même qu'on lui ait montré la manœuvre jusqu'au bout, il se lance. Quand les choses lui résistent, il s'obstine jusqu'à la rage. Il vaut mieux alors le laisser tranquille et attendre.

Suger est revenu deux fois de Paris pour voir l'avancement de l'ouvrage. Il arbore comme toujours ce même visage froid qui s'ingénie à ne rien laisser paraître de ce qu'il masque.

— Pourquoi ne dit-il rien ? demande Clément quand l'abbé se retire.

— C'est une muraille ! répond Nivard.

Le garçon ne comprend pas qu'on puisse rester insensible devant cette fête merveilleuse de lumière, devant ce miracle de chatoyance qu'est l'œuvre de son père.

379

Quand la muraille rentre dans ses quartiers, impassible, elle prend une plume d'oie, la trempe avec mesure dans la corne de bœuf qui contient l'encre et se met à écrire quelques lignes sur les *admirandarum vitrearum operarios* dont est enfin dotée son abbatiale. La plume frétille sous les doigts de l'abbé. Taquine, elle lui chatouille l'oreille en passant.

L'évêque de Châlons-sur-Marne découvre les vitraux de Saint-Denis lors de la consécration du chevet de la basilique au mois de juin 1144. Il est sous le charme et veut les verriers de Suger pour vitrer le chœur de sa cathédrale, fraîchement reconstruite après l'incendie qui la détruisit en partie six ans plus tôt. Nivard est retourné à ses fours, accompagné de Clément et de Soma. C'est sur Chartres qu'il se braque à présent et il ne souhaite plus s'en détacher. Les verrières du Mans sont en bonne voie. Elles offrent quelques beaux moments d'élévation lumineuse mais une unité fragile. D'un côté, le vin est jeune, brillant, de l'autre, il monte trop facilement à la tête. L'Adepte prend sur lui cette lacune. Il a suivi le chantier de trop loin. Il s'en désole. Quand on lui parle de Châlons, Nivard se montre réticent, il a peur de la dispersion. L'archidiacre de Chartres le pousse à répondre favorablement à la demande de l'évêque de Châlons. L'Adepte finit par accepter, mais ses conditions sont draconiennes. Il veut pour ce travail les verriers du Poitou, du Limousin et du Centre ainsi que certains orfèvres de Meuse. Il lui prend le rêve d'unir dans la lumière les deux métiers de sa vie, de se replonger dans cette source mosane d'où a jailli son art.

QUI PORTERA SUR SON ÉPAULE LE CARQUOIS DE L'ADEPTE ? Ces quelques mots gravés grossièrement sur une pelure de pierre claire sont de Rosal de Sainte-Croix. L'homme qui les remet à Nivard vient de Berchères.

— Qu'y a-t-il à Berchères qui puisse intéresser le templier ? questionne le verrier.

— Une carrière, répond l'homme.

Nivard s'étonne. Il regarde les mains de l'émissaire, de grosses mains rompues aux mailloches et aux ciseaux.

— Et que fait-il dans cette carrière ?

— Ben, il taille la pierre comme nous, dit l'homme le plus naturellement du monde.

Nivard est de plus en plus intrigué. La dernière fois qu'il a vu Rosal, c'était à Sens, cinq ans plus tôt, sur les fondations de la cathédrale. Il était occupé à parcourir des plans et à surveiller des tracés.

— Et que peut-il bien tailler ? poursuit-il.

— Vous verrez bien quand vous viendrez nous voir, lui fait l'homme, avec un accent pittoresque et un petit air chafouin, juste ce qu'il faut pour étoffer le mystère.

Le jour qui suit, Nivard quitte la verrerie avec Clément et Soma pour se rendre à Berchères-les-Pierres. La carrière est un énorme renfoncement où l'on plonge par un chemin sinueux. Posées sur le sol en

contrebas, des roues géantes, des dizaines et des dizaines de roses, taillées en finesse dans la pierre blanche, plus merveilleuses et plus grandes les unes que
les autres, un parterre phénoménal d'immortelles
aux découpes variées, à la grâce de dentelle, à la floraison rayonnante, attendent un ciel et des vitraux
flamboyants pour chanter la lumière. Cette vision est
hallucinante ! Plus on descend dans la carrière, plus
on est frappé par la taille des rosaces. Certaines de
ces circonférences font cinquante pieds au moins.
Parmi les pierres admirablement ajustées sur le sol,
un gaillard vigoureux, un diable d'homme, un formidable vieillard taille un meneau. Il a un bandeau
noué derrière la tête pour tenir ses cheveux. Il est
blanc et barbu. Il est noyé dans son ouvrage. Il
s'acharne. Son coup de marteau se répercute sur les
flancs des falaises au rythme binaire de son cœur. Il y
a urgence. Il faut sculpter les anneaux magiques qui
empêcheront la flèche de tomber. Le rêve est sans
mesure, il appelle dix générations d'hommes, des
milliers et des milliers de mains. Pour le porter il faut
des épaules de titan. Rosal de Sainte-Croix se redresse. Il a chaud. Il est blanchi de poussière comme
un spectre. Il prend sa gourde et s'en asperge. Il
n'aperçoit pas tout de suite les trois hommes. Quand
il se retourne et qu'il voit le verrier mosan, son vieux
visage s'éclaire. De retrouver Soma, il s'épanouit davantage. Enfin, quand il découvre au côté de Nivard
le garçon blond qui porte sur son dos le carquois de
l'Adepte, il est transfiguré de bonheur.

— La flèche est enfin partie, s'exclame-t-il, il n'y a
plus maintenant qu'à l'assurer : l'œuvre est en route.

C'est beau de voir ces deux regards d'hommes se croiser, ces deux archers de lumière s'embrasser. Avec une humilité à peine feinte, le vieux templier dit à Nivard :

– Comme tu peux voir, je passe mon temps.

Ils sourient.

Nivard est ému par ce jardinier qui enfante des roses qu'il ne verra pas fleurir dans les pignons des cathédrales parce qu'il manque stupidement quelques décennies au boulier de sa vie pour arriver au bout de sa quête. Lui-même habillera-t-il certaines « rosaleries » dressées dans la lumière ? Aura-t-il le bonheur de vitrer l'une ou l'autre d'entre elles ? Il l'espère. Son fils aura peut-être cette chance.

Rosal regarde Clément avec confiance. Il le sent taillé dans la force. Aux coups d'outils, à l'équarrissage et à l'aplomb du garçon, il retrouve le poinçon familial. Le mouvement, la carrure et le masque ne trompent pas. C'est un Chassepierre. Il est fasciné par la beauté et la franchise de son regard.

– Où as-tu trouvé ces superbes yeux-là ? demande-t-il à son compagnon.

– Je les ai volés aux bords de Meuse, répond le verrier sans détour.

La rencontre de Berchères suscite chez Clément de Chassepierre une image, celle d'une roue de moulin qui puise des pépites d'or dans ses pales pour les faire étinceler dans la lumière quelques instants avant de les rendre à la rivière. Une richesse qui passe mais qu'on n'accapare pas. Il est étourdi par tant de grandeur et de démesure. Il a peur dans cette immensité comme l'enfant hissé sur le trône impressionnant d'un empire.

Au commencement du verre est le sable, le feu et le souffle. Clément rentre à Senonches et, sans attendre, plante une canne dans un four.

Père et fils sont à Châlons la même année. Clément recherche l'harmonie du lieu au départ des notes chantantes de la palette tandis que Nivard part des notes graves. Les concordances sont saisissantes. À Chartres, l'un est vif et impétueux, il arrache les tons au ciel par touffes, l'autre les détache de leur tige proprement et sans heurt avec la fine lame affûtée de sa vue. Au-delà de cette différence, ils se retrouvent encore. Il se passe de Nivard à Clément quelque chose d'étonnant, d'inexplicable, de merveilleux, un passage de connaissance de l'un à l'autre par le geste, dans un silence presque absolu, un apprentissage muet de la lumière à travers la filiation de leur regard. On est plus que jamais dans le monde des yeux.

À Chartres, une note résiste à se rendre aux deux verriers. Elle est puissante, ardue et insaisissable. Elle s'éclipse sans cesse. Ils le savent. Ils se mettent à deux pour la capter. Père et fils font alliance dans cette traque qui se passera à l'ombre des fours, là où se déroulent les parchemins de l'Adepte. Pendant des semaines et des mois, ils recherchent ensemble ce ton qu'ils ont chacun au bout des cils et qu'ils ne peuvent arrêter dans le verre.

Un jour, ils tiennent le bleu par le mors, matière vivante, subtile interférence de cobalt, de manganèse, de fusion, de feu et de vent. Il a beau se débattre, ils ne le lâchent plus. Les deux verriers partent pour Chartres avec Soma, en emportant la tonalité captive. Quand ils sont dans la cathédrale, ils la conduisent devant chaque fenêtre, ils la dressent sous toutes les expositions. Minutieusement, ils observent. Le verre chante partout à quelque endroit qu'on le place. Ils ont l'assise.

— Awen avait le même bleu noyé dans l'or de son collier, dit Nivard à Soma.

— Je me souviens ! acquiesce le géant en secouant sa grosse tête bouclée.

Un matin du côté de Berchères, alors que les ouvriers décrochent un pan de falaise, l'eau jaillit d'un seul coup. C'est le déluge. Les hommes n'ont pas le temps de ramasser leurs affaires. Délogés par ce torrent qui s'abat sur eux, ils remontent à la surface en courant et en se bousculant l'un l'autre.

Indifférente à la panique, la mailloche du templier continue à frapper régulièrement le fer refoulé de sa pointerolle. L'eau monte et les coups ne s'interrompent pas. En fuyant la carrière, les tailleurs aperçoivent le vieillard qui, tel un récif battu par les flots, dégrossit sa pierre immergée. Ils l'appellent, le supplient d'abandonner son ouvrage. Rosal de Sainte-Croix est aveugle et sourd, il sculpte sa cathédrale...

Le lendemain, quand les hommes reviennent sur le

site, on aperçoit les roses dans la transparence de l'eau et, étonnamment, on entend toujours l'impact de la mailloche du templier.

Après quelques semaines, lorsque le trou est immergé, il y a toujours ce bruit insolite et rythmé. Il ne s'interrompra pas pendant près d'un siècle et demi.

Châlons sera la réunion du vitrail et de l'orfèvrerie, Chartres la rencontre de l'humain avec le divin. C'est en 1147 que les tables se blanchissent dans la cathédrale. Sur place, les meilleurs artisans de France. Ils viennent de Poitiers, de Limoges, de Loire, du Centre et de Champagne pour vitrer Notre-Dame.

Chartres a vu Saint-Denis. Elle en reprend les thèmes avec panache. Elle parle des Écritures, des saints, des métiers, des épopées. Elle raconte à bâtons rompus des histoires. Dans cette dispersion, l'Adepte cherche l'unité. Comme pour Le Mans, il offre des verres aux fenêtres, il conduit la lumière pour qu'elle enrichisse à chaque heure la prière et le recueillement.

Nivard s'est gardé, parmi tous les ajourements de la cathédrale, un espace qu'il vitrera lui-même d'un bout à l'autre avec la seule aide de Clément. Il se fait installer des tables à proximité du chœur et les passe lui-même au blanc. À la mine de plomb, il trace les contours d'une Vierge en majesté portant l'Enfant-Dieu. Elle est entourée d'anges. Les personnages centraux sont plus grands que nature. Ils sont expressifs.

Cela fait longtemps que Nivard n'a plus échafaudé un vitrail dans sa totalité et il éprouve du bonheur. Il souhaiterait s'y consacrer sans réserve, ne plus courir d'une fenêtre à l'autre en allégeant ou en complétant un dessin par-ci, en rétablissant l'équilibre lumineux d'un vitrail par-là. Peut-être, un jour, retrouvera-t-il cette sérénité qu'il avait acquise quand il travaillait en Syrie. Clément assiste son père. Il lui apporte les feuilles, s'occupe des fers de coupe. C'est lui qui, avec le plus grand soin, recopie au lait de craie le tracé original sur le verre. La vue du verrier s'affaiblit et il préfère céder cette étape du travail à un œil plus vif et à une main plus alerte. Quand il s'agit de mettre le vitrail en grisaille, Nivard traite d'abord les deux visages. Clément reconnaît sa mère sous les traits de la Vierge et il en est ému. Elle a une expression à la fois tendre et triste, un sourire en lisière de larme.

Les premiers panneaux qui prendront place dans la cathédrale sont ceux de la façade occidentale nouvellement reconstruite suite aux dégâts occasionnés par l'incendie de l'hôtel-Dieu en septembre 1134. On les dresse bien avant que Nivard ait terminé son vitrail. À sa décharge, il a eu une part active dans la réalisation des trois verrières et cela explique son retard. Un échafaudage rudimentaire a été installé par les artisans à l'extérieur de la bâtisse pour la commodité du placement. Soma, aidé de ses forgerons, a façonné les barlotières neuves destinées à recevoir les pannetons.

Dans la fièvre coutumière qui précède la mise en

lumière de nouveaux vitraux, les hommes hissent les lourdes armatures de fer lorsque, soudain, l'échafaudage trop chargé se disloque, s'écarte du mur, reste quelques secondes en suspens dans le vide et, d'un seul coup, s'effondre devant la cathédrale dans un fracas effrayant entremêlé de cris.

De l'endroit où il travaille, Nivard voit, par les fenêtres évidées, l'ouvrage de bois tomber avec ses gens et son fils. Il lâche ses outils, il court, comme peut courir un homme qui traîne un pilon, en escaladant son infirmité, sa douleur et son angoisse. Il a payé son tribut. On lui a pris femme et enfants. Dieu a arraché à sa vie toute tendresse, lui a enlevé toute l'écorce du tronc, l'a ébranché d'une jambe, il ne peut pas le briser une fois encore à l'heure où il s'amende, où il peut enfin se prévaloir d'une joie.

Il arrive au porche à bout de souffle, les traits défaits. Parmi les artisans terrassés par leur chute, on compte trois tués dont un jeune homme, un verrier des ateliers de Roger de Lorette, un certain Enguerrand de Coucy. Il gît les yeux exorbités, arrêtés sur le ciel. Un lourd madrier lui a écrasé le corps. Près de lui, Clément est à genoux et pleure son compagnon. Nivard se retire dans l'ombre. Il est sans force. La mort a frappé fort ce jour-là. Elle rappelle au verrier que l'œuvre appartient au destin, ce monstre malfaisant qui, d'une chiquenaude, culbute les vies.

Chapitre 33

A Chartres, la cathédrale romane de Fulbert prend vie à la lueur des verrières étourdissantes harmonisées par l'Adepte. Côte à côte, les fenêtres sont autant de mains épanouies aux multiples enchevêtrements, attirant à elles le chant du ciel et la complainte des hommes. Elles recueillent la ferveur d'un peuple sous les défensives arches de pierre. Les vitraux disent aux gens : « Nous attendrissons Dieu, mettez-vous debout dans notre lumière et n'ayez plus peur ! »

L'Adepte ferme la dernière serrure de la cathédrale, la fenêtre clé, celle qui reçoit Notre-Dame en majesté. Les verriers attendent l'œuvre. Au fur et à mesure que les panneaux s'agencent dans la trouée du chœur, l'émotion les gagne. Quelque chose se passe, ou plutôt quelque chose se dépasse : une rencontre étonnante entre deux yeux d'homme et l'œil borgne de Dieu.

Ce matin-là, le Tout-Puissant monte ses chevaux de lumière et, une fois la belle verrière en place, il fond sur elle avec ses armées comme un cavalier fou.

Les nuages tournoient, traversent les saphirs de la robe de verre de la Vierge, ils tourbillonnent, se contorsionnent et s'assombrissent. Le ciel s'emboucane pour voir jusqu'où tient l'harmonie. Il envoie la pluie en première ligne, des nappes d'eau.

Le vitrail reste sublime.

Arrive alors la grêle pour tambouriner du bout des ongles divins les pannetons nouvellement clavetés.

L'ouvrage tient.

Ensuite roule le soleil, il tente une percée, frise, s'infiltre, s'essaie à semer la discorde entre les tons, mais l'unité est forte et sans faille. Piqué dans son orgueil, l'astre souverain monte, il domine, il frappe en force, il incendie la fenêtre mais au lieu de cendres, voilà que courent sur la pierre les culbutes amusées des mauves, des bleus, des rouges, des roses et des myosotis dans un poudroiement d'or alangui de rivières et de hautes fougères. Sur les murs, des jeux d'enfants et des rires.

Le ciel arrête ses cabrioles, il n'a plus de ruses, il se rend à la beauté de l'œuvre. Il s'incline devant l'Adepte !

Nivard pense aujourd'hui que la longe est courte, que l'animal est tenu au ras des naseaux, qu'il n'a pas échappé au dompteur. Il a le contentement de l'homme qui peut se retirer sans honte, sa besogne bien achevée.

Il retourne à sa table pour ranger ses outils, rassembler ses dessins et ses échantillons de verre. Il ne s'appesantit pas.

Il veut rester ce sillage qui s'évanouit derrière la

barque, l'artisan muet du grand œuvre, celui dont Théophile devait taire le nom. Il retourne à ses fours se ressourcer dans le feu. On l'attend à Reims et à Angers.

— Raconte-moi mon père, demande Clément à Soma.

Toujours la même question sur ses lèvres et le vieux géant à la tête blanche qui lui sourit. Que de rides dans ce visage, que de lignes entrecroisées et de chiffonnements autour de ses yeux de bonté. Ce sont les tracés des chemins silencieux qu'il a parcourus au côté de l'Adepte, les innombrables sillonnements de leur vie errante. Soma est un sage. Il ne relate pas l'histoire, elle ne l'intéresse pas. Il forge la légende. C'est un travail de bon artisan. Quand il est content de sa trouvaille, il aime rire ou chantonner quelques mesures de ces étranges mélopées qui le rappellent à ses racines.

Un an après la pose des vitraux de Chartres, au temps des moissons, les trois hommes prennent la route pour Reims. En ce mois d'août, il fait chaud et poussiéreux sur les chemins, terriblement lourd. Un soir, le ciel se couvre, il se met à tonner au loin et les cavaliers se hâtent à la recherche d'un gîte. Rien de construit à l'horizon. Ils chevauchent à l'aveuglette lorsque apparaît un clocher dans le lointain. Qui dit clocher dit lieu de culte, qui dit lieu de culte dit village, pensent les voyageurs. Le vent se lève. Sans attendre, ils se pressent vers ce refuge providentiel.

Bientôt, ils débouchent sur une imposante église, alors que les premières gouttes commencent à tomber. Une chose intrigue les trois hommes : il n'y a pas la moindre maison autour de l'édifice, pas une âme. Une porte latérale de la bâtisse est entrebâillée, Clément la pousse. Elle crisse sur ses gonds. Il entre dans la nef, suivi de ses compagnons. Des battements d'ailes et des piaillements leur font un accueil protestataire. Dehors la tempête éclate d'un seul coup. Soma met les chevaux à l'abri sous le porche. À l'intérieur, par les fenêtres ouvertes sur le ciel, les éclairs éblouissent les pierres et les visages des voyageurs. L'endroit est irréel, lugubre, inexplicable. L'église est toute en longueur. Un formidable échafaudage est dressé côté narthex. Il escalade la façade orientale jusqu'à un orifice circulaire de vingt pieds de diamètre s'ouvrant au-dessus de quatre immenses baies ogivales, vides elles aussi. La foudre frappe plusieurs fois l'édifice. Les bêtes s'affolent. Le cheval de Nivard arrache sa bride et s'enfuit sous l'orage au galop. Au moment où Clément et Soma se lancent à sa poursuite, l'animal est foudroyé par une boule de feu.

Le lendemain, quand les trois hommes ouvrent les yeux, il fait soleil. La pierre dégoutte, elle s'est gorgée de pluie au bas des fenêtres. La lumière est caressante et le calme apaisant. Nivard s'établit dans ce lieu, le temps pour Clément et Soma de lui trouver une autre monture. Il s'installe sur les marches du chœur. L'air est frais et il se sent bien. Il regarde cet œil ouvert sur le ciel. Ce rond le fascine, il ne peut s'en détacher. Il imagine dans cet alvéole une rose du templier et des vitraux. Il n'a pas mis son pilon et allonge le bras pour tirer à lui son bagage et y puiser une double feuille de parchemin pour crayonner.

La mine de plomb cerne un premier dessin, ébauche un second. Elle fait d'abord le tracé de la pierre, puis s'attaque au vitrail. C'est de bonne venue. Les scènes se mettent en place comme par enchantement. Nivard n'en reste pas là. Il dispose ses échantillons de verre sur le sol et, dès que le soleil n'est plus dans la trouée, il tente d'harmoniser les tons de sa rose imaginaire. Les morceaux de verre coloré voyagent dans ses doigts. À un bleu succède un jaune, du jaune on migre vers le gris. Puis vient encore un gris, plus roux, et un autre tirant sur le rose. Un jaune plus clair est cueilli brusquement. Il est tendre, un peu paille, une merveille sur l'épaule nue d'Awen. Le verrier attire à lui un ponceau puis l'écarte, il hésite sur un rouille très léger avant de piquer sur un brun clair avec une pointe de gris.

— Toujours le gris : la part de la pierre ou... la cendre, marmonne-t-il.

Ses doigts repartent vers les bleus. Un turquoise vif l'aguiche, il le prend puis le rejette, cherche plus loin, musarde côté vert avant d'extraire de sa palette un bleu foncé conquis à la transparence des mers de Syrie. L'Adepte manipule ses tons, les entremêle. Chacun d'entre eux se rapporte à sa vie, caressure, griffure ou pourfendure. Il les série, fait sa justice, condamne et gracie souverainement. Est-ce bien ainsi ? Possède-t-il l'alchimie de cet œil géant planté sur le front de l'infini ? Sa vue se brouille, sa tête lui fait mal. La rosace s'éloigne de lui et se rapproche. Il cligne. Impudique et nue, la lumière lape la pierre jusqu'à plus soif.

— Je ne te ferai pas de mal, mais tu ne m'échapperas pas ! dit le verrier.

Il reprend l'examen minutieux de ses tons, en conduit les modulations de l'un à l'autre. Ils se fondent, s'harmonisent, se nouent d'amitié.

— Je veux un vitrail de fraternité douce, de conciliation délicate entre les heures, les pierres et les sources de clarté, un baiser du ciel aux choses et aux gens, des lèvres tendues.

Les couleurs cherchent les mots et les notes de musique et l'Adepte se retrouve à son insu poète et musicien. Il a rangé devant lui les tons glanés de la mélodie, ceux qui ont résisté à la confrontation. Les uns adoucissent les autres, les autres mettent en valeur les uns. Toute la tendresse du monde est là à ses genoux.

Sceptique, la grande rosace se moque gentiment :

— Que peut prétendre capturer un humain infirme et tors dans la chasse gardée des anges ?

Nivard a entendu. Il serre les dents, saisit son pilon à côté de lui et le fixe solidement à sa jambe. Des deux mains, il ramasse les verres de l'harmonie passés au crible de son regard intérieur et les glisse dans une sacoche qu'il accroche à sa ceinture. Il se dresse, et marche de long en large dans la nef sous la rosace.

Altière, elle le défie, le nargue, le provoque. Soudain l'Adepte n'y tient plus et se met à gravir l'échafaudage en disant d'une voix rageuse :

— Puisque tu me braves, je te musellerai.

Le pilon de bois mort sur lequel il se rétablit dans son escalade cherche à tâtons des assises stables sur les traverses rondes et glissantes. Plusieurs fois dans sa montée, l'homme ripe et se trouve pendu par les bras dans le vide. Il en rit. Il ne basculera pas à moins qu'on ne le pousse. Il continue sa progression entêtée jusqu'au trou de lumière, jusqu'à cet immense œil sur l'au-delà, cette frontière. Il veut contrôler ses tons sur le rebord de pierre, à l'endroit où se tendent les filets de plomb, dans le plan où s'entre-nouent les jeux colorés du verre. Quand il est tout en haut et qu'il domine d'un côté la campagne infinie et de l'autre la nef dans son étalement, il se sent chargé du souffle des géants. En bas, près du chœur, il voit la minuscule tache claire du parchemin où il a esquissé la rosace. Selle, harnais, bagage, tout son fatras lui paraît ridiculement petit. Nivard s'amuse à mesurer l'espace infime qu'il occupait quelques instants plus tôt : une pincée de sable.

L'Adepte dispose ses verres sur la base du cercle et recommence son manège, tourne et retourne la roue dans sa tête, passe d'un ton à l'autre, d'un jaune à un vert, d'un gris à un bleu très foncé à dominante turquoise, il jongle, tire un rouge, caresse avec le fragment toutes les teintes en équilibre dans le bas de la fenêtre, histoire de vérifier une fois encore les sympathies.

Soudain, il s'arrête de bouger et, à soixante pieds de haut, il relit une fois encore toutes les couleurs qu'il a choisies. C'est extraordinaire ! Il vient de fermer la boucle. Il a devant lui toutes les notes de la musique céleste, il a découvert l'harmonie lumineuse parfaite, celle qui résiste à tout, celle qui n'appartient qu'à ceux qui ont l'oreille collée sur l'âme. D'une voix à peine audible, il murmure :

– Clément, Soma... Awen... venez vite. Je tiens une clé. Je vois enfin...

Un gerfaut entre dans l'église par la trouée et son aile frôle de si près le visage de Nivard qu'elle l'évente au passage : un souffle dérisoire, une caresse douce d'éventail pour un pas en arrière... dans le vide.

Le verrier tombe à la renverse sans un cri. Le bruit mat de son corps qui se brise sur le dallage de pierre réveille à peine quelques bruissements d'ailes, et puis plus rien...

Quand Clément et Soma reviennent et qu'ils découvrent Nivard de Chassepierre sans vie au pied de sa rosace imaginaire, le soleil du soir, s'infiltrant par les fenêtres vides du chœur, étend un linceul de lumière sur le mort. Il y a du verre brisé sous le corps de l'Adepte et une tache de sang qu'absorbe la pierre grise.

À la porte de l'église, un cheval blanc trépigne en attendant son maître, tandis que, dans l'ombre d'une nef, d'épaisses et bonnes mains d'artisan comme les miennes cachent des yeux qui s'aveuglent de larmes.

Épilogue

Cinquante ans, jour pour jour, après la consécration du chœur de Saint-Denis, le 11 juin 1194, la cathédrale de Chartres est anéantie par les flammes. Tous les vitraux romans sont détruits à l'exception des trois grandes fenêtres d'occident que protégeaient les voûtes en pierre du jubé et de Notre-Dame-de-la-Belle-Verrière. Après le sinistre, on retrouve cette mère à l'enfant, trônant dans un des rares pans de mur que le feu n'a pas renversés dans sa violence. Elle est intacte, elle n'a pas le moindre morceau fracturé ni le moindre plomb entamé par l'incendie. Les héritiers du verrier mosan vont démonter cette vierge miraculée. Ils en modifieront les contours pour la replacer vingt-cinq ans plus tard dans une fenêtre gothique de la cathédrale reconstruite.

La flèche lancée par l'Adepte ne devait pas retomber.

Martinrou,
automne 1992.

DU MÊME AUTEUR

Aux Éditions Denoël

LE PASSEUR DE LUMIÈRE (Folio n° 2688)
LES SEPT COULEURS DU VENT (Folio n° 2916)
LE PUISATIER DES ABÎMES (Folio n° 3357)

Aux Éditions Jean-Claude Lattès

PITIÉ POUR LE MAL.
AUBERTIN D'AVALON

Impression Maury-Imprimeur
45330 Malesherbes
le 4 octobre 2009.
Dépôt légal : octobre 2009.
1ᵉʳ dépôt légal dans la collection : février 1995.
Numéro d'imprimeur : 150536.

ISBN 978-2-07-039278-0. / Imprimé en France.

172004